PENDRAGON

5

La Cité de l'Eau noire

DANS LA MÊME SÉRIE
DÉJÀ PARUS

Pendragon n° 1, *Le Marchand de peur*
Pendragon n° 2, *La Cité perdue de Faar*
Pendragon n° 3, *La guerre qui n'existait pas*
Pendragon n° 4, *Cauchemar virtuel*

D. J. MACHALE

BOBBY

PENDRAGON

5

La Cité de l'Eau noire

Traduit de l'américain par Thomas Bauduret

Jeunesse

Titre original : *Pendragon 5. Black Water.*

La présente édition est publiée en accord avec l'auteur, représenté par Baror International Inc., Armonk, New York, USA.

ISBN 2 268 05564 7

Des chatons pour Keaton.

AVANT-PROPOS

Bonjour à tous.

Il est temps de retrouver une fois de plus Bobby Pendragon et les Voyageurs dans leur quête pour protéger Halla des manigances du diabolique Saint Dane. Depuis ce soir où l'oncle Press l'a emmené avec lui pour lui faire découvrir sa véritable destinée, Bobby n'a cessé de passer d'une aventure à l'autre. Et ce fut aussi un sacré voyage pour votre serviteur, qui n'aurait jamais cru que retranscrire ses aventures puisse être si amusant. Et nous voilà, cinq romans plus tard, à la moitié du chemin, et vous raconter les aventures de Bobby est de plus en plus passionnant.

J'ai eu le plaisir de recevoir d'innombrables lettres et e-mails de lecteurs voulant débattre de leurs théories personnelles, leurs prédictions et leurs inquiétudes quant à l'avenir de Halla. Et certains ne manquent pas d'imagination ! J'ai l'impression d'être le réceptacle de la créativité collective de toute une nouvelle génération d'écrivains d'aventures fantastiques. Formidable, non ? Un grand merci à tous ceux qui ont pris cette peine.

Bien sûr, je ne suis pas le seul impliqué dans cette aventure littéraire. Bien d'autres gens méritent d'être cité, et c'est le moment de vous en présenter quelques-uns. Merci beaucoup à Rick Richter, Julia Richardson, Ellen Krieger, Samantha Schutz, Jennifer Zatorski et tous ces braves gens de la division Jeunesse de Simon & Schuster, qui ont soutenu la série depuis le début. Comme toujours, Debra Sfestios et Victor Lee ont conçu une illustration de couverture sensationnelle. Une fois de plus, Heidi Hellmich, correctrice de choc, a réussi à faire croire que je maîtrise la grammaire sur le bout des doigts. Ma petite équipe d'acolytes, composée de Peter Nelson, Richard Curtis et Danny Baror sont toujours mes anges gardiens. Et bien sûr Evangeline, mon épouse, continue de m'assurer que cela vaut la peine de se mettre au travail chaque jour que Dieu fait. Croyez-moi, tous me sont d'un grand secours.

Merci à vous tous et à ceux qui m'ont permis de mener à bien la saga de Pendragon.

J'ai découvert qu'écrire une longue histoire étalée sur plusieurs tomes n'est pas sans difficultés. Bien que chaque roman contienne une histoire complexe, chacun fait aussi une partie d'un puzzle bien plus important. L'ennui, c'est que tout le monde ne lira pas forcément les épisodes dans l'ordre, et prendre une série en marche peut se révéler désorientant. Ce qui signifie qu'il me faut écrire chaque livre comme s'il était le premier et le dernier de la série. Tous ceux qui me suivent depuis le début savent que ce n'est pas rien, parce qu'on a beaucoup progressé depuis *Le Marchand de peur*. Du coup, à chaque nouveau roman, j'essaie de glisser assez d'informations pour que les nouveaux ne se sentent pas largués, mais pas trop pour ne pas ennuyer les vétérans. Si ce livre est le premier volume de la série que vous lisez, ne vous inquiétez pas. Si vous vous demandez ce qui peut bien se passer, pas de panique : la plupart de vos questions trouveront réponse en cours de route. Si vous êtes un ancien, essayez de ne pas vous endormir pendant que je vous rappelle ce qui s'est passé auparavant. J'ai étalé des indices un peu partout, par petites touches, et si vous n'êtes pas attentif, vous pourriez rater quelque chose. Tout cela pour vous dire de ne pas décrocher.

Bien, assez parlé. Pour ceux d'entre vous que la fin ouverte de *Cauchemar virtuel* a laissés sur leur faim, votre patience va se voir récompensée. Pour ceux qui prennent la série en marche, bienvenue. Vous allez entrer dans un univers de héros, de démons et de destinées grandioses. Vous n'avez qu'à inspirer profondément, tourner la page et entrer dans le flume.

Hobie-ho,

D. J. MACHALE

PROLOGUE

Acolytes.

C'était le mot clé.

Il s'agissait aussi de sauver l'humanité de la destruction aux mains d'un démon maléfique nommé Saint Dane, mais Mark Dimond et Courtney Chetwynde n'en étaient pas encore là. Après tout, ils débarquaient tout juste dans cette partie qui avait pour enjeu l'univers tout entier. Cependant, à leur niveau, devenir Acolytes était la meilleure façon d'y participer. Les deux amis étaient assis côte à côte sur un vieux canapé moisi au cœur d'un petit appartement new-yorkais. Ils étaient là pour apprendre les rituels mystérieux des Acolytes. Ce décor n'était pas vraiment à la hauteur, étant donné que ce qu'ils allaient y apprendre changerait leurs vies à tout jamais.

– Félicitations, finit par dire le vieil homme qui leur faisait face, vous êtes désormais les Acolytes de Seconde Terre. Maintenant que Press est mort, je ne sers plus à rien. C'est un boulot qui peut sembler facile comparé à celui de Voyageur, mais il ne faut pas sous-estimer son importance.

– Tout à fait, répondirent en chœur Mark et Courtney.

Dorney se tourna vers la fenêtre en fronçant les sourcils. C'était un vieil homme aux cheveux gris coupés court avec un excellent maintien. Un jour, il avait été militaire de carrière. Il n'avait pas perdu ses vieilles habitudes.

– Vous n'auriez pas oublié de nous parler de quelque chose, par hasard ? demanda Courtney.

Dorney soupira et ajouta :

– Rien, juste un pressentiment.

– Lequel ?

– Je ne sais pas, répondit Dorney. Je n'aime pas ce qui se passe sur Veelox.

– Ouais, c'est sûr, répondit Courtney.

Dorney les toisa. Pour la première fois, Mark et Courtney eurent l'impression qu'il se radoucissait quelque peu.

– Ce que je veux dire, c'est que vous devez faire attention. Saint Dane a remporté sa première victoire, et il est impossible de prévoir ce qui va en découler. À partir de maintenant, je ne suis pas sûr que les anciennes règles soient toujours d'actualité.

Ce qui n'était pas très rassurant pour leur premier jour en tant qu'Acolytes. Lorsque Mark et Courtney reprirent le train pour Stony Brook, cet avertissement inquiétant les hantait toujours. Ils n'échangèrent pas un mot. Il leur fallait digérer le fait que, désormais, ils étaient officiellement des Acolytes. Mais la question restait posée : et maintenant ?

– Je veux aller au flume, déclara soudain Mark.

– Pourquoi ?

– On y laissera des vêtements à nous.

– Mais personne ne nous a dit d'en déposer, contra Courtney.

– Je sais. J'essaie de prendre de l'avance.

Ils se turent un moment, puis Courtney reprit :

– Tu cherches juste une excuse pour y aller, n'est-ce pas ?

Mark allait se récrier, puis il se ravisa et acquiesça :

– C'est bête, mais j'ai envie de le revoir, juste pour m'assurer qu'il existe bel et bien.

– Je te comprends. Je ressens la même chose.

À la descente du train, ils rentrèrent chacun chez soi pour préparer un paquet de vêtements qui, dans leurs esprits, seraient susceptibles d'aider un quelconque Voyageur venu d'un lointain territoire à passer inaperçu en Seconde Terre. Courtney ramassa des habits fonctionnels – jeans, tee-shirt, sweat, culotte, chaussettes et bottes de marche. Elle se demanda si elle devait y ajouter un de ses soutiens-gorge, mais décida que ce serait pousser le bouchon un peu trop loin.

Mark choisit des vêtements totalement démodés. Il n'avait pas vraiment le choix : c'est tout ce qu'il avait sous la main. Il trouva des tee-shirts frappés de logos sans signification, des jeans dégriffés et des baskets de supermarché. Mark se moquait complètement de la mode. Pourvu que les Voyageurs pensent de même.

Il récupéra aussi un objet qu'il espérait ne jamais avoir à utiliser : le tisonnier qui reposait devant la cheminée de ses parents. Ce n'était pas avec ça qu'il pourrait repousser les assauts d'un quig furieux, mais c'était mieux que rien.

Mark et Courtney se retrouvèrent devant les grilles de Sherwood House, chacun avec leur paquet sous le bras. En silence, ils grimpèrent sur l'arbre qui leur permettait de passer par-dessus le mur de pierre qui entourait la propriété à l'abandon. Une fois de l'autre côté, Mark brandit le tisonnier, prêt à se défendre contre un éventuel assaut des quigs. Courtney remarqua ses mains tremblantes et lui prit doucement son arme des mains. Si l'un des deux était susceptible d'affronter un de ces monstres, c'était bien Courtney.

Mais ils ne croisèrent pas une seule de ces bêtes aux yeux jaunes. Ils entrèrent dans la grande maison vide, descendirent au sous-sol et atteignirent la cave sans anicroche. Ils vidèrent leurs sacs et plièrent les vêtements avant de les disposer en une pile bien ordonnée. Courtney regarda ce qu'avait amené Mark et eut un petit rire.

– Pas de doutes, Bobby passera totalement inaperçu avec un sweat à capuche jaune vif portant l'inscription *trop cool* !

– Arrête, répondit Mark, c'est mon préféré !

Courtney secoua la tête, incrédule. Ensuite, tous deux fixèrent ce tunnel sombre qui était la porte menant aux autres territoires : le flume. Ils restèrent là, en silence, chacun perdu dans ses pensées.

– J'ai peur et, en même temps, je suis tout excité, finit par dire Mark.

– C'est vrai, reprit Courtney. Moi aussi je veux jouer mon rôle dans cette histoire, mais c'est dur de ne pas savoir à quoi s'attendre.

– Tu t'imagines en Voyageuse ? fit Mark en s'approchant de l'embouchure du tunnel.

– Franchement, non.

– J'y ai beaucoup réfléchi ! déclara Mark. Ce serait formidable de pouvoir se tenir devant le flume et d'annoncer le prochain monde merveilleux qu'on veut visiter.

– En effet, c'est assez incroyable, admit Courtney.

– Regarde-moi ce truc ! reprit Mark en désignant le flume. C'est comme d'avoir son propre jet personnel !

– Vraiment ? répondit Courtney avec un petit rire.

– Oui. Tu sais qu'il peut te mener au bout du monde, mais tu ignores comment il fonctionne.

– Ce n'est pas si compliqué, remarqua Courtney. Il suffit d'être un Voyageur.

Mark sourit, se tourna et cria « *Eelong* ! » dans le tunnel.

– Tu imagines si…, dit-il en se tournant vers Courtney.

– Mark ! cria-t-elle.

Elle fixait les profondeurs du flume d'un regard terrifié. Qu'est-ce qui se passait ? Mark se retourna et vit un spectacle incroyable.

Le flume s'animait !

Il bondit vers Courtney pour se serrer contre elle. C'est ainsi enlacés qu'ils reculèrent vers le mur opposé.

– C'est m-m-moi qui ai fait ça ? demanda Mark.

– Ou alors c'est quelqu'un qui vient ? renchérit Courtney.

Une lumière apparut dans les profondeurs du tunnel. Des notes de musique se firent entendre, de plus en plus fortes. Les murs de pierre craquèrent et gémirent. Mark et Courtney ouvrirent de grands yeux.

– Je… Je ne veux pas vraiment partir pour Eelong ! cria Mark.

Courtney le serra encore plus fort, prête à le retenir si elle sentait que le flume l'attirait.

Les murs gris devinrent transparents et le mélange familier de sons et de lumières se déclencha à l'embouchure du flume. Mark et Courtney durent se protéger les yeux. Mais ils n'osèrent pas utiliser leurs mains : ils étaient trop occupés à se cramponner l'un à l'autre.

Ils ne tardèrent pas à comprendre que le tunnel n'allait pas les aspirer. Quelque chose se dirigeait vers eux. Ils virent une silhouette sombre se découper sur le flot de lumière éblouissante et sortir du flume. Mais contrairement à tout ce qu'on leur avait raconté, le spectacle ne cessa pas au moment où le Voyageur sortit du tunnel. Ils ignoraient ce qui pouvait bien se passer, mais cela n'avait rien d'ordinaire. Mark et Courtney ouvrirent les yeux... Et le regrettèrent aussitôt. Car là, dans l'embouchure du flume, se dressait Saint Dane.

Il était arrivé en Seconde Terre.

Ils ne l'avaient encore jamais vu, mais il n'y avait pas d'erreur possible : c'était bien ce démon que Bobby leur avait décrit, aux yeux bleus, aux longs cheveux gris, tout de noir vêtu. Derrière lui, la lumière continua de briller et les murs restèrent transparents. Ce n'était encore jamais arrivé, du moins pas à leur connaissance.

– C'est ainsi que tout commence, déclara Saint Dane avec un ricanement. Les parois se fissurent. La puissance d'autrefois se dissipe. C'est le début d'une nouvelle partie, avec de nouvelles règles.

Saint Dane rugit de rire. Soudain, un éclat de lumière jaillit des profondeurs du flume, et ses cheveux prirent feu ! Sa crinière grise s'embrasa d'un coup, dévoilant son crâne. Sous les yeux horrifiés de Mark et Courtney, les flammes se reflétèrent dans les yeux du démon. Et il ne cessa de rire, comme si tout cela l'amusait énormément.

Mark et Courtney ne firent pas un geste. Courtney était elle-même trop terrifiée pour remarquer que Mark tremblait comme une feuille.

Les flammes laissèrent Saint Dane complètement chauve avec de longues marques rouges ressemblant à des veines enflammées montant de son cou jusqu'à son front. Ses yeux aussi avaient changé. Ils étaient devenus d'un blanc laiteux. Il posa son regard intense sur les deux nouveaux Acolytes, sourit, puis jeta un sac de toile souillé à leurs pieds.

– Un cadeau pour Pendragon, siffla-t-il. Je vous fais confiance pour le lui donner, d'accord ?

Saint Dane fit un pas en arrière pour rentrer dans le flume.

– Ce qui était écrit ne l'est plus, annonça-t-il.

C'est alors qu'il se transforma. Son corps devint liquide et il se pencha pour poser ses mains sur le sol. Il prit l'apparence d'un grand fauve de la taille d'un lion, mais avec des taches noires. La bête feula en regardant Mark et Courtney, puis sauta dans le flume. Aussitôt, la lumière l'emporta, et il disparut dans ses profondeurs. La musique se tut, les parois redevinrent opaques et la lumière diminua jusqu'à n'être qu'un point minuscule.

Mais elle ne s'éteignit pas pour autant.

Avant que Mark et Courtney ne puissent reprendre leurs esprits, la lumière grandit à nouveau. La musique résonna une fois de plus et les murs redevinrent de cristal.

– Ma tête va exploser, marmonna Mark.

Un peu plus tard, les lumières déposaient un autre passager.

– Bobby ! s'écrièrent Mark et Courtney en se précipitant vers lui.

Ils l'entourèrent de leurs bras, ivres de peur et de soulagement. Le tunnel était redevenu normal. Mais Bobby n'était pas venu pour les rassurer.

– Que s'est-il passé ? demanda-t-il.

Mark et Courtney se reculèrent. Ils étaient encore dopés à l'adrénaline.

– C'était Saint Dane ! s'écria Courtney. Ses cheveux ont pris feu ! C'était horrible !

– Il a p-p-prétendu que les règles avaient changé, reprit Mark. Qu'est-ce qu'il voulait d-d-dire ?

Bobby fit un pas en arrière. Mark et Courtney sentirent qu'il se crispait.

– Qu'est-ce que vous avez fait ? dit Bobby d'un ton de reproche.

– Fait ? répéta Courtney. On n'a rien fait du tout !

Mark et Courtney examinèrent alors Bobby. Ses vêtements n'étaient que des haillons. Il était nu-pieds, ses cheveux étaient en bataille et tout son corps était souillé de terre. Et il ne sentait pas vraiment la rose.

– Qu'est-ce qui t'est arrivé ? demanda Mark.

– On s'en fiche ! rétorqua Bobby, aussi surexcité que ses amis. Vous avez activé le flume ?

Mark et Courtney se regardèrent. Il leur fallut un moment avant d'enregistrer ce que leur disait Bobby. Finalement, Mark répondit :

– Heu, je c-c-crois que oui. J'ai dit « Eelong » et...

– Non ! cria Bobby furieux.

– Qu'y a-t-il ? demanda Courtney. On n'est pas des Voyageurs. On ne peut pas actionner le flume !

– Tout a changé ! cria Bobby. Le pouvoir de Saint Dane ne cesse de croître. Il s'est approprié son premier territoire. La nature même des choses est en train de changer.

– Et... ça veut dire qu'on peut utiliser les flumes ? demanda Courtney.

– Ne faites surtout pas une chose pareille ! fit Bobby. Ça ne ferait qu'aggraver la situation !

Soudain, Mark se souvint de quelque chose. Il courut vers la porte de la cave et ramassa le sac que Saint Dane leur avait jeté.

– Il nous a demandé de te donner ça, expliqua-t-il en le tendant à Bobby.

Bobby le prit avec répugnance. Il retourna le bout de toile et quelque chose tomba à terre.

Courtney poussa un cri. Mark fit un pas en arrière, sans arriver à en croire ses yeux. Bobby resta de marbre, serrant les dents.

Là, gisant à leurs pieds, il y avait une main humaine. Grande, à la peau noire. Et, aussi macabre que soit ce spectacle, un autre détail le rendait insupportable. À son doigt était passé un anneau de Voyageur.

– Gunny, murmura Bobby d'une voix blanche.

C'était la main coupée d'un Voyageur de la Première Terre, Vincent VanDyke, surnommé « Gunny ».

Tous trois restèrent plantés là, incapables de bouger.

Finalement, Bobby inspira profondément, prit la main et la fourra dans le sac.

– Qu'est-ce qui se passe, Bobby ? demanda Courtney.

– Vous le saurez quand je vous enverrai mon journal, répondit-il.

Il se retourna et courut vers l'embouchure du flume, ramassant au passage le sac qui contenait la main de Gunny.

– *Eelong* ! cria-t-il.

Le flume s'anima. La musique et les lumières entamèrent leur ballet.

Mark était au bord des larmes.

– Gunny va bien ? demanda-t-il.

– Il est en vie, répondit Bobby. Mais je ne sais pas pour combien de temps encore.

– Dis-nous ce qu'il faut faire ! supplia Courtney.

– Rien. Attendez mon journal. Et quoi qu'il arrive, ne déclenchez pas le flume. C'est ce que Saint Dane attend de vous, et c'est exactement ce qu'il ne faut pas faire.

Dans un ultime éclair de lumière, Bobby fut aspiré dans le flume, laissant ses amis seuls pour entamer leur carrière d'Acolytes.

Le moins qu'on puisse dire, c'est qu'elle commençait mal.

SECONDE TERRE

Quatre mois s'étaient écoulés depuis cet épisode aussi incroyable que terrifiant dans le sous-sol de la maison Sherwood.

Mark Dimond et Courtney Chetwynde avaient fait exactement ce que Bobby leur avait demandé. À savoir rien du tout. Ils ne s'approchèrent pas du flume et attendirent l'arrivée d'un nouveau journal. Ils attendirent. Et attendirent encore. Mark se surprit plus d'une fois à contempler son anneau dans l'espoir qu'il s'active. Il aurait tant voulu recevoir un signe qui lui montrerait que sa fonction d'Acolyte signifiait autre chose que rester assis comme un boulet à se convaincre que tout était normal. Il avait appelé plusieurs fois Tom Dorney pour savoir s'il avait reçu un message des autres Acolytes. La réponse était toujours la même : un non franc et massif, sans plus de détails. Il n'avait pas cherché à poursuivre la conversation. Dorney n'était pas très causant. Et pour Mark, leur discussion se limitait à un mot, toujours le même. « Non ».

Mark alla ouvrir leur coffre à la banque de Stony Brook, là où ils mettaient en sûreté les journaux de Bobby. Il y resta une journée entière, à les relire tous, revivant l'incroyable voyage qu'effectuait son meilleur ami depuis dix-huit mois. Tant de choses avaient changé depuis cette nuit d'hiver où Bobby était parti en compagnie de son oncle Press pour découvrir qu'il était un Voyageur destiné à protéger les territoires de Halla.

Cette même nuit, la famille de Bobby avait disparu, emportant avec elle toute trace de leur passage sur cette terre. Plus important encore, ils avaient découvert l'incroyable vérité : l'univers ne fonctionnait pas du tout comme les gens le croyaient. Les journaux de Bobby expliquaient comment chaque période de temps, chaque endroit, chaque individu et chaque chose qui ait jamais existé faisait partie d'un grand tout qu'il appelait Halla. Ce dernier était composé de dix territoires reliés entre eux par des tunnels portant le nom de flumes, et que seuls les Voyageurs pouvaient emprunter. Mais le plus effrayant, c'est qu'il existait un Voyageur maléfique nommé Saint Dane, qui faisait tout son possible pour détruire Halla. Saint Dane se rendait dans un territoire sur le point d'atteindre un moment crucial de son histoire et s'efforçait d'influer sur le cours des choses pour plonger ce même territoire dans le chaos. Bobby et les autres Voyageurs avaient pour mission de l'arrêter. Et jusque-là, ils ne s'en tiraient pas trop mal. Denduron, Cloral, la Première Terre – autant de victoires, autant de fois où ils avaient déjoué les plans maléfiques de Saint Dane.

Puis vint le tour de Veelox.

C'était un territoire en voie d'autodestruction, dont les habitants préféraient vivre dans Utopias, un monde de réalité virtuelle idéal généré par un ordinateur géant, au point de délaisser la réalité. C'est là que Saint Dane avait remporté sa première victoire sur Bobby et les Voyageurs. Mark s'inquiétait que ce coup d'éclat rende Saint Dane encore plus puissant qu'avant. Que les règles se soient modifiées, qu'il soit encore plus difficile à vaincre. Que bientôt, il débarque en Seconde Terre. Que ce soit le commencement de la fin pour Halla. Mark se faisait pas mal de souci. Il était doué pour ça.

Et pour couronner le tout, Mark et Courtney étaient désormais officiellement des Acolytes. Jusque-là, tout ce qu'ils avaient eu à faire, c'est à lire les journaux de Bobby et à les garder en sécurité. En somme, ils étaient des bibliothécaires. Mais à présent, ils étaient impliqués dans ce combat. Être des Acolytes signifiait qu'ils devraient assister les Voyageurs venant en Seconde Terre et les aider à passer inaperçus. Ils étaient remontés à bloc et prêts à remplir cette tâche. Ils pouvaient enfin seconder Bobby de façon un peu plus active.

Et voilà que, malgré tous ces développements aussi passionnants qu'effrayants, ils se retrouvaient sans rien à faire. Mark avait l'impression d'être un cheval de course dopé à l'adrénaline coincé derrière une porte de corral refusant obstinément de s'ouvrir. Lorsqu'il traversait les couloirs de son nouveau lycée de Davis Gregory High, il lui arrivait de regarder les autres élèves en pensant : *Savent-ils qu'on court un grave danger ? Peuvent-ils seulement concevoir que je suis un des rares habitants de Halla qui tente de les protéger ?* Non, bien sûr que non. Pour les autres ados du lycée, Mark Dimond n'était qu'un fort en thème nerveux qui mangeait trop de carottes et oubliait régulièrement de laver ses cheveux noirs graisseux et mal peignés. Les types comme Mark étaient comme du papier peint... Toujours là et pourtant invisibles.

Et Courtney ne s'en tirait pas mieux. Depuis qu'elle était entrée au lycée, sa vie avait radicalement changé. Jusque-là, elle avait tout pour elle. Elle était très belle, avec des cheveux châtains descendant jusqu'à la taille et des yeux d'un gris profond. Elle avait beaucoup d'amis et excellait en sport, tous les sports. Courtney était une légende vivante. Et peu importait la discipline, elle y excellait : en foot, en volley-ball, en course à pied, en basket... Elle aurait bien tenté le rugby si ce n'était pas contraire au règlement. Mais une fois à Davis Gregory High, tout avait changé. Courtney n'était plus la meilleure. Peut-être parce que les autres filles avaient fini par la rattraper. Peut-être parce qu'elle n'avait jamais vraiment eu d'efforts à faire, et que celles qui avaient travaillé dur finissaient par en récolter les fruits. Ou peut-être parce qu'elle avait perdu quelque chose d'intangible. Une sorte de flamme intérieure. Sa magie. Peu importe. Toujours est-il qu'elle était loin d'être au top. Au foot, elle fut rétrogradée dans l'équipe juniors, puis finit par laisser tomber. Ce qui n'était pas une mince affaire : Courtney ne renonçait jamais d'habitude. Et pourtant, elle avait abandonné son équipe de foot. Elle s'était tournée vers le volley-ball, son sport préféré, comme on cherche un refuge. Mais cela n'avait rien arrangé. Courtney n'avait même pas pu entrer dans l'équipe. On l'avait recalée. *Recalée* ! Cela ne lui était encore jamais arrivé. Quelle humiliation ! Tout d'abord, les autres ados se réjouirent de voir ainsi détrôner une idole, mais ils finirent par avoir pitié d'elle. Or Courtney ne voulait pas être un objet de pitié. C'était pire que tout.

S'il y avait un trait de caractère qui définissait bien Courtney Chetwynde, c'était sa confiance en elle. Mais cette confiance avait du plomb dans l'aile, et elle commença à avoir des doutes. Cela finit par affecter d'autres aspects de sa vie. Ses notes chutèrent, elle cessa de fréquenter ses meilleurs amis et elle finit par se disputer avec ses parents. Elle avait pris en grippe leurs regards constants pleins d'inquiétude qui semblaient demander « Qu'est-ce qui t'arrive ? » sans qu'ils aient le courage de le dire à voix haute. Et la vérité, c'est qu'elle n'aurait pas pu leur expliquer ce qui la rongeait.

Mais Courtney ne pensait pas qu'à ses petits problèmes. Elle savait combien ses inquiétudes étaient insignifiantes comparées aux dangers bien plus importants qui les menaçaient. Bobby Pendragon, pour qui elle avait le béguin depuis l'âge de quatre ans, sillonnait l'univers pour lutter contre un démon dont le but était la destruction totale de... eh bien, tout. Courtney réalisait parfaitement que, sur une échelle de un à dix au désastromètre, être recalée dans l'équipe de volley-ball comptait pour moins que zéro. Sachant cela, Courtney s'en voulait de se préoccuper de ses petites déconvenues insignifiantes. Mais elle ne pouvait pas s'en empêcher, ce qui renforçait son sentiment de culpabilité. Certes, elle était incapable de contrôler les événements qui secouaient Halla ; mais elle pouvait au moins reprendre en main sa propre vie... Or sur ce plan, elle ne faisait pas vraiment des étincelles.

Mark et Courtney formaient un drôle de duo. En temps normal, ils seraient restés chacun dans leur propre monde. Les garçons timides et boutonneux ne fréquentent pas les belles sportives. C'est une des réalités de la vie de collégien et de lycéen. Et pourtant, leur affection pour Bobby les avait rapprochés. Ils savaient qu'il était impératif d'arrêter Saint Dane et étaient disposés à tout pour aider leur ami. Mais voilà : cela faisait des mois qu'ils étaient devenus Acolytes et ils étaient toujours confinés dans leur quotidien ennuyeux à Stony Brook, petite ville du Connecticut.

Ça les rendait dingues, tout autant l'un que l'autre.

Tout ce qui empêchait Mark de sombrer dans la dépression était son club scientifique nommé Sci-Clops. L'année précédente, Mark avait construit un robot de combat pour l'exposition scientifique de l'État. Il avait remporté le premier prix et une invitation à rejoindre ce prestigieux club. Mark n'avait pas l'habitude de se voir félicité pour ce qui sortait de son cerveau brillant et avait profité de l'occasion. Il avait alors découvert que Sci-Clops était composé d'étudiants intelligents qui partageaient sa curiosité pour le monde qui les entourait. Pour lui, chaque rassemblement de Sci-Clops équivalait un peu à des vacances, loin des pressions sociales étouffantes de la vie estudiantine. Et cela l'aidait à oublier que l'univers était au bord de la destruction.

Quatre mois jour pour jour après qu'ils eurent retrouvé Bobby et Saint Dane au flume, Mark regardait l'horloge cliqueter vers la fin de sa journée de lycée. M. Pike, le professeur à la tête de Sci-Clops, leur avait promis qu'aujourd'hui ils recevraient une visite inattendue, et Mark mourait d'envie de savoir de qui il s'agissait. Lorsque la cloche sonna, il ramassa ses livres et s'empressa de gagner l'aile réservée aux sciences naturelles. Il montait l'escalier lorsque sa journée prit un tour désagréable.

Car là, sur le palier, fumant une cigarette, se tenait Andy Mitchell.

– Salut, Dimond, fit-il d'une voix d'asthmatique. Tu veux une clope ?

« Haine » est un mot trop fort pour qu'on l'utilise à la légère. Et pourtant, Mark haïssait Andy Mitchell. Dès leur plus jeune âge, ce dernier l'avait toujours rudoyé. C'était toujours le même scénario : le gros crétin jouant au dur face au boutonneux trop intelligent pour son propre bien. Après l'école, Mark était obligé de prendre des chemins détournés pour ne pas croiser son chemin. Chaque rencontre finissait par des moqueries, des humiliations ou, lorsqu'ils atteignirent l'adolescence, des menaces plus sérieuses. Leur relation prit un tour inattendu le jour où Mitchell vola les journaux de Bobby. Mark et Courtney réussirent à le contrecarrer et, s'ils l'avaient voulu, ils auraient même pu le faire arrêter. À présent qu'il avait ridiculisé Mitchell par la simple force de son intellect, Mark avait donc pris de l'assurance face à cette brute épaisse, même s'il préférait l'éviter.

Mark ignora donc Mitchell et le dépassa sur l'escalier. Il s'attendait que cet imbécile l'empêche de passer pour lui faire subir ses remarques à deux balles, mais Mitchell se contenta de jeter sa cigarette et de lui emboîter le pas. Mark s'arrêta et lui jeta un regard :

– Qu'est-ce que tu veux ?

– Rien, répondit Mitchell en repoussant ses cheveux blonds graisseux de ses yeux.

Mark pouvait sentir son haleine qui puait la clope. Beurk. Il recommença à monter les marches. Mitchell le suivit. Mark s'arrêta de nouveau et se retourna :

– *Quoi* ? s'écria-t-il.

– Quoi, quoi ? demanda Mitchell d'un air innocent. Je fais rien !

– Tu me suis. Pourquoi ? Tu veux me balancer contre un casier ou me demander de l'argent, ou... Ou...

– Je vais à la réunion de Sci-Clops, répondit-il.

Mark s'attendait à tout, sauf à ça. Il avait même l'impression d'être projeté sur une autre planète. Il dévisagea la brute en attendant une blague qui ne vint pas.

– Tu vas à la réunion de Sci-Clops ? répéta-t-il. Pourquoi ? Tu vas servir de cobaye ?

– T'es un marrant, toi, grasseya Mitchell. Pike m'a proposé de rejoindre le club.

Si Mark ne s'était pas agrippé à la rambarde, il aurait dévalé l'escalier sur le crâne. Avait-il bien entendu ? Est-ce qu'Andy

Mitchell, sa Némésis, cet ignorant professionnel, devait vraiment rejoindre l'élite des scientifiques ? Andy Mitchell était un crétin congénital, et encore, c'était lui faire un compliment. M. Pike avait dû faire erreur sur la personne. Sci-Clops était composé d'esprits brillants dont la plus grande ambition était d'entrer à l'Institut technologique du Massachusetts. Andy Mitchell était un débile mental qui ne rêvait que d'être majeur pour pouvoir acheter de la bière et se faire tatouer. Mark en conclut qu'il devait y avoir une erreur quelque part.

– Bon, d'accord, reprit Mark en se retenant d'éclater de rire. Allons-y. Tu ne voudrais pas être en retard pour ton premier rendez-vous.

– Oh, ils peuvent attendre, répondit Mitchell d'un air crâneur.

Tous deux continuèrent leur chemin jusqu'à l'étage des sciences physiques. Mark avait hâte d'assister à l'humiliation de Mitchell lorsque l'erreur serait découverte. Ce n'était pas très noble de souhaiter une telle déconvenue, mais après ce que Mitchell avait fait supporter à tous les garçons plus faibles de Stony Brook, c'était tout ce qu'il méritait. Lorsqu'ils entrèrent dans la salle de classe de M. Pike, les membres de Sci-Clops étaient déjà installés et attendaient le début. C'étaient des gens ponctuels. Mark s'assit à l'arrière de la salle : après tout, il était nouveau. Comme dans le bus scolaire, à Sci-Clops, les anciens s'installaient à l'avant. C'était une des choses que Mark appréciait dans le club. Andy Mitchell, lui, prit un siège au premier rang, comme s'il était chez lui. Mark buvait du petit lait. Il avait hâte que M. Pike fasse l'appel. Son rêve allait se réaliser – et celui de toute la classe. Vingt intellos contre un. Un excellent pourcentage.

M. Pike entra dans la classe. C'était un type d'une trentaine d'années, à l'air plutôt sympa, avec des cheveux longs déjà grisonnants.

– Nous vivons un grand jour, les amis, commença-t-il.

Mark espérait qu'il aurait ouvert la réunion en renvoyant Andy Mitchell à grands coups de pied dans le derrière. Mais il voulait bien attendre. Ce n'était qu'une question de temps.

– Aujourd'hui, nous allons discuter de la création d'un nouveau matériau polymère, unique de par sa flexibilité et sa solidité préhensile.

Sa solidité préhensile ? Mark lui-même n'était pas sûr de savoir ce que c'était. Pour lui, le terme de « préhensile » évoquait les membres inférieurs des primates les plus évolués. Il fit comme à chaque fois qu'il ne comprenait pas quelque chose : il acquiesça vigoureusement. Cela ne le gênait pas. Il ne demandait qu'à apprendre. L'essentiel était de ne pas passer pour un idiot tout en s'efforçant de raccrocher les wagons en cours de route.

– Notre invité d'aujourd'hui a conduit quelques expériences assez révolutionnaires dans son domaine, et pour ma part je suis très content qu'il nous fasse part de ses découvertes. Alors allons droit au but. Mesdames et messieurs, je vous présente... Andy Mitchell !

Mark se redressa d'un bond et laissa échapper un « hein ? » involontaire. Heureusement, personne ne l'entendit. Ils étaient trop occupés à applaudir. Sous ses yeux, Andy Mitchell se leva devant tout le monde et se mit à farfouiller dans son sac à dos. Mark n'arrivait pas à y croire. Il regarda autour de lui en s'attendant à voir un type costumé jaillir et crier : « Surprise ! C'était pour la caméra invisible ! »

Andy Mitchell toussa dans sa main, puis s'en servit pour repousser ses mèches graisseuses. Mark faillit vomir son déjeuner.

– Chuis pas doué pour faire des discours, commença Andy. J'sais c'que j'sais, c'est tout.

Mark brûlait d'envie de sauter sur ses pieds et de hurler : « Il ne sait rien à rien, oui ! Ce type est un homme des cavernes ! »

Mais au contraire, les autres membres l'encouragèrent :

– Ne t'en fais pas. Sois toi-même. Tout va bien, c'est cool.

Mark crut qu'il allait pleurer. La plupart des membres de Sci-Clops étaient en première ou en terminale : ils ne devaient donc pas connaître Andy Mitchell. Mais ils allaient suivre un cours accéléré. Mark était sûr que cette mascarade prendrait fin aussi vite qu'elle avait commencé.

– Andy est nouveau, annonça M. Pike, mais il suit des cours de sciences naturelles à l'université du Connecticut, où il prend part à un programme spécial.

– Vous me connaissez certainement pas, reprit Mitchell. En fait, je suis pas très intelligent. Vous risquez pas de m'avoir en salle de cours avec vous.

Les autres eurent un petit rire complice.

De colère, Mark se cramponna à son bureau. Ils l'aimaient bien ! Ils le trouvaient malin ! C'était un cauchemar ! Andy Mitchell ? Celui dont les deux neurones en activité ne se parlaient même plus ? Suivant un programme scientifique et étudiant des sujets dont Mark n'avait jamais entendu parler ? Blaguant avec les membres de Sci-Clops ? Mark connaissait l'expression « On croit rêver », mais pensait que c'était juste ça : une expression. Pourtant, à ce moment précis, il eut l'impression d'être encore dans son lit.

Andy Mitchell sortit de son sac à dos un petit sachet argenté évoquant ceux qu'utilisait sa mère pour mettre des plats dans le congélateur.

– Ça fait un bail que j'travaille là-dessus, expliqua-t-il. On dirait un sac en plastique ordinaire, non ? Eh ben non.

Il prit ses rebords à deux mains et tira dessus. Le sac s'étira aussi loin que ses bras tendus.

Tout le monde eut un hoquet de surprise.

– Le truc, fit Mitchell d'une voix tendue par l'effort, c'est que même si ce truc est extensible à donf, il est plus solide qu'il en a l'air. Si ça se trouve, j'pourrais poser un piano dessus et il se casserait pas.

Mark, par contre, était au bord de la rupture. Son esprit s'éteignit comme un ordinateur lors d'une panne d'électricité. Il resta bouche bée. Si quelqu'un avait posé les yeux sur lui, il aurait appelé une ambulance. Les gens de Sci-Clops applaudirent. Andy sourit aux anges. Mark ne tenait plus...

Et c'est là que son anneau se mit à tressauter.

Tout d'abord, il ne réagit pas. Il était trop estomaqué. Mais une seconde plus tard, lorsque l'anneau se mit à croître, il fut bien obligé de revenir à la réalité. La lumière brillante qui jaillit de la pierre s'en chargea. Heureusement, il se trouvait au fond de la classe, ce qui fait que personne d'autre ne le remarqua. Il s'empressa de poser sa main sur l'anneau.

– Ça va, Dimond ? lui lança Andy depuis l'avant de la salle.

Tous se tournèrent vers Mark. Il eut à nouveau l'impression de rêver, un de ces cauchemars où l'on s'aperçoit soudain qu'on a oublié de mettre son pantalon.

– Heu, oui, t-t-tout va bien, balbutia Mark.

Il se leva, mais se prit les pieds dans sa chaise et faillit tomber.

– Je v-v-viens de me rappeler d-d-de quelque chose...

– Ça va ? demanda M. Pike.

Mark sentait l'anneau grandir à chaque seconde. Bientôt, ça n'irait pas bien du tout.

– B-b-bien sûr, répondit-il. Ne vous en faites p-p-pas. Salut.

Il sortit de la salle en courant, les jambes en coton. Peu importe ce que pensaient les autres. Il fallait qu'il sorte de cette salle. Il fila le long du couloir, hors d'haleine, et passa en trombe les portes donnant sur les escaliers. Trop tard pour trouver un endroit un peu plus intime. Il retira son anneau, le posa sur le sol et fit un pas en arrière. Il avait déjà atteint la taille d'un bracelet et continuait de grandir. La pierre émit des jets de lumière qui illuminèrent le palier comme un arbre de Noël. L'anneau devint aussi grand qu'un trente-trois tours vinyle. En son centre, Mark vit une ouverture sombre qui – il le savait – était la porte menant aux autres territoires. Après les jeux de lumières vint l'habituel fatras de notes musicales de plus en plus sonores, comme si elles se rapprochaient. Et c'était le cas. Il en jaillit un faisceau éblouissant qui obligea Mark à se protéger les yeux. Il connaissait la procédure. Il n'avait pas besoin de voir ce qui se passait.

Et soudain, tout retomba comme un soufflé. Plus de musique, plus de lumières, et l'anneau reprit sa taille normale. Mark regarda à terre. Il en avait le souffle coupé. À ce moment précis, toute l'attente, toute l'angoisse et la frustration de ces derniers mois se dissipèrent. Même le fait que Mitchell soit actuellement en train de s'adresser aux membres de son cher

Sci-Clops n'avait plus aucune importance. Parce que là, à côté de son anneau, gisait un morceau de parchemin roulé et noué avec une sorte d'herbe verte. Mark le regarda fixement un bon moment, ne serait-ce que pour être sûr qu'il était bien là. Après tout ce qui lui était tombé dessus en quelques minutes, il ne savait plus ce qui était réel et ce qui ne l'était pas. Il prit son sac à dos et en tira le téléphone portable que ses parents lui avaient donné pour les vacances. Il avait pour consigne de ne s'en servir qu'en cas d'urgence. Et c'en était une. Il appuya sur le numéro 1 de son répertoire. Au bout d'une poignée de secondes...

– Courtney ? Hobie-ho, c'est parti.

Il referma son téléphone, se pencha et ramassa avec révérence le prochain journal relatant la suite de la saga de son meilleur ami.

Bobby Pendragon.

Voyageur de Seconde Terre.

Journal n° 16

EELONG

Les gars, ça ne va pas du tout.

Je sais, je l'ai déjà dit des millions de fois. Mais là, sur Eelong, je me retrouve dans une situation bien différente de tout ce que j'ai déjà vécu. Au moment où j'écris ces mots, en toute franchise, je ne sais plus quoi faire. Non pas que j'aie peur, ou que je me pose des questions sur cette histoire de Voyageurs, ou même que je n'arrive pas à retrouver Saint Dane. D'ailleurs, c'est le dernier de mes soucis. Non, mon problème, c'est que contrairement à Cloral, Denduron ou Veelox, sans oublier les territoires de la Terre, les êtres intelligents qui peuplent Eelong ne sont pas normaux. Je sais ce que vous pensez : qui, parmi tous ceux que j'ai rencontrés depuis mon départ, peut être considéré comme « normal » ? Pas des masses. Mais ici, sur Eelong, on peut au moins dire une chose avec certitude sur les indigènes.

Ils ne sont pas humains.

Oui, vous avez bien lu. Ce ne sont pas des êtres humains. Ici comme sur les autres territoires, il faut que je devine où se situe le moment déterminant pour arrêter Saint Dane, mais comment puis-je y arriver si je suis incapable de communiquer avec ceux que je suis censé aider ? C'est impossible ! Depuis mon arrivée dans ce territoire, je n'ai pas arrêté de courir. Je suis constamment en danger, et le pire, c'est que ce n'est pas Saint Dane que je redoute le plus, mais les habitants d'Eelong. Dingue, non ?

Et ce n'est pas tout.

Saint Dane vous a dit que les règles s'étaient modifiées, non ? Eh bien, je ne sais pas vraiment ce que ça signifie, mais je crois qu'il a dit vrai. Depuis le moment où j'ai quitté Veelox, j'ai senti que tout était différent. D'une certaine façon, je repars à zéro. Ce n'est pas vraiment réjouissant. Mais il faut que je me calme, que je prenne une grande respiration et que je rédige ce journal. Ce sera peut-être ma seule occasion de le faire. Je ne veux pas dramatiser, mais j'ai vraiment très, très peur.

Par où commencer ? Il me semble qu'une éternité s'est écoulée depuis que je visitais Veelox en compagnie d'Aja Killian. J'ai perdu la notion du temps. J'imagine que passer d'un territoire à l'autre peut avoir ce genre d'effet. Un jour dans un autre monde ne dure pas forcément vingt-quatre heures comme chez nous. Quelle année sommes-nous ? Quel mois ? Quel siècle ? Je nage complètement. Il faut que je reprenne pied. Revenons au moment où j'ai conclu mon dernier journal. Il s'est passé tant de choses entre-temps que j'ai du mal à me souvenir de tous les détails.

On s'est retrouvés dans la salle souterraine du flume de Veelox, Aja Killian et moi, et on est restés là sans trop savoir quoi se dire. Ses cheveux blonds, habituellement coiffés avec soin, étaient en désordre. Je sais, ce n'est rien, mais pour quelqu'un comme Aja, qui est obsédée par la perfection, c'était déjà beaucoup. Et on était plutôt déprimés, vu que, pour dire les choses comme elles sont, on avait échoué. Le virus Réalité détournée n'avait pas eu l'effet escompté. Pire : il avait bien failli tuer tout ce qui vivait sur Veelox. C'était plus terrible encore qu'un échec. Le système de réalité virtuelle connu sous le nom d'Utopias avait été remis en ligne et presque tous les habitants de Veelox avaient regagné leurs rêves personnalisés. Dans le monde réel, il ne restait plus personne pour cultiver des champs, entretenir les infrastructures, faire respecter la loi et tout ce dont une civilisation a besoin pour exister. Le territoire lui-même ne tarderait pas à s'effondrer : ce n'était plus qu'une question de temps. Saint Dane tenait sa première victoire. Et comme je ne pouvais le laisser en remporter une seconde, il était hors de question de rester sur Veelox.

– Je t'en prie, ai-je demandé à Aja, termine mon journal à ma place. Dis à Mark et Courtney que je suis parti retrouver Gunny sur Eelong.

– Tu ne veux pas le finir toi-même ? a-t-elle répondu.

Bonne question. Peut-être étais-je trop fatigué. Peut-être en avais-je ras le bol, moi qui avais réussi à transformer une victoire en cuisante défaite. Peut-être même avais-je un peu trop hâte de retrouver Gunny. Tout ça était vrai, mais à la réflexion, je crois que la véritable raison, c'est que je refusais d'admettre que j'avais échoué. Surtout envers vous, les gars. Je ne sais toujours pas pourquoi j'ai été choisi pour être un Voyageur, mais j'ai assez bourlingué pour savoir que c'est mon boulot, que je le veuille ou non. Sur Veelox, je ne m'en étais pas si bien tiré. J'avais vraiment les boules et j'avais un peu peur aussi. Je ne savais toujours pas si le fait d'avoir laissé tomber un territoire signifiait qu'on avait définitivement perdu notre bataille contre Saint Dane. J'étais dans le brouillard le plus total.

– Non, ai-je fini par répondre. Fais-le à ma place, s'il te plaît.

Elle a acquiescé et repris :

– Je suis désolée, Pendragon. Tout est ma faute.

Elle était au bord des larmes. Elle a retiré ses petites lunettes jaunes et les a essuyées sur sa manche. Plus encore que moi, Aja avait horreur de s'avouer vaincue. C'était une informaticienne de génie qui n'avait jamais connu l'échec, du moins jusqu'à maintenant. Et cette histoire avait été le défi le plus important de toute son existence.

– Ne dis pas ça, ai-je répondu d'un ton qui se voulait rassurant. Ce n'est pas une question personnelle. On est collectivement responsables de nos victoires comme de nos échecs.

C'était une phrase bidon à peine digne d'un entraîneur d'équipe de foot, mais je n'avais rien trouvé de mieux. Pourtant, c'était vrai. Ce fiasco était ma faute autant que celle d'Aja.

– Et maintenant, que dois-je faire ? a demandé Aja. Je devrais peut-être y aller avec toi.

J'avoue que j'y ai pensé. Chaque fois que j'abordais un nouveau territoire, j'étais toujours accompagné d'un autre Voyageur. Mais cela n'aurait pas été correct. Aja devait rester sur

Veelox. Cette fois-ci, je ferais cavalier seul. À ce moment, l'oncle Press me manqua cruellement.

– Non, ai-je répondu. Il faut que tu maintiennes Utopias en ligne le plus longtemps possible. Souviens-toi : l'enjeu n'est pas Veelox, mais Halla tout entier. Saint Dane n'a pas encore gagné la partie. Tout est encore possible.

– Alors tu crois qu'il y a un espoir pour Veelox ?

– J'en suis persuadé.

À vrai dire, je n'en étais pas si sûr que ça, mais il fallait qu'Aja reprenne confiance. Elle m'a pris dans ses bras et serré très fort. Cela m'a surpris, parce qu'en général Aja n'est pas très affectueuse. Mais la façon dont elle s'est cramponnée à moi m'a dit qu'elle avait désespérément besoin d'être rassurée. C'était comme jeter une bouée de sauvetage à quelqu'un qui se noie. Je lui ai rendu son étreinte. J'aimais bien Aja. Et moi aussi, ça me réconfortait. Comme quoi...

– Trouve Gunny, a-t-elle dit. Et rends-moi un service.

– Lequel ?

Elle a fait un pas en arrière. J'ai plongé mon regard dans ses yeux d'un bleu profond. Ils brillaient à nouveau, et j'y ai lu cette assurance qui m'avait frappé à notre première rencontre.

– J'aurais aimé prendre ma revanche contre Saint Dane, a-t-elle dit d'un ton autoritaire. Mais si c'est toi qui en as l'occasion, règle-lui son compte.

Je n'ai pas pu m'empêcher de sourire. Aja n'était pas du genre à s'apitoyer bien longtemps. Elle avait trop de courage pour ça.

– Je vais voir ce que je peux faire, ai-je répondu.

Aja m'a embrassé sur la joue. Elle a posé sa tête contre la mienne :

– Je te crois.

On est resté comme ça un long moment, et j'avoue que ce n'était pas désagréable.

Mais je devais quitter Veelox. Je n'étais pas sur le bon territoire. Je me suis séparé d'Aja et ai fait deux pas vers l'embouchure du flume. Tout en fixant ce puits de ténèbres, je me suis demandé ce qui pouvait bien m'attendre de l'autre côté. Parce que je n'en avais pas la moindre idée. Eelong était un mystère.

Gunny y était parti il y avait quelques jours à peine pour se lancer à la poursuite de Saint Dane. Il était censé jeter un coup d'œil avant de me rejoindre sur Veelox. Sauf qu'il n'était toujours pas revenu. Ce n'était pas un bon présage. Et maintenant, je devais gagner un nouveau territoire, seul, et me préparer à affronter ce qui avait retenu Gunny. Soudain, j'ai eu envie de sortir du flume pour embrasser à nouveau Aja. Mais cela n'aurait pas collé avec l'image rassurante que je lui avais donnée.

– *Eelong* ! ai-je crié dans le flume.

Aussitôt, le tunnel s'est animé. Les parois de pierre ont grincé et se sont craquelées ; un rai de lumière est apparu dans le lointain et la mélodie discordante s'est fait entendre. On venait me chercher.

– Je ne te décevrai plus jamais ! a crié Aja.

– Tu ne m'as pas déçu, ai-je répondu.

Les parois du tunnel se sont dissoutes pour devenir transparentes alors que les lumières comme la musique se rapprochaient.

– N'oublie pas, a dit Aja entre ses dents serrées. Je veux avoir ma revanche.

– Tu l'auras, ai-je répondu en faisant comme si je savais de quoi je parlais.

De toute façon, peu importe ce que je pensais en tentant de lui redonner le moral. Je partais au combat. Le champ de bataille n'était plus sur Veelox, mais sur Eelong.

– Bonne chance, Pendragon ! a crié Aja.

– Et nous voilà partis, ai-je dit.

J'ai plissé des yeux pour mes protéger de la lumière tout en sentant la légère traction signifiant que mon voyage allait commencer. L'instant suivant, j'étais soulevé de terre et projeté dans le flume. Prochain arrêt, Eelong.

Je ne savais toujours pas ce qu'était un flume ni pourquoi ils pouvaient projeter des Voyageurs à travers le temps et l'espace, mais le trajet proprement dit était extraordinaire. C'était comme flotter dans l'espace sur une nappe de lumière. Ou se retrouver dans la peau de Superman.

Mais cette fois, il y avait quelque chose de différent.

Ce n'était pas physique. Le trajet était semblable à tous les autres. J'ai vu l'habituel champ d'étoiles tout autour de moi, mais il y avait autre chose. Quelque chose de plus. Derrière les cloisons de cristal du flume, j'ai distingué des images en suspension. Tout en cheminant, j'apercevais une forme dans le lointain, puis je la dépassais et la voyais disparaître. Ces images étaient presque transparentes, comme des spectres. Je pouvais voir les étoiles à travers. Certaines semblaient faire ma taille, d'autres étaient si grandes qu'il me fallait plusieurs secondes pour m'en éloigner. J'en ai même reconnu une ou deux. J'ai vu un chevalier Bedoowan de Denduron sur son cheval galopant dans le vide. J'ai vu ce qui ressemblait à un banc de nageurs en combinaisons vertes de la cité sous-marine de Faar. J'ai vu un immense bâtiment qui pouvait être le Manhattan Tower Hotel et un aquanier de Cloral fonçant sur son skimmer.

Il y eut aussi d'autres images que je n'ai pas reconnues. Deux géants qui semblaient être des frères jumeaux couraient à travers le ciel. Ils avaient l'air puissants, bien qu'un peu raides, comme des mécaniques. J'ai vu une foule en haillons rassemblée dans un immense champ. Ils levaient tous les mains, comme s'ils acclamaient quelque chose ou quelqu'un. Il y avait aussi un grand félin cavalant sur fond de ciel étoilé.

Et ces scènes n'avaient rien d'effrayant. En fait, c'était même plutôt cool, comme regarder de drôles de films projetés dans le vide. Mais peu à peu, j'ai commencé à m'inquiéter. Pourquoi ces visions m'apparaissaient-elles maintenant ? Que pouvaient-elles bien vouloir dire ? Qu'est-ce qui avait changé ? Je n'ai pas pu m'empêcher de penser à ce qu'avait dit Saint Dane. Une fois le premier territoire tombé, les autres suivraient, comme des dominos. Je ne voulais pas sombrer dans la parano, mais puisqu'il avait bel et bien réussi à plonger un territoire dans le chaos, je me demandais si Halla n'avait pas connu un grand bouleversement cosmique.

Mais je n'ai pas eu le temps de me triturer le cortex, parce que les notes de musique se sont affolées. Mon voyage touchait à sa fin. Mes pensées se sont tournées vers Veelox. Allais-je me retrouver dans l'eau, comme sur Cloral ? Est-ce que j'y trouverais des quigs en train de se lécher les babines en constatant que le dîner était servi ?

Quelques secondes plus tard, le flume m'a délicatement déposé sur mes pieds. Rien de bien spectaculaire. Ça, c'était la bonne nouvelle. La mauvaise, c'est que je me suis retrouvé enseveli dans des ronces épaisses et gluantes. Enfin, je pensais que c'était des ronces. Pour autant que je sache, ce pouvait être une toile, et les quigs d'Eelong avaient la forme d'araignées géantes. Mais comme je préférais rester optimiste, je me suis frayé un chemin dans l'amas de branches. J'ai fini par atteindre l'autre côté et ai pu me relever. En scrutant les environs, j'ai vu que je me tenais dans une vaste caverne souterraine haute de plafond. Tout en haut, la lumière s'écoulait à travers une série de fissures. Les ronces que j'avais repoussées s'avérèrent être un rideau de lianes épaisses cascadant du plafond jusqu'à recouvrir l'embouchure du flume.

– Des racines, me suis-je dit.

C'était nettement mieux qu'une toile d'araignée. La caverne était remplie de ces longues racines vertes gluantes qui la recouvraient jusqu'aux parois. J'ai fait quelque pas vers le centre de la grotte, toujours sur le qui-vive. Mais je n'ai vu ni quigs, ni gangsters, ni mares et, surtout, pas de Saint Dane. Jusque-là, tout allait bien. J'ai regardé le flume pour voir qu'il était dissimulé sous les lianes. De mon talon, j'ai dessiné une flèche dans le sol, pointée vers l'embouchure. C'était pour retrouver mon chemin, au cas où je devrais filer d'ici en vitesse.

Juste au centre de la caverne, il y avait un grand rocher plat et, dessus, quelque chose qui ne m'a pas vraiment empli de joie. C'étaient des vêtements. Comme vous le savez, les Acolytes se chargent d'en déposer au moment ad hoc et, selon le règlement des Voyageurs, j'étais censé les revêtir. Rien de plus facile, non ? Non. Parce que ce n'était guère plus que des haillons dégoûtants. Je n'exagère pas. C'est en tout cas ce que j'ai cru au premier coup d'œil. Mais lorsque j'ai soulevé le tout, je me suis aperçu qu'il s'agissait d'un pantalon grossier fait de toile épaisse. Et il n'était pas vraiment confortable. On aurait plutôt dit du coutil. J'ai ramassé ce qui se voulait une chemise. Difficile d'en être sûr, parce qu'il n'y avait qu'une seule manche et un trou qui devait servir pour le cou. Rien à voir avec ce qu'on trouvait dans n'importe quel supermarché. Et en plus, ça ne sentait pas la rose. Plutôt la crasse et la sueur.

J'ai aussi découvert de vagues chaussures de tissu. Je savais que c'étaient des chaussures parce qu'elles étaient vaguement en forme de pied avec des couches supplémentaires en guise de semelle. Pas vraiment le pied, sans vouloir faire de jeu de mot. J'ai regardé autour de moi dans l'espoir de tomber sur des habits un peu plus seyants, mais ce que j'ai aperçu m'a flanqué un coup au cœur. Là, sur le sol, replié avec soin, il y avait un uniforme noir avec une chemise blanche et de grandes chaussures de cuir.

– Gunny, ai-je dit à voix haute.

C'était ce qu'il portait lorsqu'il m'avait quitté sur Veelox. Pas de doutes : j'étais au bon endroit, je portais juste les mauvais vêtements. Et pourtant, je devais me changer. C'était le règlement. À contrecœur, j'ai retiré ma combinaison verte bien confortable et l'ai pliée à côté des habits de Veelox. Puis j'ai fait ce qui m'a fait le plus mal, mais je n'avais pas le choix. Il fallait que j'abandonne mon caleçon. J'avais décidé de toujours le garder, quel que soit le territoire que je visitais. Mais j'imagine que si l'avenir de Halla dépendait de mon choix de sous-vêtements, eh bien il ne méritait pas d'être sauvé. Et là, ces vêtements d'Eelong étaient si troués et dépenaillés qu'on aurait pu voir mon caleçon à travers ! Je ne pouvais les garder sans attirer de soupçons, ou me couvrir de ridicule. Ce n'était pas juste ! Je devrais porter ces frusques rugueuses sans même la protection de mon caleçon. Et ai-je déjà précisé qu'elles sentaient mauvais ? J'avais déjà envie de quitter Eelong.

J'ai donc enfilé ces saletés du mieux que j'ai pu, mais elles ont pendouillé comme... Ben, comme des haillons. Sur les rochers, j'ai repéré plusieurs lianes tressées d'une soixantaine de centimètres. Je m'en suis servi pour attacher ces bouts de fourrure là où ils bâillaient un peu trop à mon goût et en ai enroulé autour de mes pieds pour fixer ces chaussures miteuses. Au bout d'un moment, j'ai eu l'impression d'être un saucisson dans son filet.

L'horreur. Comparé à ces loques putrides, les peaux de cuir de Denduron étaient des pyjamas de soie.

Maintenant que j'étais habillé, il s'agissait de sortir de cette caverne. J'ai supposé que la sortie devait se cacher quelque part sous ces lianes. Je suis allé vers la paroi et ai repoussé les racines pendantes, puis ai longé le mur en continuant de tâtonner sous le rideau vert. J'ai remarqué que les murs n'étaient pas entièrement composés de pierre. Des portions particulièrement épaisses de ces racines s'y étaient incrustées. Je n'osais imaginer la végétation à la surface.

Une fois arrivé à mi-chemin, j'ai commencé à me demander si je n'avais pas raté la sortie. C'est là que j'ai remarqué quelque chose. Au-delà du rideau végétal, il y avait une fissure dans le mur de pierre. Ce devait être là. J'ai fait un pas… et j'ai glissé sur quelque chose. J'ai titubé, me suis cogné contre le mur et suis tombé face contre terre. Ouille. Quand j'ai ouvert les yeux, je me suis retrouvé en tête à tête… avec un crâne humain !

– Aaah !

Je me suis reculé le plus vite possible. Et quand j'ai eu le courage de regarder en arrière, j'ai bien failli avoir un haut-le-cœur. Là, sur le sol devant la crevasse, gisait une pile d'ossements. Et pas d'animaux. J'ai vu assez de films d'horreur pour reconnaître des squelettes humains. Impossible de dire combien il y en avait (et je n'allais certainement pas faire un inventaire), mais j'estimerais qu'ils étaient six – six pauvres bougres oubliés dans cette caverne. Ils devaient être là depuis un bout de temps pour qu'il n'en reste que des os recouverts de quelques guenilles semblables aux miennes. En fait, elles paraissaient même en meilleur état, mais pas question de faire un échange standard. Beurk.

Je me suis demandé si cette crevasse était vraiment la sortie ou si elle ne me mènerait qu'à une mort affreuse qui ferait de moi le septième de la pile. J'ai vu des marches grossièrement taillées qui menaient vers le haut. On aurait dit qu'elles avaient été creusées dans les racines poussant dans la roche. Mieux encore, j'ai vu de la lumière filtrant d'en haut. Bon. J'ai décidé de courir le risque. J'ai enjambé les ossements, puisque je n'avais aucune envie d'entendre un craquement d'os brisé. Ç'aurait été au-dessus de mes forces. J'ai fait un petit bond et me suis glissé dans la fissure.

Les marches étaient étroites, escarpées et formaient un escalier en colimaçon. J'ai pu respirer de l'air frais venant d'en haut, ce qui m'a redonné confiance. J'avais vraiment envie de sortir d'ici. Cet endroit évoquait davantage une crypte que la porte d'un flume. Après plusieurs minutes d'ascension, je suis arrivé au sommet pour me retrouver dans le noir. Pas moyen de distinguer les murs et le plafond était si bas que je ne pouvais même pas me tenir debout. Et maintenant ?

À quelques mètres à peine, j'ai vu un rai de lumière filtrant à travers ce qui semblait être d'autres racines. Sans doute la sortie. Je suis resté à genoux de peur de me cogner la tête et ai rampé vers le soleil. Il faisait de plus en plus froid, comme si l'air frais était à portée de main. Je me suis tortillé dans un étroit passage qui m'a fait me sentir claustrophobe, mais le désir de sortir a été le plus fort. J'ai accéléré et, quelques secondes plus tard, j'ai repoussé les dernières lianes et le soleil m'a ébloui. Gagné ! Je me suis tortillé pour me libérer de ce tunnel et pouvoir enfin prendre pied sur Veelox.

Je ne savais à quoi m'attendre, mais certainement pas à ça.

Eelong était d'une beauté incroyable. Je me suis retrouvé tout près du rebord d'une falaise donnant sur une forêt tropicale luxuriante. Je ne crois pas avoir jamais vu un spectacle aussi extraordinaire. Je me suis rapproché du bord, piétinant une herbe si douce que j'aurais certainement pu me passer de ces prétendues chaussures. La vue était encore plus fantastique. Cette forêt s'étendait aussi loin que je puisse voir. Le feuillage des arbres était si dense qu'il était impossible d'apercevoir le sol. Il n'y avait pas d'infrastructures – ni routes, ni bâtiments, pas la moindre trace d'une quelconque civilisation. Rien que de la verdure. Un vol d'oiseaux ressemblant à des pélicans, mais jaunes vif avec des têtes d'un rouge brillant, a jailli derrière moi. Et j'ai remarqué un détail qui a rendu cette vue encore plus spectaculaire. Eelong n'avait pas de soleil. Du moins, pas de la façon dont on le conçoit habituellement. Le ciel était bleu, comme chez nous, et il y avait même quelques nuages. Mais plutôt qu'un globe lumineux, c'était une large bande de lumière qui s'étendait d'un bout de l'horizon à l'autre, droit au-dessus de moi, tel un arc-en-ciel. Je me suis demandé s'il allait se déplacer au fur et à mesure que le temps passerait. Et il faisait chaud. Une chaleur tropicale. Cette bande de lumière tapait dur.

En regardant à droite et à gauche, j'ai constaté que je me tenais sur un promontoire rocheux dominant la forêt de deux cents mètres à vue de nez. Quoique, la densité du feuillage m'empêchant de voir le sol, la hauteur fut difficile à évaluer précisément. À ma droite, j'ai vu une cascade jaillir d'un point situé non loin du sommet pour tomber en chute libre vers les arbres. Mais la brume d'eau était telle qu'il m'était impossible de dire où elle finissait.

Et quelle odeur ! Doucereuse, mais pas écœurante comme chez un fleuriste. Elle m'a même fait penser à des citrons. À ma gauche, j'ai vu des petits arbres rabougris recouverts de fleurs bleues. Je me suis approché de ce buisson et ai inspiré profondément. Hé oui, c'était bien ces fleurs qui embaumaient l'atmosphère !

Alors que je contemplais Eelong, un mot m'est venu à l'esprit pour le qualifier : le paradis.

Obnubilé par ce panorama, j'en ai oublié de regarder derrière moi. C'était important : cet étroit tunnel était l'ouverture qui menait au flume. Un coup d'œil à mon anneau me l'a confirmé : la pierre grise luisait faiblement. C'était elle qui, en cas de besoin, me guiderait vers le flume. Plus je m'en approcherais, plus la lumière brillerait. Je me suis retourné pour enregistrer mentalement l'endroit où se cachait le portail…

… Et j'ai eu un hoquet de surprise. Aussitôt, j'ai su que je n'aurais aucun mal à retrouver l'embouchure. Car là, devant moi, se dressait le plus grand arbre que j'aie jamais vu. Non, grand ne suffisait pas. Il était immense. Gigantesque. Colossal. La base du tronc atteignait les trente mètres de large. Vous avez déjà vu de ces séquoias où l'on peut creuser un tunnel assez large pour y faire passer une voiture ? Eh bien, avec celui-là, on aurait pu faire traverser une douzaine de trains alignés, et il y aurait encore la place pour un ou deux camions. On aurait dit un gratte-ciel couvert d'écorce. Les premières branches étaient à cinquante mètres de hauteur, puis elles se couvraient d'un feuillage qui aurait suffi à abriter un stade. Je ne sais pourquoi, mais me tenir face à quelque chose d'aussi monstrueux en devenait angoissant. C'est dire.

En regardant à la base de l'arbre, j'ai vu le minuscule trou par où je m'étais glissé. Comparé à ce monstre, il était si minuscule qu'il fallait vraiment savoir qu'il était là pour le remarquer. Et bien sûr, la traditionnelle étoile marquant l'entrée d'un flume était gravée dans l'écorce juste au-dessus du tunnel. Incroyable. Maintenant, tout devenait limpide. Les lianes recouvrant les parois de la caverne étaient les racines de cet arbre titanesque. J'en ai fait le tour en passant ma main sur l'écorce. On aurait pu habiter dans cet arbre… Avec sa famille, ses amis, la famille de ses amis… et il resterait encore assez de place pour une usine de gâteaux. J'ai fait un pas en arrière, ai levé les yeux et éclaté de rire. Plus rien n'était impossible. Qu'est-ce qui allait encore me tomber dessus ?

J'allais avoir très vite la réponse à ma question – une réponse qui risquait de ne pas me plaire.

Quelque chose a heurté l'arrière de ma cuisse. J'ai baissé les yeux… et l'ai regretté aussitôt. Là, gisant sur l'herbe à côté de mon pied, il y avait un bras humain couvert de sang. J'ai jeté un œil dans la direction d'où il venait et ai eu l'impression de recevoir un coup de poing dans l'estomac. Si je n'avais pas pu m'adosser à l'arbre géant, je serais tombé par terre.

Là, à une dizaine de mètres de moi, j'ai aperçu une bête telle que je n'en avais jamais vu. Tout d'abord, j'ai pensé à… un dinosaure. Ça se tenait debout sur ses deux pattes de derrière, avec une longue queue épaisse qui s'agitait furieusement. La bête faisait bien sept mètres de haut, avec des bras puissants et des mains prolongées de trois griffes, tout comme ses pattes. Son corps était recouvert d'écailles d'un beau vert vif, comme celles d'un lézard. Mais c'est sa tête qui me fascinait. Une gueule de reptile au museau allongé, avec des poils vert descendant sur son front et sur son dos. Mais le plus horrible était encore sa gueule. Elle évoquait celle d'un requin, avec plusieurs rangées de crocs faits pour déchirer la chair.

Et c'est exactement ce qu'elle faisait, parce qu'elle tenait un autre bras humain entre ses griffes. Du sang dégoulinait sur son menton et son palais. Si je n'avais pas eu si peur, ça m'aurait donné la nausée. Nos regards se sont croisés. J'ai senti qu'elle me toisait. Ses yeux étaient rouges et brûlaient de rage. Sans détourner la tête, la bête a claqué des mâchoires, écrasant le bras comme une brindille sèche. Ce bruit m'a retourné l'estomac. Le monstre a dardé une langue verte et a aspiré le bras brisé. Et il a avalé le tout, os compris. Beurk. Il s'est alors tourné vers moi, et sa gueule s'est plissée en un sourire sanglant.

Il avait fini les amuse-gueules. J'étais le plat de résistance.

Bienvenue sur Eelong.

Journal n° 16
(suite)

EELONG

C'était un quig.

Il fallait s'y attendre. Chaque territoire avait les siens, et ils rôdaient tous autour des flumes. C'est Saint Dane lui-même qui les a postés là, ne me demandez pas comment. Sur Denduron, c'étaient des espèces d'ours préhistoriques, sur Cloral des requins, sur Zadaa des serpents, et sur notre Seconde Terre des chiens féroces. Curieusement, il ne semblait pas y en avoir sur Veelox, mais ce doit être parce que Saint Dane en avait déjà fini avec ce territoire avant mon arrivée. Maintenant, il apparaissait que ceux d'Eelong étaient des reptiles mutants ressemblant à des dinosaures. Je le savais, puisque j'en avais un devant moi. Et pas de doute : ce n'était pas un herbivore. Je suis sûr qu'il appréciait la chair humaine. Le bras sanguinolent qui gisait à mes pieds en témoignait. Et j'aimais autant ne pas savoir où se trouvait le reste du corps.

La bête m'a fixé de ses yeux rouges et a plissé ses lèvres, dévoilant une autre rangée de dents pointues. Super. Ses longs poils verts étaient hérissés comme ceux d'un cheval en colère. Il a émis un sifflement, et j'ai reçu une bouffée de son haleine. Elle puait sec : on aurait dit un relent de poisson pourri. Il allait attaquer, et ça risquait de faire mal. Je n'avais rien pour me défendre. Pire encore, l'arbre géant se trouvait derrière moi. J'étais pris au piège. J'ai tenté de faire un pas sur la droite. La bête en a fait autant. J'ai réessayé sur la gauche. Même résultat. J'avais l'impression d'être de retour sur un terrain de basket avec ce monstre en défense. Sauf qu'il ne voulait pas m'arracher la balle, mais la tête.

C'est alors que j'ai entrevu un vague mouvement sur ma gauche. J'ai vite jeté un coup d'œil de peur qu'un second quig cherche à me prendre par surprise. Mais non : c'était un autre humain qui passait sa tête par le trou à la base de l'arbre ! Du moins il avait l'air d'un humain. C'était un homme avec une touffe de cheveux emmêlés et une longue barbe. Je l'ai à peine entrevu, car il a aussitôt rentré sa tête comme une tortue effarouchée. En voyant le quig, il a dû choisir de rester à l'abri. Bien vu. J'aurais voulu pouvoir en faire autant. Mais il m'a rappelé que j'avais peut-être un moyen de m'en sortir. Je n'avais qu'à regagner l'ouverture dans l'arbre avant que le quig ne me chope.

Nous sommes restés là, à nous regarder en chiens de faïence, comme des pistoleros au moment du duel final. Pourvu qu'il ne réalise pas que je n'étais pas armé. Je savais que si je bondissais vers le trou, ce monstre me sauterait dessus et ce serait la fin des haricots. Tout ce dont j'avais besoin, c'est de deux secondes d'avance. Mais comment les obtenir ?

C'est alors que j'ai eu une idée. Une idée horrible. Si je n'avais pas été si désespéré, je n'y aurais jamais seulement pensé. Mais s'il y a bien une chose que j'ai apprise depuis que je suis un Voyageur, c'est que devoir assurer sa propre survie a tendance à motiver grave. Sans prendre le temps de réfléchir à cette folie, je me suis lentement accroupi pour toucher le sol. J'ai vu les poils de la bête se hérisser encore davantage. Elle attendait ma réaction. J'ai ramassé le bras sanglant qui gisait à mes pieds. Je sais, c'était aussi dégueu que ça en a l'air. Je l'ai pris par le coude en m'efforçant de ne pas penser à ce que je faisais. Lorsque mes doigts ont effleuré sa peau, j'ai eu un haut-le-cœur. Le bras était encore chaud. Il n'y a pas longtemps, il était rattaché à un corps bien vivant. Mais j'ai préféré chasser cette idée sous peine d'y laisser mon déjeuner… et ma vie. Lorsque j'ai ramassé le membre, le relent fétide de la bête s'est accru. Je crois que la vue du bras sanglant la mettait dans tous ses états, comme un requin lorsqu'il flaire l'odeur du sang dans l'océan. C'était bon signe. J'avais peut-être une chance. Je me suis lentement redressé en tenant le bras à mon côté. La bête l'a suivi des yeux comme un morceau de choix. Beurk.

Tout se jouerait en un instant. Soit j'obtenais les quelques secondes nécessaires pour me sauver, soit je connaîtrais le même sort que le propriétaire du bras. Tout dépendait de l'intelligence de ce quig, ou plutôt de son absence d'intelligence. J'ai agité le bras pour le tenter. La bête ne l'a pas quitté des yeux. Cette horrible odeur a augmenté. Pas de doute, il n'abandonnerait pas son casse-croûte. De toutes mes forces, je l'ai jeté vers la droite.

La bête est partie le ramasser. Aussitôt, j'ai couru comme un dératé vers l'ouverture. Je ne pouvais qu'espérer que le quig trouverait le bras plus appétissant que ma petite personne. Je n'ai pas pris le temps de regarder en arrière : chaque seconde comptait. J'ai plongé dans le trou la tête la première, et à peine ai-je touché le sol que j'ai rampé frénétiquement pour m'éloigner de l'entrée. Je criais déjà victoire lorsque j'ai entendu un rugissement. Aussitôt, une pointe de douleur m'a brûlé la jambe. Le monstre avait attrapé ma cheville ! Il était trop gros pour rentrer, mais n'avait qu'à m'entraîner à l'extérieur. J'ai battu des pieds de toutes mes forces et ai senti ses griffes lacérer ma peau. Mais je n'allais pas renoncer. D'un coup de pied, j'ai réussi à libérer ma jambe. Gagné ! J'ai voulu la replier pour la faire rentrer dans le trou, mais en vain. J'ai jeté un coup d'œil – la griffe du quig était accrochée aux brindilles tressées qui servaient de lacet à ces chaussures grossières. Il me tenait toujours !

J'ai tortillé frénétiquement le pied dans l'espoir de le sortir de la chaussure. En fait, je me suis maudit pour avoir noué le lacet si solidement. Je m'attendais à sentir les mâchoires du monstre se refermer sur ma jambe comme sur une patte de poulet. Mais j'ai néanmoins continué de me débattre. Puis, soudain, quelque chose a cédé. Heureusement, ce n'était pas ma jambe. Ses griffes devaient avoir déchiré le lacet, parce que mon pied a glissé hors de la sandale de cuir. J'ai vite replié mes jambes sous mon menton pour me mettre hors de portée. En regardant en arrière, j'ai vu son long bras écailleux glisser dans le trou en tâtonnant. C'est moi qu'il cherchait. Mais ses griffes n'ont rien rencontré, que du vide et quelques lianes. Il n'avait pas l'air content.

L'odeur de poisson pourri a empuanti le conduit. Mais la bête avait perdu la partie. Elle a poussé un dernier rugissement furieux, puis a retiré son bras. Elle avait renoncé à sa proie. J'imagine qu'elle est allée grignoter le bras. Son lot de consolation.

Je suis resté là, dans le noir, hors d'haleine, à tenter de reprendre mes esprits. Maintenant que j'étais sauvé, la réalité de ce qui s'était passé m'a frappée de plein fouet. J'avais ramassé un bras humain et m'en étais servi d'appât pour ne pas me faire dévorer. Dégoûtant, non ? J'ai regardé ma jambe : trois longues griffures couraient de ma cheville à mon genou. Je les ai examinées : heureusement, elles n'étaient pas très profondes. Ça piquerait pendant un moment, c'est tout. Décidément, Eelong n'avait rien d'accueillant.

Il fallait que je trouve un autre moyen de sortir de cet arbre. Pas question de passer ma tête par ce trou pour voir si Godzilla Junior était là, à m'attendre en rongeant son bras. Et reprendre le flume était hors de question, même s'il ne m'en aurait pas fallu beaucoup pour me convaincre. Je devais sortir de cet arbre, échapper aux quigs et trouver Gunny. Je me suis donc mis à quatre pattes et ai rampé au milieu des lianes, à la recherche d'une autre sortie. Il devait bien y en avoir une. Sinon, d'où était venu le gars qui avait passé sa tête par l'ouverture ? Il n'était pas dans la caverne du flume lorsque j'y avais débarqué. Et d'ailleurs, *qui* était ce type ?

Je suis passé devant le couloir menant au flume et ai continué de ramper en tendant une main devant moi, au cas où je tombe sur un cul-de-sac. Mais non : j'ai continué de m'enfoncer dans les profondeurs de l'arbre. Ce que j'avais pris pour simple espace était en fait un tunnel menant au cœur même de ce géant. Au fur et à mesure que j'avançais, il a fait de moins en moins sombre. Bien sûr, ce n'était pas très logique, mais il y avait longtemps que la logique n'avait plus droit de cité. J'ai bientôt gagné assez de confiance pour renoncer à tendre ma main devant moi. Et j'ai vu une lumière au bout du tunnel. Il n'y avait pas si longtemps que je crapahutais comme ça, donc je ne pouvais avoir atteint l'autre bout de l'arbre. Il était bien trop vaste pour ça. Mais inutile de me poser des questions : je ne tarderais pas à savoir ce qu'il en était.

J'ai fini par sortir du tunnel et me suis relevé. Un spectacle extraordinaire m'attendait. L'arbre était creux. Ou du moins cette partie l'était. J'étais face à une immense salle taillée dans les racines de cet arbre immense. Il y a peu, je blaguais sur le fait qu'on pouvait le transformer en immeuble d'habitation, eh bien cet endroit démontrait que c'était possible. Les cloisons étaient faites... ben, de bois. La lumière filtrait à travers des fissures sillonnant toutes les parois comme autant de veines. Je ne sais pas si elles étaient naturelles ou gravées à la main. Si c'était le cas, elles devaient avoir été faites il y a très longtemps, car tout ici semblait très ancien. Des plaques de mousse verdâtre envahissaient chaque espace disponible. Regarder droit devant revenait à sonder les profondeurs d'un flume. Il n'y avait pas de plafond. Pour autant que je sache, l'arbre tout entier était creux. Il y avait de nombreux niveaux et des passerelles menant à d'autres tunnels semblables à celui dont je venais de sortir. Je n'aurais pas pu dire comment on passait d'un niveau à l'autre. Peut-être fallait-il escalader les lianes accrochées aux murs... À condition de s'appeler Spiderman.

À présent que j'avais échappé au quig qui attendait là dehors, je me suis demandé qui pouvait bien être le peuple d'Eelong. À en juger par le type que j'avais entrevu, ça n'avait pas l'air d'être une race de mathématiciens de haut niveau. Sans doute une société tribale et primitive habitant ces arbres extraordinaires. S'ils étaient plus avancés que ça, leurs vêtements n'en témoignaient guère. Et puis je n'étais encore tombé sur aucun outil, aucun bâtiment ou autre chose qui puisse témoigner d'une société ayant évolué au-delà de l'âge de pierre. Je commençais à croire que je devrais traiter avec des hommes des cavernes. Ou des arbres.

– Hé ho ? ai-je dit, et ma voix s'est répercutée dans le vide. Il y a quelqu'un ?

Seul le doux grincement des branches m'a répondu. J'ai regardé autour de moi afin de déterminer quel tunnel me mènerait à la sortie... quand on m'a brusquement poussé en avant avec une telle violence que j'ai bien failli m'étaler par terre.

J'ai fait volte-face pour me retrouver devant le type qui avait passé sa tête par le trou. Il n'était pas bien grand, environ un mètre soixante. Ses longs cheveux étaient tout emmêlés. Tout comme sa barbe. En fait, je crois que ses cheveux se mêlaient aux poils de sa barbe. Le résultat n'était pas très beau à voir. Sa peau était pâle et crasseuse et il portait le même genre de haillons que moi. Il se tenait accroupi et était hors d'haleine. Un filet de bave s'écoulait de sa bouche et maculait sa barbe. Il avait l'air humain, mais se comportait comme une bête sauvage.

– B-bonjour, ai-je dit pour tenter de le calmer.

J'ai tendu la main comme on le fait à un chien lorsqu'on veut l'amadouer.

– Je m'appelle…

Avant que j'aie pu continuer, on m'a saisi le bras pour le ramener violemment dans mon dos. Surpris, j'ai regardé en arrière pour voir qu'une liane s'était enroulée autour de mon poignet, comme un lasso. À l'autre bout, il y avait un autre humain aussi pouilleux que le premier. J'ouvrais la bouche pour dire quelque chose lorsqu'une autre liane s'est enroulée autour de mes épaules pour m'immobiliser les bras autour de la taille. J'ai vu le troisième type qui l'avait lancée. Une nouvelle liane s'est refermée sur mes chevilles. On a tiré un grand coup, me faisant tomber. Mon dos a heurté le sol sans douceur. Ouf.

– Un… instant…, ai-je hoqueté en tentant de reprendre mon souffle.

J'aurais bien voulu employer mes pouvoirs de persuasion de Voyageur, mais tout se passait si vite que je n'arrivais pas à me concentrer. Tout ce que j'ai réussi à dire, c'est :

– Je suis un ami !

Je sais, ce n'était pas très convaincant, mais que vouliez-vous que je dise ? Cela n'avait pas grande importance de toute façon, parce qu'un de ces types m'a sauté dessus et a fourré une poignée de tissus dans ma bouche en guise de bâillon. Aïe. Ils ne voulaient pas m'asphyxier, quand même ? Pour eux, je devais être une menace, un intrus. Je devais leur faire comprendre que je ne leur voulais aucun mal, parce qu'ils avaient l'air tout disposés à me faire ma fête.

Le type qui m'avait bâillonné s'est carrément assis sur ma poitrine en me dévisageant. J'étais cloué au sol, incapable de bouger. En plongeant mon regard dans le sien, j'ai compris que je n'avais pas la moindre chance de pouvoir raisonner ces cocos-là. C'est même étonnant que je ne l'aie pas déjà remarqué auparavant. Maintenant, c'était trop tard. Le dinosaure qui m'avait attaqué là dehors était dangereux et avait tenté de me dévorer. Mais j'en avais oublié un détail important. Ses yeux. Ils étaient rouges. Or les quigs avaient des yeux jaunes, toujours. Et en regardant ce type assis sur ma poitrine, c'est précisément ce que j'ai vu. Ses yeux étaient jaunes. Et brûlants d'une lueur féroce. Il a ouvert la bouche en un sourire grotesque, dévoilant plusieurs rangées de crocs pointus et sanguinolents. Un filet de bave a coulé de ses lèvres pour tomber sur ma joue.

C'est alors que la terrible vérité m'est apparue : sur Eelong, les quigs étaient humains.

Journal n° 16
(suite)

EELONG

J'étais cloué au sol avec un quig humain puant assis sur ma poitrine. Il s'est penché jusqu'à se tenir à quelques centimètres de mon nez, et j'ai pu sonder les profondeurs sombres et sans âme de ses yeux jaunes.

– Je... ne vous ferai pas de mal, ai-je balbutié faiblement.

Ben voyons. Comme si je pouvais user de psychologie pour lui cacher que j'étais à sa merci. En guise de réponse, un autre filet de bave a coulé sur ma joue. Mon bluff avait échoué. J'ai ignoré sa salive écœurante.

– Vous me comprenez ? ai-je demandé.

En guise de réponse, il a poussé un cri évoquant un singe hurlant de douleur. Cela devait vouloir dire « non ». Ces quigs ressemblaient à des humains, mais il n'y avait pas la moindre trace d'intelligence entre ces oreilles poilues. C'étaient les gardiens de Saint Dane, et ils n'avaient qu'une chose en tête : tuer. J'ai cherché désespérément une façon de m'en sortir. Après tout, j'étais humain, moi aussi. Mais j'ai brièvement revu les quigs de Denduron. Un souvenir qui n'avait rien de très agréable. Lorsqu'un d'entre eux tombait, les autres le dévoraient tout vif. Les quigs étaient des cannibales. Sur Eelong, le fait d'être humain ne devait rien y changer. C'était peut-être même pire.

Les deux autres quigs m'ont maintenu les bras en me reniflant comme des animaux. J'ai eu le vague espoir que les haillons puants que je portais leur coupent l'appétit. C'était crétin, mais j'étais à bout d'artifices. J'ai battu des jambes pour me dégager, mais ils me tenaient bien, et mes efforts les ont fait rire. Du moins je pense que c'était un rire, même si ça ressemblait au croisement entre un cri de hyène et un grognement de cochon. Ça m'a donné un frisson. Le quig assis sur ma poitrine a levé la tête et poussé un hurlement terrifiant. Lorsqu'il a baissé à nouveau les yeux, ils brillaient d'une lueur de folie meurtrière. Il se préparait à m'achever. J'ai bien cru que mon étrange existence allait se terminer ici et maintenant. J'ai fait la seule chose qui me restait à faire : fermer les yeux.

J'ai entendu un autre cri. Pourtant, ça ne semblait pas être un quig. On aurait plutôt dit le rugissement d'un animal. J'ai ouvert les yeux : l'homme assis sur ma poitrine a regardé derrière lui. Les deux autres s'enfuyaient déjà. Je n'ai pas osé lever les yeux, car j'étais sûr qu'une autre bête terrifiante venait troubler la fête. Le type assis sur ma poitrine a tenté de se lever, puis a brutalement fait volte-face pour se retrouver face à moi, comme si une main puissante l'avait retourné de force. Ses yeux sanguinaires exprimaient maintenant la plus abjecte des terreurs. J'ai vite compris pourquoi : quatre plaies parallèles labouraient sa poitrine. Quelque chose l'avait attaqué. Mais ses blessures étaient loin d'être mortelles. Il a bondi par-dessus ma tête et a filé comme un dératé. Qui que soit l'intrus, il était extrêmement dangereux, et ces types le savaient. Mais qu'était-ce donc ? Une sorte de superquig hantant cet arbre creux ? Ou un de ces lézards géants avait-il trouvé un moyen de se faufiler par les tunnels ?

Toujours sur le dos, j'ai levé les yeux pour voir un des cannibales grimper à une liane à une vitesse fulgurante. Il a atteint une corniche pour disparaître aussitôt dans un tunnel. Mais lorsque j'ai vu ce qui le pourchassait, j'ai compris sa terreur.

Une sorte d'énorme félin, un tigre ou un léopard, escaladait à son tour la liane. C'était une créature bâtie en force, de deux bons mètres de long. Sa fourrure était mouchetée de rouge et de noir, un peu comme celle d'un tigre. Pas moyen d'en être sûr, vu la rapidité avec laquelle il se déplaçait, mais on aurait dit que son corps était recouvert d'une sorte de tissu. C'était absurde, mais on aurait juré qu'il portait des vêtements. Complètement débile. La seule fois où j'ai vu un chat porter quoi que ce soit, Mark, c'était lorsque ta mère avait passé un petit pull rose à Dusty, ton chat. Tu te rappelles ? Mais cette bête-là n'était pas un gentil minou ; c'était un prédateur lancé à la poursuite de sa proie. Il a atteint la corniche à son tour et a bondi dans le tunnel. J'aurais parié que le quig qu'il pourchassait n'en avait plus pour longtemps.

Ouf. J'ai reposé la tête sur le sol et ai enfin pu inspirer profondément. Ça ne faisait pas une heure que j'étais sur Eelong, et j'avais déjà croisé un lézard mangeur d'hommes, des quigs humains et un grand félin pourchassant ces mêmes quigs. En gros, tout ce qui vivait sur Eelong était susceptible de me manger. Mais qui était aux commandes ? Où étaient les gens ? J'allais me rasseoir quand j'ai entendu un grondement sourd et guttural. Oh oh. Un autre grondement a confirmé mes pires craintes.

Le félin n'était pas seul.

J'ai levé lentement la tête pour regarder entre mes jambes. Et je l'ai vu, là, de l'autre côté de la caverne. Celui-là avait une robe couleur sable, comme un puma. Et il était sacrément gros. Plus que celui qui avait chassé le quig le long des lianes. Ses grands yeux bruns de félin étaient braqués sur moi alors qu'il se rapprochait d'un pas souple. Que conseille le guide des boy-scouts dans ces cas-là ? Devais-je lui rendre son regard ? Faire le mort ? Bondir et faire comme si j'étais aussi balaise que lui dans l'espoir de l'effrayer ? Je savais encore confectionner un nœud marin, mais lorsqu'il s'agissait de quelque chose d'utile, comme d'éviter les griffes d'un monstre, mon éducation montrait ses lacunes. Pendant que mon esprit passait en revue mes options, le félin s'est rapproché. Bientôt, mon plan n'aurait plus grande importance. Ce serait lui qui appliquerait le sien, et il y avait de fortes chances qu'il ne me plaise guère.

Il a grogné et découvert une paire de crocs digne d'un tigre à dents de sabre. Il a progressé jusqu'à ce que son nez soit à hauteur de mes pieds. J'ai vu palpiter ses narines alors qu'il me reniflait. J'ai pensé à lui donner un bon coup de pied dans la truffe et tenter de filer, mais cela le mettrait certainement en rogne. Mauvaise idée. Au moins, je pouvais espérer que mon odeur lui déplaise et qu'il me fiche la paix. Je n'ai pas bougé. J'ai retenu ma respiration. Le fauve a fait encore quelques pas, s'est figé, puis a ouvert sa gueule. Il allait attaquer. J'étais cuit. J'en venais à espérer qu'une de ces créatures d'Eelong abrège mes souffrances et qu'on en finisse une bonne fois pour toutes. De toute façon, si ça continuait sur ce rythme, j'allais bientôt claquer avant d'une crise cardiaque.

Sans me quitter des yeux, le grand chat a ouvert sa bouche encore davantage et a dit :

– Es-tu Pendragon ?

Quoi ? Non, je le refais. *Quoi* ??? Mon cerveau s'est paralysé. Jusque-là, ça n'avait pas été facile, mais au moins je comprenais ce qui se passait. Les lianes, la jungle, le soleil, l'arbre gigantesque, le lézard et les quigs humains. Tout cela était fantastique à souhait, mais rien que ma petite tête ne puisse accepter. Mais ce nouveau développement... Non. C'en était trop. J'ai cherché une explication. Peut-être qu'en me griffant, le lézard m'avait inoculé une sorte de poison hallucinogène, si bien que je m'imaginais voir un grand félin qui non seulement me parlait, mais en plus, connaissait mon nom. Ou peut-être était-il le Chat de Cheshire d'*Alice au pays des merveilles*, auquel cas il allait sourire et disparaître, et toute cette histoire n'aurait été qu'un rêve. Ce qui n'aurait rien pour me déplaire.

– Tu sais parler ? a demandé le chat. Ou n'es-tu qu'un gar imbécile ?

Comme vous le savez déjà, un des avantages d'être un Voyageur, c'est de pouvoir comprendre les différents langages parlés sur les territoires. Mais pour autant que je sache, ça ne marchait pas avec les animaux. Sinon, cela ferait de nous des émules du Docteur Dolittle capables de suivre les conversations de tout ce qui rampait, nageait ou volait, ce qui pourrait être agaçant à la longue. Mais ce n'était pas le cas. Donc, ce gros chat était vraiment capable de parler.

– Je... Je suis Pendragon, ai-je dit doucement.

– Alors c'est donc vrai ! s'est exclamé le félin. Incroyable !

Comme pour me plonger un peu plus dans la Quatrième Dimension, la créature s'est redressée sur ses pattes de derrière pour marcher comme un humain ! Il faisait à peu près ma taille, un mètre quatre-vingt. J'ai vu qu'il portait une sorte de vêtement grossier, lui aussi, une simple tunique brune moulante en meilleur état que mes haillons. Elle ne comportait ni boutons, ni boucles, ni pressions. On aurait dit qu'elle avait été drapée directement sur son corps.

– Désolé de m'être approché aussi sournoisement, dit-il. Mais avec les gars, on n'est jamais trop prudent. Surtout ceux qui traînent dans le coin. Les quigs, je veux dire.

Là, je devais avoir pété un fusible. Ce fauve savait ce qu'était un quig ! Il a tendu sa patte comme pour m'aider à me relever. Ou peut-être devrais-je dire « sa main ». Elle ressemblait à un croisement entre une patte de chat et une main humaine. Elle avait un pouce préhensile, mais couvert de fourrure et prolongé d'une griffe peu engageante.

– Je m'appelle Boon, dit-il. Bienvenue sur Eelong.

Sa voix semblait aussi normale que la mienne. En tout cas, rien ne donnait à penser qu'elle puisse venir d'un gosier non humain. En regardant son visage, je me suis dit que ce n'était peut-être pas un félin comme les autres. Bien sûr, il en avait le faciès, mais son museau était moins prononcé et sa bouche était un peu plus petite. Il était tout de même couvert de fourrure, ses bras étaient plus longs que ceux d'un homme et ses genoux étaient repliés selon un angle étrange. Vous vous souvenez de cette comédie musicale grotesque où tout le monde porte des collants et un maquillage félin et chante le bonheur d'être un chat ? Eh bien, oubliez tout ça. Ce n'était pas un costume. Ce type était vraiment un chat avec quelques traits humains... notamment le don de la parole.

– Ne t'en fais pas, m'a-t-il dit d'un ton rassurant, je ne vais pas te mordre.

J'ai tendu lentement la main pour serrer la sienne. Ou sa patte. Peu importe. J'ai eu l'impression de saisir un gant couvert de fourrure avec quelques coussinets sur sa paume. Il avait une sacrée poigne. Et les griffes qui ont égratigné ma main étaient acérées. Note mentale : ne pas se fâcher avec ce chat-là.

– Je ne voulais pas te dévisager comme ça, reprit-il, mais je n'ai pas l'habitude de discuter avec un gar. C'est assez étrange.

Étrange ? Qu'est-ce que je devrais dire !

– C'est quoi, un gar ? ai-je tenté.

– Eh bien, un gar quoi. Quelqu'un comme toi. Deux jambes, pas de fourrure, pas de crocs, bon à rien. Seegen a dit que tu aurais l'apparence d'un gar, mais je ne l'ai pas cru, du moins pas avant de t'avoir vu. Par contre, il faudra faire quelque chose pour ton odeur.

– Désolé. Ces frusques puent.

– Non, je parle de toi ! Les gars ont tous la même odeur de fruits pourris. Sans vouloir te vexer.

– Je deviens cinglé, ai-je marmonné. Comment peux-tu parler ? Des humains t'ont appris leur langage ? Je veux dire, des gars ?

Boon a éclaté de rire. De plus en plus incroyable. Je n'ai jamais entendu rire un chat. Le son était rauque et s'est conclu sur un feulement sourd.

– Un gar qui apprend à parler à un klee ? Voilà qui est drôle. Tu es drôle. On me l'a dit.

J'en avais le vertige.

– Bon, d'accord, je suis un gar et toi un klee. Mais qui commande ici ? Je veux dire, y a-t-il d'autres klees comme toi qui ont le don de la parole ?

À nouveau, Boon a éclaté de rire et m'a tapoté le dos comme si j'étais un vieux pote à lui. Il a bien failli me renverser. Il débordait d'énergie et avait l'air de bien s'amuser. Je n'avais pas la moindre idée de son âge, mais j'en ai conclu qu'il était encore un jeune homme comme moi. Enfin j'ai supposé que c'était un homme. Je n'allais pas jeter un coup d'œil entre ses jambes.

– Je suis désolé de devoir te le dire, fit-il, mais sur Eelong, tout est différent. Viens, je vais te montrer.

Il est allé à l'autre bout de la salle. Je suis resté planté là. Je n'arrivais toujours pas à digérer le fait que je regardais un chat d'un mètre quatre-vingt portant des vêtements et marchant sur ses pattes de derrière. C'est alors que j'ai vu la grande différence entre Boon et un bon vieux puma de notre Seconde Terre : il n'avait pas de queue. Elle aurait pu être repliée à l'intérieur de sa tunique, mais j'en doutais fort. Il a jeté un coup d'œil en arrière pour constater que je ne l'avais pas suivi.

– Tu es choqué, hein ? Moi aussi. (Il a regardé tout autour de la caverne avant de reprendre.) En général, on ne s'approche pas de la porte. À cause des quigs. Ces bestioles sont assez teigneuses. En général, on peut s'en débarrasser sans trop de mal, mais pour peu qu'ils te tombent dessus en bande... ouille. C'est pour ça que je suis venu avec un pote. Même s'il ignore que ce sont des quigs. Il aime bien chasser les gars sauvages.

Voir cette espèce de chat sous stéroïdes en savoir autant sur les Voyageurs commençait à me taper sur les nerfs. C'est pourquoi je lui ai demandé :

– Es-tu un Voyageur ?

– Moi ? Non. Seegen est le Voyageur d'Eelong. Je ne suis qu'un Acolyte. Enfin, pas encore officiellement, mais je le serai bientôt. Seegen m'a tout raconté. Tu aimes les vêtements que je t'ai choisi ?

– Ils puent.

– Oui, tu l'as déjà dit. Je me répète, mais il est rare qu'on vienne par ici. C'est plutôt loin de la ville. Remarque, c'est peut-être mieux ainsi. Comme ça, personne ne risque de tomber sur le flume par hasard, non ?

Il parlait à toute vitesse, comme s'il était surexcité. Ou nerveux.

– Seegen m'a demandé de surveiller le flume au cas où le Voyageur en chef arriverait. J'ai eu du mal à croire que tu étais aussi un gar comme l'autre Voyageur qui est arrivé et...

– Gunny ! Où est-il ? Il n'a rien ?

– Oui, Seegen a bien dit qu'il s'appelait Gunny.

– Ouais ! me suis-je écrié. Où est-il ? Il va bien ?

– Je ne sais pas. Seegen n'a pas voulu me le dire. En tout cas, une chose est sûre : je ne l'ai jamais vu à Lyandra.

– Lyandra ? C'est quoi ?

– Chez moi, a-t-il répondu. Seegen y vit aussi. On devrait aller le voir.

– Tout à fait.

– Parfait ! s'est exclamé joyeusement Boon. C'est le début d'une grande aventure !

Au moins, l'un de nous deux s'amusait bien. Et ce n'était pas moi.

– Le chemin sera long, expliqua-t-il. Il te faudra une autre chaussure.

Ah, oui. J'avais laissé une de mes « chaussures » dans les griffes du lézard géant. Boon s'est dirigé vers l'autre côté de la plate-forme, jusqu'à un amas de lianes mortes. Il les a soulevées, dévoilant un nouveau tas de haillons.

– C'est là que je cache mes vêtements gars, a-t-il expliqué. Descendre jusqu'au flume est assez angoissant.

Je ne le comprenais que trop. Se retrouver face a des amas d'ossements n'a rien de très engageant. Boon a continué de farfouiller dans les vêtements pour trouver une autre sandale. Pas de doute, il avait la dextérité d'un humain. Il me l'a tendue en disant :

– C'est ce qu'on porte dans ton territoire ?

C'était mon tour d'éclater de rire.

– Oh, non ! Jusque-là, je n'ai pas vu grand-chose qui ressemble à la Seconde Terre.

Ce qui a paru stupéfier Boon.

– Vraiment ?

– Oh ! oui, ai-je répondu en laçant ma sandale. Ce que vous appelez « klee » sont de simples chats pour nous. Certains sont grands et sauvages, mais la plupart sont tout petits et servent d'animaux de compagnie aux gars.

Boon a froncé les sourcils. Zut. Je n'aurais peut-être pas dû lui dire ça.

– Pour vous, les klees sont des animaux de compagnie ? m'a-t-il demandé, incrédule.

– Non, pas pour moi, me suis-je empressé de répondre afin de limiter les dégâts, mais certains les considèrent comme des animaux. Enfin, quelques-uns. C'est assez rare, en fait.

Boon est revenu vers moi, ce qui m'a rappelé qu'il était un dangereux prédateur. J'allais dire quelque chose du genre « Hé, n'oublie pas que je suis le Voyageur en chef ! », mais je n'ai pas voulu passer pour un dégonflé. J'ai donc préféré me lever et agir comme le ferait le Voyageur en chef.

– Ton anneau, a-t-il dit.

J'ai regardé mon anneau de Voyageur. Le seul objet qui pouvait passer d'un territoire à l'autre.

– Oui, eh bien ? ai-je demandé.

– Cache-le. Si quelqu'un te voit le porter, il saura que quelque chose ne va pas. Dans le meilleur des cas, ils te l'enlèveront.

– Vraiment ? Et dans le *pire* des cas ?

– Ils te dévoreront, a-t-il répondu simplement.

Gloups. Je me suis dépêché de retirer mon anneau.

– Je peux y jeter un œil ? a demandé Boon.

Je le lui ai tendu à contrecœur. Il l'a pris et admiré comme s'il s'agissait d'un bijou précieux.

– Incroyable ! a-t-il fait avec admiration. Un jour, moi aussi j'en aurai un.

J'ai repris mon anneau et l'ai noué autour de mon cou avec l'une des lianes tressées qui maintenaient ensemble ce qui me servait de vêtement.

– Tu devais me conduire à Seegen, ai-je dit avec autorité.

Boon m'a regardé avec des yeux de glace. Avais-je poussé le bouchon trop loin ? De toute évidence, il n'avait pas l'habitude d'être commandé par un gar. Nos regards se sont affrontés un bref instant, puis il a eu un grand sourire.

– Ça risque d'être drôle ! a-t-il dit, et il est parti d'un pas vif.

Drôle ? Bien des mots me viennent à l'esprit pour décrire mes premiers instants sur Eelong, mais pas celui-ci. Enfin, ça n'avait pas d'importance. J'étais venu pour retrouver Gunny… et arrêter Saint Dane. Pas pour m'amuser. J'ai donc tiré sur mes chaussures, caché mon anneau sous ma tunique et suivi en courant cette espèce de Chat Botté qui allait m'amener à un endroit du nom de Lyandra, là où je trouverais le Voyageur d'Eelong.

Journal n° 16
(suite)

EELONG

Eelong est un monde étrange et merveilleux. Étrange à cause du tour qu'y a pris l'évolution, bien différente de la Seconde Terre... ou de tous les autres territoires que j'ai visités. Merveilleux à cause de sa beauté sidérante. Depuis que j'ai nagé dans les eaux de Cloral, c'est la première fois que je suis tenté d'employer le terme de « paradis ». En tout cas, ce monde est fort proche de l'idée qu'on s'en fait. Mais ce n'est pas tout. Eelong est aussi dangereux. Étrange, merveilleux et dangereux. Voilà un bon résumé.

Boon m'a conduit à l'autre bout de l'immense salle sous l'arbre creux et m'a désigné une corniche menant à un tunnel creusé dans la paroi. Il devait se trouver à une trentaine de mètres. En hauteur.

– C'est par là que nous sortirons d'ici, a-t-il dit.

– Tu plaisantes ? Il me faudra une bonne heure pour escalader ces lianes.

Boon a secoué la tête d'un air apitoyé.

– Comment les gars de ton territoire peuvent-ils être supérieurs aux klees s'ils ne savent même pas grimper ?

– On a conclu un pacte avec les chats, ai-je répondu. Ils ne nous demandent pas de monter aux arbres et on ne cherche pas à leur enseigner l'algèbre.

Boon n'a visiblement rien compris. Mais il a hoché la tête :

– Pas de problème. On va prendre le chemin des gars.

Il a longé le mur jusqu'à un autre tunnel au niveau du sol.

– Suis-moi, a-t-il dit, et il a disparu dans l'ouverture.

J'ai suivi son exemple et me suis retrouvé dans le noir complet.

– Boon ? ai-je demandé.

Sa tête est soudain apparue droit devant moi, mais à l'envers. J'ai sursauté de surprise. En fait, il était suspendu par ses pieds, ou ses pattes de derrière.

– Escalade les racines, a-t-il conseillé. Ça devrait être facile.

J'ai regardé vers le haut. Il était accroché à un amas dense de ronces épaisses qui créaient une sorte de puits montant vers le haut.

– Pourquoi devrais-je escalader ce truc ? ai-je protesté. On ne peut pas se contenter de sortir d'ici et aller à Lyandra à pied ?

– On pourrait, si tu n'as pas peur de tomber sur un tang.

Un tang ? Le seul « Tang » de ma connaissance était une sorte de poudre pour faire du jus d'orange utilisée par les astronautes.

– C'est quoi ? ai-je demandé.

– Des bêtes féroces. Des prédateurs. Ils se nourrissent principalement de gars, mais uniquement parce que nous autres klees sommes assez malins pour rester dans les arbres. Les tangs sont encore plus mauvais grimpeurs que les gars.

– Ce sont des bêtes vertes ? Avec plein de crocs, et qui sentent mauvais quand ils ont faim ?

– Tu les connais ?

– On peut le dire, ai-je répondu. L'un d'eux a bien failli me bouffer.

– Alors tu vois de quoi je veux parler, s'est-il exclamé. Et c'est pour ça qu'il faut grimper.

Boon a joint le geste à la parole et s'est mis à escalader le réseau de racines. S'il fallait en passer par là pour éviter ces espèces de lézards, d'accord. Et Boon avait raison : c'était assez facile. Comme de grimper au filet dans notre terrain de jeux de l'école Glenville.

– Qu'est-ce qu'on fera une fois arrivés au sommet ? ai-je demandé à Boon. On ne va pas rester coincés ?

J'ai failli faire une blague à propos de ces chats idiots qui sont incapables de redescendre d'un arbre, si bien qu'il faut appeler les pompiers, mais je ne crois pas qu'il aurait compris.

– Fais-moi confiance, a-t-il répondu. Je te mènerai là où il faut.

J'ai arrêté de poser des questions. Il était sur son territoire, après tout. Et comme il ne m'avait toujours pas mangé, je pouvais en conclure qu'il ne me voulait pas de mal. Aussi étrange que ça puisse paraître, j'ai commencé à me dire que j'avais eu de la chance d'être tombé sur Boon. Et s'il me menait à Gunny, se serait encore mieux. Nous avons progressé ainsi pendant cinq minutes. Une fois au sommet, je me suis hissé hors du conduit pour me retrouver dans une autre salle assez vaste et complètement vide. On était toujours dans l'arbre, mais au-dessus du niveau du sol. La salle devait faire le tiers de celle du rez-de-chaussée. J'ai pu sentir onduler l'arbre au rythme du vent. Le sol était fait de planches de bois à l'air patiné et usé, comme si elles étaient là depuis très longtemps. Trois grandes portes arquées taillées dans l'écorce donnaient sur l'extérieur. J'ai senti une légère brise et ai aperçu des pans de ciel bleu.

– Une maison dans l'arbre, ai-je dit. Est-ce que des gens... euh, des klees y habitent ?

– Je te l'ai dit, a-t-il répondu, plus grand monde ne vient par ici. C'est trop loin de la civilisation. Mais jadis, quelqu'un devait vivre ici. Celui qui a construit cet endroit.

– Et maintenant, qu'est-ce qu'on fait ?

Boon s'est dirigé vers l'une des arches. Je l'ai suivi, mais ai ralenti avant d'atteindre l'ouverture. Je n'aime pas trop l'altitude. J'ai jeté un coup d'œil en m'attendant à voir le sol très loin en contrebas. Mais j'ai constaté qu'au-delà de l'ouverture s'étendait un balcon de six mètres de largeur. J'ai fait un pas prudent. La plate-forme était fixée à l'arbre et faite des mêmes planches qu'à l'intérieur. Il y avait même une rambarde de sécurité. Mais la vue était ce qu'il y avait de mieux. Je me suis dirigé vers le garde-fou pour contempler à nouveau cette incroyable forêt.

– Joli, non ? a fait Boon en me rejoignant.

– Extraordinaire, oui.

Et ce n'était rien de le dire.

– Mais ce n'est rien ! se rengorgea Boon. Attends d'avoir vu Lyandra.

Et il s'est éloigné comme s'il allait effectivement quelque part.

– Où vas-tu ? lui ai-je crié. On est dans un arbre !

– À Lyandra, m'a-t-il répondu sans se retourner. La marche sera longue, alors autant ne pas perdre de temps.

Je l'ai suivi, en m'attendant à ce qu'on fasse le tour du balcon pour retourner dans l'arbre.

Mais non. Après quelques mètres, j'ai vu qu'un pont s'étendait au-delà. Il faisait trois mètres de large et était accroché à des lianes, comme un pont suspendu. Boon est monté dessus comme s'il n'y avait rien de plus naturel au monde et a continué de marcher. J'étais loin d'avoir son assurance. Je suis resté à l'orée du pont et ai regardé par-dessus la rambarde. Le sol semblait très, très loin. Mais la structure semblait sans danger : lorsque Boon s'était engagé dessus, elle avait à peine bougé. Néanmoins, je n'étais pas rassuré pour autant. J'avais vu trop de films où les héros s'engageaient sur un pont suspendu lorsque les planches commençaient à tomber et… Gare là-dessous ! J'ai saisi à pleine main une des lianes qui le retenait et ai tiré dessus pour vérifier qu'elle était solide.

– Ne crains rien, Pendragon ! m'a crié Boon. Je te l'ai dit, les klees vivent dans les arbres. On sait construire des ponts.

– Alors tout le monde vit dans les arbres ? ai-je dit. Les klees comme les gars ?

– C'est toujours mieux que d'avoir constamment peur des tangs.

J'ai serré les dents et ai fait un pas de plus sur le pont de bois. De toute évidence, il tenait bon. J'ai continué de marcher, et nous voilà partis pour Lyandra. J'ai découvert qu'il y avait des milliers d'arbres comme celui qui abritait le flume, et ils étaient tout aussi grands, sinon plus. Les ponts étaient comme des routes aériennes. Chaque nouvel arbre que nous abordions était flanqué d'une plate-forme qui en faisait le tour. Certains en comportaient même plusieurs, reliées par des escaliers. J'ai repensé au premier moment où j'avais regardé par-dessus la falaise. Si je n'avais pas vu le moindre bâtiment, c'est parce qu'ils étaient suspendus sous la cime des arbres, invisibles d'en haut. Incroyable ! Une civilisation tout entière vivait au-dessus du sol.

Et ce monde grouillait de vie. J'ai vu passer un vol de petites créatures orange évoquant des oiseaux-mouches. Ce nuage émettait une sorte de sifflement doux qui devait être le battement de leurs ailes, mais évoquait des notes de musique. En levant les yeux, j'ai vu un grand aigle sillonner les cieux. Droit devant nous, à notre niveau, un arbre était rempli de mignons petits singes verts qui babillaient et se pourchassaient d'une branche à l'autre.

La forêt en contrebas était une jungle dense évoquant l'Amazonie. De temps en temps, j'apercevais la pointe d'une queue verte disparaissant dans les taillis. Certainement d'autres dinosaures, des tangs comme ils les appelaient. S'ils étaient vraiment si nombreux là en bas, j'étais content d'être hors de leur portée.

Boon marchait d'un pas si vif que j'avais du mal à tenir le rythme. Au bout de cinq minutes, on avait passé une douzaine d'arbres qui, chacun, proposaient plusieurs embranchements menant à d'autres plates-formes. Ce qui ne m'arrangeait guère. Si je devais regagner le flume sans guide, il me faudrait une carte routière.

– Parle-moi de Saint Dane, dit Boon sans s'arrêter. C'est un gar, non ?

– Je suppose que oui, ai-je répondu. Mais il peut prendre l'apparence qu'il veut. Je suis sûr que, s'il le voulait, il pourrait se transformer en tang.

– Vraiment ? J'ai du mal à y croire.

Sans blague ? Je marchais sur un pont suspendu et étais en pleine discussion avec un chat. Plus rien n'était incroyable.

– Tu crois vraiment qu'il est là, sur Eelong ?

– Oui, ai-je répondu.

– Enfin ! s'est exclamé Boon.

De joie, il a bondi devant moi, puis a marché à reculons en parlant à toute vitesse :

– Ça fait une éternité que j'attends ça. Seegen a dit que ce Saint Dane finirait bien par se montrer un jour, mais je commençais à croire qu'il ne viendrait jamais ! Il est vraiment si terrible ? Je veux dire, tu crois qu'il va chercher à nuire à Eelong ? Il peut toujours essayer. Je lui ferai subir le même sort qu'à ce quig dans l'arbre au flume !

J'ai alors compris que cet homme-chat n'était qu'un gamin trop enthousiaste qui croyait que la guerre contre Saint Dane serait une partie de plaisir, comme un jeu vidéo.

– Hem, tu sais, ce n'est pas un partie de catch, ai-je dit. C'est pour de vrai.

– Je sais, a repris Boon, sur la défensive. C'est quoi, le catch ?

Je n'aimais pas devoir prendre la voix de la raison. Ce rôle ne me convenait guère. J'avais l'impression de devoir agir en adulte. Je me suis arrêté de marcher et ai parlé du ton le plus grave possible :

– Écoute, Boon, je ne sais pas ce que t'a dit Seegen, mais tout ça n'a rien d'un jeu. Saint Dane est un tueur. Je l'ai vu déclencher des guerres et ravager des cités entières. Il fera tout ce qui est en son pouvoir pour détruire ce monde.

– Il peut toujours essayer ! a crié Boon d'un ton bravache. Je n'ai pas peur de lui, et Seegen non plus.

– Oui, eh bien, désolé de t'ôter tes illusions, mais vous devriez peut-être le craindre un peu plus.

– Pourquoi ? C'est un gar ! Et le gar qui me mettra au pas n'est pas encore né.

– Ce n'est pas un gar comme les autres, Boon, c'est... Hé, un instant ! Non, mais qu'est-ce que je raconte ? Voilà que je parle à un chat, bon sang !

Peut-être était-ce le choc de mes premiers instants sur Eelong qui se manifestait tardivement. Ou parce que je me sentais seul. Ou peut-être parce que mon esprit avait fini par rejeter la notion d'un chat doué de la parole. Toujours est-il que j'en avais plus qu'assez.

– Je rentre chez moi, ai-je dit, et j'ai tourné les talons pour regagner le flume.

J'ignorais comment je le retrouverais, mais j'étais prêt à tenter ma chance. Boon a couru pour se mettre devant moi, mais je ne me suis pas arrêté.

– Tu ne peux pas t'en aller alors que ta place est ici ! a-t-il argué.

– Non, je n'ai rien à faire sur Eelong, ai-je rétorqué. C'est un territoire de fous. Les quigs sont humains, les chats peuvent parler et habitent dans les arbres pour éviter de se faire bouffer par des lézards géants. Et je suis censé suivre quelqu'un qui trouve que combattre Saint Dane est très amusant ? Non, merci.

J'ai continué mon chemin. Boon est resté à ma hauteur.

– Mais, mais... Seegen va être furieux contre moi ! J'étais censé t'emmener à Lyandra.

– Eh bien moi, je retourne chez moi, en Seconde Terre, où les humains sont humains et les chats restent dans leur litière. Si ce Seegen veut que je l'aide, il pourra toujours aller m'y trouver. On verra bien si ça lui plaît de débarquer dans un monde où sa place est dans un zoo !

– Et cet autre Voyageur, Gunny ?

Voilà qui m'a cloué le bec. Gunny. J'avais failli l'oublier. Même si j'avais du mal à me faire à ce monde, Gunny n'était pas mieux loti. Je ne pouvais pas m'en aller sans l'avoir retrouvé.

– *Ahhhhhhhhhh !*

Un cri terrifiant nous est parvenu de la jungle en contrebas. Boon et moi avons couru vers la rambarde pour regarder au sol. Un petit groupe de klees courait dans une clairière située juste en dessous. Ils cavalaient à quatre pattes comme... eh bien, comme des chats.

– Je croyais que les klees vivaient au-dessus du sol ? ai-je demandé.

– En effet, mais parfois, il nous faut bien descendre à terre. La nourriture ne pousse pas sur les arbres.

Si c'était une blague, elle est tombée à plat. J'ai vu apparaître une bande d'humains poursuivant les félins. Ils portaient le même genre de haillons que moi, mais n'avaient pas l'air aussi sauvages que les quigs. On aurait plutôt dit des gens de chez nous, pas bien grands et très sales. Ils devaient être une douzaine, surtout des hommes, mais aussi quelques femmes. Tous avaient l'air de fuir quelque chose. Je n'ai pas tardé à découvrir quoi.

Une silhouette verte a jailli des buissons et s'est emparé du dernier humain de la troupe. C'était bien un tang. Ses griffes se sont refermées sur la jambe de l'humain qui était tombé à plat ventre. La bête l'a entraîné vers les buissons. La victime ressemblait peut-être à un humain, mais ses cris de terreur évoquaient plutôt un animal. Un animal sachant sa fin proche.

– Il faut faire quelque chose ! me suis-je écrié.

– Oui, mais quoi ? a répondu Boon d'un ton tout naturel. Ce n'est rien, Pendragon. Ça arrive tout le temps.

C'était l'horreur. Boon avait peut-être l'habitude de voir des humains se faire choper par une espèce de dinosaure pour qu'il les dévore tranquillement, mais moi, je n'avais jamais rien vu de semblable sur la chaîne Discovery.

– Mais il va se faire tuer ! ai-je crié.

– C'est la vie, a répondu Boon patiemment. Seul le plus fort survit.

Malgré la distance, je pouvais sentir le relent écœurant qu'émettait le tang affamé. Il attendait son repas avec impatience. L'humain a griffé le sol, cherchant à y planter ses doigts en un effort futile pour échapper à son sort. Les autres ont continué de courir. Les félins aussi. Tous étaient prêts à abandonner ce pauvre bougre. Mon estomac s'est retourné.

C'est alors que j'ai vu une ombre noire filer dans la clairière. L'un des félins avait fait machine arrière. Il a couru à quatre pattes vers le tang pour soudain se redresser sur ses deux pattes de derrière.

– Kasha ! s'est exclamé Boon.

– Qui ?

– Une amie à moi. Et elle a horreur des tangs.

Celle qu'il appelait Kasha arborait une fourrure d'un noir de jais, si noire qu'elle en semblait bleue. Et elle luisait au soleil. Elle portait le même genre de vêtements sombres que les autres félins. Dans une main, elle tenait un long bâton. Dans l'autre, ce qui ressemblait à une corde enroulée.

Le tang a cessé d'entraîner l'humain et a regardé Kasha d'un œil prudent. L'humain a laissé échapper une plainte gutturale, suppliant Kasha de l'aider.

– Laisse tomber, Kasha ! a crié une autre voix.

Les autres félins se sont retournés. Ils restaient groupés, debout sur leur pattes de derrière, et gardaient leurs distances. Boon m'a montré le grand chat gris qui avait pris la parole.

– C’est Durgen. Il est à la tête du groupe.

– C’est fini, Kasha, a repris Durgen d’un ton las. Je veux rentrer chez moi.

– De toute façon, ton gar n’est pas de première jeunesse, a lancé un autre. Ce tang te rend service.

À cette remarque, tout le groupe a éclaté de rire. Kasha les a ignorés. Elle s’est rapprochée du lézard pour s’arrêter à quelques mètres de lui. De sa main gauche, elle a brandi le bâton d’un air menaçant et en a fouetté l’air plusieurs fois pour attirer l’attention du monstre. Le tang a lorgné le bâton sans lâcher sa proie pour autant. Mais ce qu’il n’a pas vu, c’est le lasso qu’elle tenait dans sa main gauche. Sa corde se séparait en trois lanières, chacune prolongée d’une boule de la taille d’un gros citron, à la façon de ces machins qu’utilisent les gauchos des pampas argentines, des bolas, je crois. Kasha se tenait de trois quarts afin que le tang ne voie pas qu’elle s’apprêtait à les lui lancer. Elle a à nouveau agité son bâton. Le tang a poussé un feulement. Sans lâcher la jambe de l’humain, il a levé son autre patte pour repousser le bâton.

– Dépêche-toi, a braillé Durgen. Je suis déjà en retard pour le dîner.

Kasha a agité une fois de plus son bâton, le tang a tenté de s’en emparer, et Kasha a lancé son lasso. Les trois boules ont filé vers leur cible. Le tang n’a même pas eu le temps de comprendre ce qui lui arrivait. Le bola s’est enroulé autour de son cou. Kasha s’est empressée de lâcher le bâton pour prendre la liane à deux mains et tirer un grand coup. Le tang a poussé un râle de douleur et a cherché à agripper le lien. Bien sûr, pour cela, il a dû lâcher l’humain, et le pauvre bougre s’est relevé pour fuir. Lorsqu’il est passé devant le groupe de félins, l’un d’entre eux lui a crié :

– Alors, on ne dit même pas merci ? Et la politesse, alors ?

Les autres ont éclaté de rire.

Mais ce n’était pas fini. Kasha luttait toujours contre le tang. Le lézard a cherché à s’emparer d’elle, mais elle s’est éloignée d’un pas leste et a tiré à nouveau sur la corde, le faisant hurler de douleur. Tant qu’elle était à l’autre bout de cette liane, elle pouvait contrôler le tang. Mais si elle la laissait échapper, il passerait à l’attaque. Ils étaient coincés.

Kasha en a appelé aux autres :

– Heu… quelqu'un ne voudrait pas me donner un coup de main ?

Sa voix était indéniablement féminine, ce qui était assez bizarre, venant d'un félin. Mais elle n'avait pas l'air d'avoir peur non plus. Par contre, elle n'avait aucune envie de devoir se sortir toute seule de cette situation.

– Allez, a dit Durgen aux autres, tirons-la d'affaire… une fois de plus.

On aurait dit que toute cette histoire l'ennuyait prodigieusement.

Les félins ont ramassé des bâtons et se sont dirigés vers Kasha et le tang.

– Et si on n'était pas là pour t'aider ? lui a lancé Durgen.

– Vous êtes bien là, non ? a-t-elle répondu.

Les chats ont agacé le tang en lui donnant des coups de la pointe de leurs bâtons. Kasha a lâché la corde et a fait quelques pas en arrière. Le tang furieux a cherché à l'attraper, mais les autres l'ont forcé à reculer.

– Doucement, mon gros, a dit Durgen au tang. La fête est terminée. Va donc voir ailleurs si j'y suis.

La bête a sifflé et a reculé. Avec un ultime cri, elle a tourné les talons pour s'enfoncer dans les buissons.

– On peut y aller maintenant ? a demandé l'un des félins à Kasha.

– Oui, merci.

Ils ont battu en retraite, restant groupés au cas où le tang déciderait de contre-attaquer.

– Pourquoi as-tu fait ça ? a demandé Durgen à Kasha. Risquer ta vie pour un gar ?

– Pour te mettre en rogne, a-t-elle répondu tout en lui donnant une bourrade amicale.

– Je ne plaisante pas, a ajouté Durden. Un de ces jours, tu vas te faire tuer.

– Ce jour-là, répondit-elle avec un petit rire, tu n'auras plus à te soucier de moi.

Les félins ont lâché leurs bâtons, se sont laissé tomber à quatre pattes et sont partis en courant. Une fois de plus, on aurait dit une meute de fauves.

– C'est une amie à toi ? ai-je demandé à Boon.

– Oui, d'enfance. C'est la fille de Seegen.

– Seegen, le Voyageur ? ai-je demandé, surpris. Il a une fille ?

– Oui. Elle ne le sait pas encore, mais il m'a dit qu'elle sera la prochaine Voyageuse d'Eelong. Et ce jour-là, je deviendrai son Acolyte.

– C'est vrai ? ai-je demandé, l'air plus surpris que je ne l'aurais désiré.

– Oui. Pourquoi, qu'y a-t-il de mal à ça ?

– Oh, rien.

– Continuons notre chemin. On est presque arrivés.

Boon a tourné les talons et s'est remis à marcher. Je l'ai suivi, mais une nouvelle notion dérangeante venait de se ficher dans mon esprit. Pour chaque Territoire, il n'y avait jamais qu'un Voyageur. La mort tragique de mon oncle Press avait fait de moi le Voyageur de Seconde Terre. La mère de Loor et le père de Spader avaient été tués, eux aussi, leur laissant la place. Aja était orpheline. Si Kasha devait être la prochaine Voyageuse d'Eelong, j'avais toutes les raisons de m'inquiéter pour Seegen. Soudain, j'ai compris que je devais absolument le rencontrer. C'était même de la plus haute importance.

Journal n° 16
(suite)

EELONG

Lyandra.

Je ne sais pas trop comment la qualifier. Une ville, un zoo, un village de rêve au cœur des arbres ? Ou peut-être tout cela en même temps. Lorsque Boon m'a dit que nous allions chez lui, je m'attendais à tomber sur une demeure dans les arbres puant le pipi de chat et jonchée de boules de fourrure. Après tout, ces félins pouvaient marcher sur deux pattes et savaient parler, mais ils restaient des animaux. Je pensais que Lyandra ressemblerait davantage à un zoo qu'à une ville telle que nous les concevons.

Eh bien, je me trompais dans les grandes largeurs. J'aurais dû comprendre en voyant les ponts et les balcons. Près de l'arbre au flume, ils étaient vieux et mal entretenus, mais plus nous nous approchions de Lyandra, plus ils se sont améliorés. Pas une planche pourrie en vue, et les lianes de soutien étaient solidement implantées. Celui qui avait construit ces ponts était un ingénieur de première bourre. En plus, au fur et à mesure qu'on progressait, les structures se firent de plus en plus complexes. Les arbres soutenaient de nombreuses plates-formes reliées par des passerelles aériennes à tous les niveaux et selon des angles différents. Avec le recul, c'était comme de sortir de la cambrousse pour entrer en zone urbaine.

On a aussi commencé à croiser davantage de chats. Je devrais les appeler par leur nom, des klees, mais ça sera difficile parce que… ben, c'est des chats. J'ai vu des klees de toutes les tailles et de toutes les couleurs sillonner ces ponts. Certains marchaient sur deux pattes, d'autres cavalaient sur quatre, visiblement très pressés d'arriver quelque part. J'imagine que j'aurais dû avoir peur, étant donné que chacun d'entre eux pouvait me mettre en pièces, mais non. Ils avaient l'air si… civilisés. J'imagine qu'ici, contrairement à la Seconde Terre, les prédateurs et les humains pouvaient cohabiter. Étonnant, non ?

Et ce n'était que le début.

On allait traverser un nouveau pont lorsque Boon s'est arrêté. Il a regardé autour de lui pour s'assurer que personne ne nous espionnait, puis a sorti de sa tunique une épaisse liane tressée avec deux petits cercles à une extrémité.

– On est presque arrivés à Lyandra, a-t-il expliqué. Je suis désolé, Pendragon, mais il y règne certaines lois qui ne s'appliquent pas dans la jungle.

– À savoir ?

Il a baissé la tête d'un air gêné.

– Les animaux doivent être entravés.

– C'est bon, je comprends. (J'ai pris la liane pour la passer autour des mains de Boon.) Je ne les serre pas trop.

Boon a retiré ses bras.

– Non ! C'est pour toi !

Tout d'abord, je n'ai pas réagi. Il m'a fallu quelques secondes pour comprendre. Il voulait *me* passer cette espèce de laisse !

– Tu rigoles ! ai-je crié en reculant.

– Chut ! a-t-il répondu en regardant autour de lui d'un air nerveux. Tu es un gar, et les gars n'ont pas le droit d'aller et venir en liberté.

– Pourquoi ? Quel mal à ça ? À part l'odeur, comme tu me l'as déjà fait remarquer.

Boon a froncé les sourcils. Il avait l'air de plus en plus nerveux.

– Je… Je suis désolé, Pendragon. Tu ne comprends pas. Je ne sais trop comment t'expliquer, mais les gars d'ici ne sont pas comme toi.

– Oui, j'ai vu ces quigs.

– Il n'y a pas qu'eux. Pendragon, sur Eelong, les gars sont… des animaux.

J'ai longuement dévisagé Boon, le temps de tourner et retourner ces mots dans ma tête dans l'espoir qu'ils s'y installent d'une façon à peu près logique. En vain.

– Je croyais que tu étais au courant, a-t-il ajouté d'une petite voix. La plupart des gars ne savent même pas parler. C'est pour ça que j'étais si étonné de t'entendre t'exprimer aussi bien. Apparemment, je me suis mal expliqué.

– Il faut croire, ai-je répondu nerveusement. Tu veux dire que les humains d'Eelong n'ont pas le don de la parole ? Ni d'intelligence ? Qu'ils sont incapables de travailler, de lire, de rire, d'écrire ou de faire du sport ?

– Non, ils font du sport ! m'a assuré Boon. Les gars n'arrêtent pas de jouer au wippen. (Il a baissé la voix avant d'ajouter.) Mais beaucoup y laissent la vie.

– Oh, super ! ai-je crié. Les humains sont infoutus de faire quoi que ce soit, à part s'entretuer dans des jeux ou se faire bouffer par les tangs ! Merci, je me sens déjà mieux.

– Mais tout ira bien si tu restes près de moi… et si tu mets ça, a dit Boon en me tendant cette bride.

– Pas question. Je refuse d'être tenu en laisse comme… comme un animal !

– Mais c'est ce que tu es ! a plaidé Boon. Ici, personne ne connaît l'existence d'autres territoires, de Voyageurs ou d'autres mondes où les gars sont intelligents !

– C'est bien dommage, ai-je rétorqué. Je me moque de ces lois. Je suis là pour aider ton peuple. S'ils veulent me traiter comme un caniche, ils peuvent toujours chercher quelqu'un d'autre pour les protéger de Saint Dane !

J'étais dans une fureur noire. Et surtout, j'étais déboussolé. Je venais de descendre plusieurs maillons de la chaîne alimentaire pour me voir traité comme une forme de vie inférieure !

– Conduis-moi à Seegen, ai-je commandé. S'il est le Voyageur d'Eelong, j'aurai besoin de son aide. Et je dois retrouver Gunny. Plus on perdra de temps à jouer au zoo, plus Saint Dane aura d'occasions de nous compliquer la vie.

Boon a regardé ses pieds.

– Je comprends ce que tu ressens, Pendragon, a-t-il dit tranquillement. Je ne peux pas t'en vouloir. Si je me rendais en Seconde Terre, je ressentirais certainement la même chose.

– Ça, je te le garantis, ai-je grommelé.

– Mais le problème reste le même, a-t-il continué. Si tu veux te balader librement dans Lyandra, tu vas te faire ramasser par la fourrière et finiras en cage.

– Comme un chien ? ai-je demandé, horrifié.

– Je ne sais pas ce qu'est un chien.

– Et si tu leur expliquais que je suis un gar plus intelligent que les autres et qu'ils me doivent le respect ?

Boon m'a regardé comme s'il venait de me pousser des antennes.

– C'est bon, a-t-il dit, tu as gagné. Je ferai comme tu voudras. Après tout, c'est toi le Voyageur en chef. Mais je t'en prie, laisse-moi te montrer quelque chose avant de prendre ta décision.

– Quoi ?

– Tu dois comprendre comment fonctionne notre monde. En ce moment, il se tient une réunion. On peut peut-être assister à la fin. C'est le vice-roi de Lyandra qui s'exprime.

– Quoi, tu veux que j'y prenne la parole ?

– Non ! s'est empressé de dire Boon, comme effrayé par cette idée. Que tu écoutes les débats. Quand tu auras entendu ce qui s'y discute, je respecterai ta décision, quelle qu'elle soit.

J'ai ravalé ma colère. Ce que proposait Boon était juste et raisonnable. Il était peut-être naïf dans son appréciation de Saint Dane et un peu trop enthousiaste à mon goût, mais il avait l'air intelligent, et il faisait de son mieux.

– Bon, d'accord, ai-je dit.

Boon a paru soulagé.

– Mais je t'en prie, a-t-il ajouté, jusqu'à la fin de la réunion, est-ce que tu accepteras de glisser cette laisse autour de tes poignets ? Les klees en concluront que tu es avec moi et tu n'auras pas de problèmes.

L'idée de me faire ligoter et traîner à gauche et à droite comme un chien me révulsait. C'est un sentiment difficile à décrire. Très primaire, comme si je lui déléguais le contrôle de ma vie et de mon intellect.

– Fais-moi confiance, a-t-il ajouté. Ce sera bien plus simple comme ça.

En guise de réponse, je lui ai tendu mes poings. Boon a acquiescé en guise de remerciement et a passé délicatement les deux boucles autour de mes mains, puis, avec la même douceur, il a tiré dessus pour qu'ils enserrent mes poignets. Mon estomac s'est soulevé.

– Maintenant, a-t-il dit, allons visiter Lyandra.

Boon est parti sur le pont. Au moins, il n'a pas tiré sur la laisse : il a attendu que je le suive. S'il m'avait traîné derrière lui, je crois que j'aurais vraiment pété un câble. C'est alors que j'ai remarqué que la bande lumineuse était descendue sur l'horizon. J'avais raison : cette chose se comportait bien comme un soleil. Cette mini-révélation me mit plus à l'aise. Au moins, je commençais à comprendre Eelong, même si ce que j'apprenais ne me plaisait pas plus que ça. J'ai regardé un immense arbre qui se dressait un peu plus loin. Le pont menait à un grand portail creusé dans le tronc, comme si nous marchions sur le pont-levis d'un vaste château. Il était entouré d'un dense feuillage qui m'empêchait de voir ce qu'il y avait au-delà.

– Ça va ? a demandé Boon.

– Ouais, si on veut.

À vrai dire, cela n'allait pas si bien que ça, mais que pouvais-je répondre ?

On a passé le portail. En fait, cet arbre évidé servait de poste de garde. Deux grands félins se tenaient devant une grille qui bloquait la route. Chacun était armé d'un grand bâton et de cordes repliées accrochées à sa ceinture. Les mêmes que Kasha avait employées pour affronter le tang.

– Boon ! s'est écrié l'un des gardes d'un air jovial. Où étais-tu passé ? Tu as raté le tournoi de wippen !

– J'avais à faire, a répondu Boon d'un ton qui se voulait naturel. C'était comment ?

– Nul, a répondu l'autre félin. Ces grands klees venus du Nord sont trop doués.

– Ils ne sont pas meilleurs que les nôtres, a corrigé le premier. Mais ils sont mieux entraînés.

– On aurait bien eu besoin de toi, Boon.
– La prochaine fois, a-t-il promis.
Il a désigné d'un hochement de tête la porte de la grille. Le premier chat nous l'a ouverte.
– Un nouveau gar ? a-t-il demandé.
Durant tout ce temps, j'avais gardé la tête baissée. J'avais peur que ces grands chats regardent dans mes yeux et y voient briller une lueur d'intelligence inhabituelle. Mais là, je me suis tourné vers Boon pour voir sa réaction. Il m'a jeté un bref regard gêné.
– Heu, ouais, a-t-il répondu.
– Je t'en prie, fais-lui prendre un bain, a dit le premier chat. Qu'est-ce qu'il pue !
J'ai fait appel à toute ma volonté pour ne rien rétorquer. Et le pire, c'est que ces deux cocos-là ne sentaient pas la rose, eux non plus.
– Oui, a répondu Boon, dont la voix tremblait légèrement. C'est noté. Merci.
Il m'a fait passer la porte. Je l'ai suivi la tête basse, comme un bon petit gar. Pendant qu'on s'éloignait, il m'a chuchoté :
– Désolé.
J'ai préféré ne pas en rajouter.
– C'est quoi, le wippen ? ai-je demandé.
– C'est le jeu dont je t'ai parlé, a-t-il répondu, heureux de changer de sujet. On y joue depuis qu'on est enfants.
– Chatons, ai-je corrigé.
– Pardon ?
– Laisse tomber.
Avant que j'aie pu l'interroger sur ce à quoi je devais m'attendre, nous sommes sortis de l'arbre et j'ai pu contempler Lyandra pour la première fois. Oh, bon sang. Quel spectacle ! Comme je l'ai déjà écrit, c'était une ville aérienne. Des huttes de tailles différentes étaient accrochées au flanc des arbres. Partout, il y avait des ponts reliant les différentes parties de la cité, et ils étaient noirs de monde. Les structures étaient bâties en hauteur, et le bâtiment le plus bas n'était qu'à une vingtaine de mètres du sol. Cela devait suffire pour les garder à l'abri des tangs. Cette ville était immense. Où que je regarde, pas moyen d'en voir le

bout. Elle semblait entièrement faite de matériaux naturels : rien que du bois, du bambou et des lianes entrelacées. Je n'ai pas vu la moindre trace de métal ou de plastique. Tout était conforme à ce que j'avais entrevu en chemin, mais à la puissance cent.

Mais ce n'était pas tout. Sur la plupart des ponts suspendus, j'ai vu des véhicules circulant le long d'un rail unique. C'était un genre de trains aux wagons ouverts, chacun véhiculant une vingtaine de klees. Ils se déplaçaient silencieusement jusqu'aux stations où montaient et descendaient les voyageurs. J'ai aussi vu des ascenseurs, des plates-formes circulaires menant les voyageurs en haut ou en bas des arbres, d'un niveau à l'autre. À plusieurs endroits, j'ai aussi remarqué des fontaines qui s'écoulaient dans des abreuvoirs carrés où les klees se penchaient pour laper comme… ben, comme des chats. Ce qui signifiait que Lyandra disposait de pompes et de canalisations. Mais le plus incroyable, c'était encore les réverbères. La ville entière était protégée par un feuillage si dense qu'il ne laissait guère filtrer la lumière du soleil. Du coup, bien qu'on soit au milieu du jour, il faisait plutôt sombre. Mais les réverbères corrigeaient ce défaut. Des lampes en forme de tube vertical constellaient les ponts suspendus et les passerelles. Elles émettaient une douce lumière qui donnait l'impression que la cité était éclairée par des lucioles géantes. On se serait cru dans un conte de fées.

– Vous avez l'électricité ? ai-je demandé à Boon.

– C'est quoi ?

– Ben, de l'électricité. Du courant. Du jus.

Boon a haussé les épaules et secoué la tête. Il ne voyait pas de quoi je parlais. J'ai tenté une autre approche :

– Comment fonctionnent ces trains ? Ça m'étonnerait qu'ils soient mus par de petits oiseaux actionnant une courroie, comme dans les Pierrafeu.

– Oh, tu veux dire l'énergie !

– Oui, l'énergie. Qu'est-ce qui fait marcher tout ça ?

– Des collecteurs, au-dessus du feuillage, a expliqué Boon. Nous utilisons des cristaux pour emmagasiner et conserver l'énergie du soleil. En fait, c'est très simple. Mais je ne sais pas ce qu'est un pierrafeu.

Stupéfiant. Ce félin capable de parler et de marcher sur deux pattes me disait que cette société d'animaux avait trouvé un moyen d'amasser assez d'énergie solaire pour alimenter leur ville pendant que notre monde soi-disant avancé de Seconde Terre n'avait pas trouvé la moindre façon pratique d'utiliser cette même énergie. Puisque c'était si simple, pourquoi en étions-nous incapables ?

– Est-ce que vous vous fournissez en énergie de la même façon en Seconde Terre ? a demandé Boon d'un air innocent.

– Heu... oui, parfois, ai-je répondu, rechignant à admettre la vérité. Où se passe cette réunion ? ai-je demandé afin de changer de sujet.

– Au Cercle des klees. C'est par là.

On a traversé la ville, empruntant encore plusieurs ponts et deux ascenseurs différents. Il y avait des klees partout – sur les ponts, les ascenseurs, les monorails et à chaque niveau de la cité. Par contre, je n'ai pas vu beaucoup de gars. Les rares que j'ai remarqués étaient tenus en laisse par des klees, comme moi, ou effectuaient des tâches simples, comme de porter de lourds fardeaux ou nettoyer le rail du tramway. Ces gars étaient considérés comme des animaux, mais ils étaient assez intelligents pour travailler. Je commençais à croire que le système social d'Eelong était plus complexe que Boon ne me l'avait fait comprendre.

Ces sosies des humains étaient assez petits. Le plus grand que j'ai vu ne dépassait pas un mètre soixante. Tous portaient des vêtements dépenaillés, comme moi, et arboraient des cheveux qui ne semblaient pas avoir été peignés ou coupés depuis leur naissance. Par contre, je n'ai vu que quelques barbes. Pas moyen de savoir s'ils se rasaient ou s'ils n'avaient naturellement pas beaucoup de pilosité faciale.

Par contre, ce qui m'a vraiment marqué, c'est leur regard – à se demander s'il y avait quelqu'un là derrière. Ils marchaient avec les épaules affaissées, sans cesser de fixer le klee qui les entraînait. Je commençais à comprendre ce que Boon voulait dire lorsqu'il prétendait que je ne passerais pas inaperçu. Sans même y réfléchir, je me suis surpris à courber le dos.

Une dernière remarque à propos des gars. Peu de temps avant d'atteindre le Cercle des klees, j'ai remarqué quelque chose de bizarre. Je ne saurais pas dire ce que ça signifiait exactement, mais c'est assez étrange pour que je vous en parle. On est passé devant deux gars assis devant une demeure comme des chiens attendant leur maître. Ils restaient blottis dans leur coin, à regarder quelque chose qu'un des leurs gardait au creux de sa main. C'était un cube de la taille d'un écrin à alliance, de couleur ambrée et qui semblait fait de cristal. Cela n'avait rien d'étonnant en soi, sauf que les gars le caressaient comme s'il s'agissait d'un être vivant. Ils émettaient des bruits rassurants, comme s'ils s'occupaient d'un bébé. C'était assez angoissant. Ils étaient tellement obnubilés par ce petit cube qu'ils ne nous ont pas entendus venir, et pourtant, dès que nous sommes arrivés à leur hauteur, l'un des gars a posé sa main sur le cube et l'a caché si vite que j'en ai déduit qu'il avait une grande valeur ou que c'était quelque chose d'illégal. J'ai brièvement croisé son regard. Visiblement, il avait peur que j'aie repéré son trésor. Ou peut-être craignait-il que Boon l'ait vu. En tout cas, il avait l'air nerveux. J'ai préféré ne pas en parler à Boon et le garder pour plus tard.

On a pris un dernier escalator qui nous a menés à une plateforme donnant sur une arche creusée dans le bois. À peine en étions-nous descendus que j'ai remarqué que cet arbre en particulier bourdonnait d'activité. Lorsque Boon m'a fait franchir cette arche, j'ai tout de suite compris qu'il s'agissait d'un lieu de réunion. On est entrés dans une grande salle où des bancs entouraient une scène centrale. Et cette pièce était bondée. Il devait y avoir une centaine de klees. Comment appelle-t-on un rassemblement de félins ? Une meute ? Un amas ? Une litière ? En tout cas, ils étaient tous assis sur des bancs et regardaient la scène. Oui, ils se tenaient assis. Bien que ce soit des chats.

Un grand félin vêtu d'une luxueuse tunique bleue se tenait sur l'estrade. En fait, il ressemblait à un lion, même si sa crinière n'était pas aussi fournie. Mais ses cheveux étaient longs et cascadaient jusqu'au milieu de son dos. Il avait aussi l'air plus âgé que les autres. Il était là, au centre de la scène, muni d'un long bâton couronné par une gravure à même le bois représentant une tête de chat aux crocs découverts. Je ne sais s'il lui servait à conserver son équilibre ou si c'était un emblème de pouvoir. Derrière lui, six autres félins en tunique rouge vif étaient assis en rang.

– Le Conseil des klees, a murmuré Boon à mon oreille, comme s'il lisait dans mes pensées. C'est le gouvernement de Lyandra.

Il m'a doucement entraîné vers une zone plus éloignée de la scène d'où nous pourrions regarder ce qui se passait en restant dos au mur. Bonne idée. Comme ça, on ne risquait pas de se faire surprendre en pleine discussion par un klee qui se glisserait derrière nous.

Apparemment, le débat était houleux. Ce n'était pas tout à fait une émeute, mais ça s'en rapprochait dangereusement. Les félins se criaient les uns après les autres en agitant les bras. Comme tout le monde parlait en même temps, il était difficile de comprendre ce qui se disait. En tout cas, ils étaient sur les nerfs.

– Qui est ce type sur la scène ? ai-je chuchoté.

– Ranjin, le vice-roi de Lyandra.

Vice-roi. Donc, ce devait être le big boss. Sauf qu'il n'était pas vraiment traité avec le respect dû aux chefs. Il levait la patte pour demander la parole, mais personne ne lui prêtait la moindre attention. Cependant, Ranjin gardait son calme. Il jeta un regard à l'un des chats en rouge qui restait assis tout tranquillement, sans se mêler au débat. Le félin a acquiescé et a porté à ses lèvres ce qui ressemblait à un cor de bois. Il a soufflé dedans, et l'instrument a émis une note grave. Au même moment, Ranjin a levé son bâton au-dessus de sa tête. Aussitôt, la foule s'est tue et s'est tournée vers le vice-roi. Il a alors pris la parole d'une voix douce et calme. Visiblement, il avait l'habitude de commander.

– Que nous propose-t-on exactement ? a-t-il demandé. D'abroger l'édit quarante-six ?

Les chats ont échangé des regards nerveux, comme si personne n'avait envie de devoir répondre. J'ai chuchoté à l'oreille de Boon :

– Qu'est-ce que c'est, l'édit quarante-six ?

Boon s'est redressé. Il ignorait délibérément la question.

– Boon ? ai-je insisté. L'édit quarante-six ?

Boon a soupiré :

– C’est la loi qui interdit aux klees de chasser et tuer les gars.
Oh.
– Et ils veulent le supprimer ? ai-je demandé nerveusement.
– Oui. Tu veux toujours te faire prendre par la fourrière ?
Décidément, Eelong me plaisait de moins en moins.

Journal n° 16
(suite)

EELONG

– Nous ne sommes pas des barbares, a dit Ranjin avec conviction. L'édit quarante-six est tout ce qui sépare les klees des bêtes de la jungle. En tant que vice-roi, je ne vous laisserai pas nous rabaisser ainsi !

Bien dit, Ranjin ! Quoique, je n'étais pas très objectif sur ce coup-là.

– Alors que proposez-vous ? a crié un autre félin. La situation ne cesse d'empirer. On ne peut plus nourrir nos enfants, encore moins les gars.

Un autre félin a sauté sur ses pieds :

– Leur nombre ne cesse de s'accroître. Ils se moquent de notre société. Ce sont des sauvages.

J'ai commencé à comprendre pourquoi Boon voulait que j'assiste à cette réunion. Ainsi, je pouvais constater de mes yeux qu'ici, les humains étaient mal considérés. Hé, ils étaient traités encore plus mal que les chats de Seconde Terre ! Au moins, on n'avait pas besoin d'édicter des lois interdisant de les manger. Plus j'en entendais, plus j'étais content d'être lié à Boon. Cette laisse était finalement un gage de sécurité.

L'un des félins en rouge sur l'estrade s'est approché du vice-roi. Il s'est incliné respectueusement devant Ranjin qui a hoché la tête, comme pour l'autoriser à s'adresser à la foule.

– Qui est-ce ? ai-je chuchoté.

– Il s'appelle Timber. Il est membre du Conseil des klees.

Timber, Ranjin, Boon, Seegen… Encore un territoire sans noms de famille. Comment faisait-on ? Combien pouvait-on donner de prénoms avant d'être obligé d'attribuer des noms de famille ?

– Le Conseil des klees fait part de ses avis au vice-roi, a continué Boon, mais lui seul a le pouvoir décisionnel.

Parfait. D'après ce que j'avais entendu jusqu'à présent, ce vice-roi n'avait pas l'intention de déclarer ouverte la chasse aux humains.

– Amis Lyandrais, a commencé Timber, il est évident que nous vivons des temps difficiles.

Le grand félin parlait avec assurance. Il arborait une fourrure brun sombre tachetée de noir, comme un léopard. Sa crinière était longue et on aurait dit qu'il l'avait peignée. Ça en jette, non ? Un grand félin avec une coupe de cheveux stylée. Étonnant.

– Personne parmi nous n'a envie de remonter le temps pour en revenir aux méthodes primitives de nos ancêtres. La chasse aux gars est interdite depuis des générations. Les gars sont devenus très importants dans notre mode de vie. Et pas seulement chez nous, à Lyandra, mais dans tout Eelong. En plus d'assurer les travaux manuels simples, ils assurent notre protection lorsque nous voyageons à terre. Certains sont même devenus des animaux de compagnie très prisés, presque des membres de la famille.

À l'entendre, on aurait dit que les gars étaient des caniches trop gâtés. Or d'après ce que j'avais vu, la réalité était bien différente. Mais si son speech devait prolonger l'interdiction de la chasse aux humains, Timber pouvait présenter la situation de la façon qui lui plairait.

– Néanmoins, a-t-il continué, les bonnes intentions doivent parfois s'effacer devant les dures réalités. La production de nos fermes n'arrive pas à suivre la croissance de la population, tant des gars que des klees. À ce stade, nous risquons la pénurie. Nous cherchons inlassablement de nouveaux moyens d'augmenter nos récoltes, mais même avec les progrès que nous avons faits, nous ne pouvons surmonter l'explosion démographique des gars. Je suis désolé de devoir le dire si brutalement, mais la triste réalité est que, bientôt, il n'y aura plus assez de nourriture pour tout le monde.

Zut. Je n'aimais pas la tournure que prenait son discours.

– L'un des atouts de notre société est la liberté de débattre librement et ouvertement. On nous encourage à discuter les décisions de nos chefs dans le cadre d'un discours constructif. C'est ainsi que Lyandra est devenue la cité la plus puissante de tout Eelong, et je suis sûr que nous voulons tous qu'elle le reste. Et c'est pourquoi je m'élève contre l'opinion de notre estimé vice-roi.

Sa voix vibrait de passion, et la foule semblait enthousiaste. Soudain, ce Timber ne m'était plus si sympathique.

– Certes, il est important de ne pas perdre de vue notre idéal, a-t-il continué. Mais nous ne pouvons mettre en péril notre survie au nom de nos bonnes intentions !

La foule l'a acclamé. Timber était porté par leur énergie. L'affaire tournait mal. Je me suis mis à transpirer.

– Pour ma part, je ne peux rester sans rien faire pendant que nos enfants meurent de faim pour que des animaux stupides puissent se remplir la panse.

Il a reçu une ovation. L'opinion publique était de son côté. Étant le seul gar du coin, j'étais mal. J'ai regardé Boon, mais il a refusé de croiser mon regard. Je me suis tourné vers Ranjin. Il restait fermement planté sur l'estrade. Il n'avait pas l'air en colère, même si j'ignore comment réagirait un chat furieux. Il se mettrait à siffler et cracher ? Son poil se hérisserait ?

– Voilà pourquoi, en ce jour, je vous affirme que j'userai de toute mon humble influence sur ce Conseil pour faire abroger l'édit quarante-six, du moins jusqu'à ce que nous ayons trouvé un moyen d'augmenter notre production de nourriture. Il me semble que le choix est simple, amis Lyandrais. Si la survie de notre race doit en dépendre, je dis : mangeons du gar !

Argh. Tout le monde s'est levé en applaudissant frénétiquement. On aurait dit un de ces rassemblements politiques comme on en voit à la télé. Il ne manquait plus que les ballons. Mon estomac s'est retourné. En quelques minutes, je m'étais vu mettre en laisse, j'avais constaté que les gars étaient encore plus mal traités que les cafards et, maintenant, j'apprenais que la saison du gar risquait de s'ouvrir dans peu de temps... Et que cela me plaise ou non, j'étais un gar. J'ai regardé la scène pour voir comment Ranjin répondrait à ce discours. Et sa réaction m'a glacé le sang.

La foule s'était levée. Sur l'estrade, les membres du Conseil des klees étaient debout et discutaient calmement avec le vice-roi. Ils n'avaient pas l'air énervé, comme s'ils étaient insensibles à l'émotion du moment. Mais ce n'est pas ce qui a attiré mon attention. J'ai tout de suite regardé le nommé Timber. Je m'attendais à le voir agiter les bras pour haranguer la foule. Mais non. Il est resté à l'écart des autres. Il ne se tenait pas face au Conseil. Ni même à son public.

Il me regardait, moi. Droit dans les yeux.

Les siens étaient de glace, comme ceux d'un prédateur qui a localisé sa proie. Et d'une certaine façon, c'était exactement ça. J'étais déjà passé par là... et lui aussi.

– Il faut qu'on s'en aille d'ici, ai-je dit à Boon.

– Attendons que le calme revienne.

– Non ! ai-je crié. Partons !

J'ai tiré sur ma laisse, entraînant Boon vers la porte. Il s'est empressé de bondir devant moi. Je suis sûr qu'il ne voulait pas qu'on le voie se faire diriger par un gar. Mais je m'en moquais. Il fallait sortir d'ici. On avait fait la moitié du chemin lorsqu'un groupe de klees s'est interposé. Les grands chats riaient et se congratulaient.

– Boon ! s'est écrié l'un d'entre eux, le même qui avait chassé le quig dans le flume. Tu es revenu juste à temps !

– Plus tard ! a répondu Boon en tentant de fendre la foule.

– Mais c'est un moment historique !

Il s'est emparé de Boon et a cherché à l'entraîner. L'Acolyte s'est débattu, mais ces cocos-là n'avaient pas l'air décidé à le lâcher.

– Il faut que j'emmène mon gar..., a-t-il râlé.

– Oublie-le un peu ! (Le chat a arraché la laisse des mains de Boon et l'a attachée à une rambarde fixée contre le mur.) Il sera toujours là à ton retour... avec un peu de chance !

Et il a éclaté de rire. Lui et les autres se sont emparés de Boon et l'ont entraîné à leur suite. Il m'a jeté un regard impuissant, puis a disparu dans un tourbillon de fourrure et de moustaches. Je me suis retrouvé seul… dans une salle remplie de prédateurs enthousiastes à l'idée de manger de l'humain. C'était déjà préoccupant, mais quelque chose m'inquiétait encore davantage.

J'ai entendu sa voix avant même de le voir.

– Bienvenue sur Eelong, Pendragon, a-t-il dit d'un ton calme. J'espère que tu as apprécié mon petit discours.

Journal n° 16
(suite)

EELONG

Je n'avais même pas besoin de lever les yeux. Je savais de qui il s'agissait. Il pouvait bien avoir pris la forme d'un félin nommé Timber, je savais ce qu'il était – *qui* il était en réalité.

– Bonjour, Saint Dane, ai-je dit en faisant de mon mieux pour ne pas avoir l'air surpris ou effrayé – ce qui n'était pas évident. Vous devez vraiment être au bout du rouleau.

Je me suis retourné. Il était là, à quelques dizaines de centimètres de moi. Il se tenait sur ses deux pattes et me fixait comme si je n'étais qu'un insecte inopportun. Pas de doute, c'était bien Saint Dane.

– Qu'est-ce qui te fait dire ça ?

– Contrairement à vous, je ne peux pas me changer en klee. Ça vous donne un avantage certain, même si ce n'est pas très fair-play. Mais c'est peut-être votre seul moyen de me vaincre.

Saint Dane eut un petit rire.

– Quelle arrogance de la part d'un jeune Voyageur qui a échoué lamentablement sur Veelox.

J'ai fait un grand effort de volonté pour ne pas lui cracher au visage. Je ne voulais pas lui montrer qu'il pouvait me vexer.

– Qu'êtes-vous en train de faire avec ce territoire ?

– Tu n'as pas encore compris ? Le mot sonne pourtant plutôt bien…

– Quel mot ? ai-je demandé, bien que je ne sois pas sûr de vouloir l'entendre.

– Génocide.

– Génocide ? ai-je répété. Vous voulez éradiquer les gars ? Pourquoi ? Ici, ce ne sont que des animaux. Les exterminer serait une chose horrible, mais pas décisive pour l'avenir du territoire.

– Ah, c'est là que tu te trompes, a repris Saint Dane. Les gars sont bien plus importants pour l'équilibre général d'Eelong que ne s'imaginent les klees. Sans les gars, les tangs seront à court de proies. Ces lézards féroces ne tarderont pas à se dresser contre les klees. Ceux-ci sont peut-être la race supérieure d'Eelong, mais ils ne sont pas de taille à se frotter aux tangs. Ainsi, lorsque j'emploie le terme de génocide, celui des gars n'est que le premier pas vers tout un cycle de destruction.

Bonjour l'angoisse. Saint Dane jouait avec la chaîne alimentaire locale. S'il parvenait à ses fins, les chasseurs deviendraient les chassés, Eelong serait livré à une race de dinosaures carnivores et stupides... Et un second territoire tomberait.

– Jusque-là, ai-je demandé, vous ne m'avez jamais dévoilé vos plans à l'avance. Pourquoi le faire maintenant ?

Saint Dane, ou Timber, puisque c'est ainsi qu'il se faisait appeler en ce monde, m'a fixé dans les yeux. J'ai fait appel à toute ma volonté pour ne pas détourner mon regard.

– Tout a changé, Pendragon, a-t-il dit, confiant. Comme je l'ai dit, maintenant que le premier territoire est tombé, les autres vont s'effondrer comme des dominos. Grâce à ton échec, Veelox est sur la voie de l'autodestruction. Mon pouvoir ne cesse de croître. Plus rien n'est comme avant. L'ordre qui régissait les territoires est en train de s'effondrer, tout comme Halla. (Il s'est reculé et a ajouté :) Ce qui me rappelle qu'il est temps de rendre visite à tes amis de Seconde Terre. Comment s'appellent-ils déjà ? Ah, oui. Mark et Courtney.

En entendant ça, mon calme de façade m'a quitté aussitôt.

– Laissez-les ! ai-je crié. Ce ne sont pas des Voyageurs. Ils n'ont rien à voir avec tout ça.

– Chaque personne a un rôle à jouer dans notre petite pièce, Pendragon, a-t-il rétorqué. Et c'est leur tour. Mais tu ne peux pas m'en vouloir. C'est toi qui les a choisis. Je me demande ce qu'ils feront de leur nouveau pouvoir.

– Quoi ? Quel pouvoir ? Que s'est-il encore passé ?

Saint Dane a reculé vers la porte.

– Comme je l'ai dit, les murs qui séparent les territoires sont en train de s'effondrer. Je les saluerai de ta part. (Il a soulevé un petit sac de toile pourri.) Et je leur laisserai un petit souvenir de notre ami Gunny.

Sur ce, il s'est retourné et s'est dirigé vers la porte d'un pas vif.

– Saint Dane ! ai-je crié, mais c'était inutile.

Le grand félin s'est mis à quatre pattes et a passé la porte d'un seul bond.

Il était parti pour le flume. Pour la Seconde Terre. Pour vous autres.

Je savais que je ne pouvais pas l'arrêter, mais il fallait bien que je vous prévienne. J'ai tiré sur ma laisse dans l'espoir démentiel de pouvoir me libérer et pourchasser ce démon. Je n'ai réussi qu'à resserrer le nœud. Crétin. Heureusement, Boon est revenu.

– À quoi tu joues ? a-t-il demandé. Tout le monde te regarde !

– C'est Saint Dane ! ai-je répondu. Timber est Saint Dane !

– Quoi ? a répondu Boon surpris. Timber fait partie du Conseil de klees depuis… depuis toujours !

– En ce cas, Saint Dane est là depuis toujours, ai-je répondu. Ou il s'est débarrassé du vrai Timber pour prendre sa place. Je te l'ai dit, il peut prendre n'importe quelle apparence, et faire partie du Conseil des klees sert ses intérêts. C'est son rayon. Il s'infiltre dans un territoire, manipule les gens et… et maintenant, il est aux trousses de mes amis en Seconde Terre. Il faut retourner au flume !

– On devrait peut-être commencer par aller trouver Seegen et…

– Non ! On n'a pas le temps !

Boon a dû lire l'urgence dans mes yeux. D'un geste rapide, il a sorti une griffe et a coupé la laisse.

– Allons-y, a-t-il dit, très sérieux.

Il a pris l'autre bout de la laisse histoire de maintenir les apparences, et nous sommes sortis à toute allure du Cercle des klees.

– Il faut que j'arrive avant lui au flume, ai-je annoncé.

– S'il s'est enfui, tu ne le rattraperas jamais !

– Il faut que tu m'y amènes, Boon, ai-je dit sans prêter attention aux chats qui nous regardaient bizarrement.

Une idée m'a traversé l'esprit : je pouvais sauter sur le dos de Boon et il me mènerait au flume. Mais il avait une autre idée. Il m'a conduit à une plate-forme élévatrice qui, à ma grande surprise, nous a conduits... au sol.

– Hé, je croyais que c'était dangereux !

– Tu veux y arriver le plus vite possible ? Alors c'est par là.

Une fois à terre, Boon a couru vers les arbres sur ses pattes de derrière pour ne pas me semer. Mais il restait plus rapide que moi. Et je n'arrêtais pas de scruter les alentours, m'attendant à tout moment à voir un tang sortir de la jungle pour me bouffer.

– Ne t'en fais pas, m'a lancé Boon sans ralentir. Tant qu'on reste à l'intérieur de Lyandra, on ne risque rien. Il y a des gardes à chaque coin de rue. On ne court pas le moindre danger.

Parfait. Rien à craindre... pour l'instant. Boon m'a mené à une grande clôture de bambous de plus de trois mètres de haut. Il y avait une ouverture et deux klees montaient la garde. Boon a couru vers l'un d'entre eux et lui a dit :

– Il me faut un zenzen.

– Pourquoi es-tu si pressé ? a répondu le garde. Le tournoi est terminé.

– Et ces gars du Nord nous ont ridiculisés, a fait Boon. J'ai besoin de m'entraîner.

– Bien dit ! a fait le garde en s'écartant. Ils ne sont pas meilleurs que nous, juste mieux préparés.

– Tout à fait ! a répondu Boon. Vous voulez bien me garder mon gar ?

En l'occurrence moi. Boon a passé la porte, me laissant tout seul. Je suis resté planté devant les deux gardes. Comme je me sentais vulnérable ! J'ai failli siffler d'un air tout naturel, mais cela m'aurait rendu encore plus suspect. J'ai donc baissé les yeux, mais ai senti le poids de leurs regards. Pourvu qu'ils n'aient pas faim.

– C'est quoi, cette odeur ? a demandé l'un des gardes d'un ton dégoûté.

– C'est le gar, a feulé le second. Sale bête. Ils ne se lavent donc jamais ?

Le premier klee s'est dirigé vers moi. J'ai senti son haleine, mais n'ai pas osé lever les yeux.

– Pas mal, ces sandales. Elles iraient bien à mon gar de chasse.

– Alors trouve-lui une paire comme celles-là.

– Je n'ai pas parlé d'une paire comme celles-là, mais de *celles-là* !

Avant que j'aie pu réagir, le klee m'a saisi par le cou, m'étranglant à moitié.

– Prends-les ! a ordonné le second klee.

L'autre garde s'est empressé de me retirer mes sandales. Je n'ai rien fait pour l'en empêcher. Il y avait plus important en jeu. Et surtout je n'avais aucune envie qu'il me morde. Quelques secondes plus tard, j'ai entendu un bruit de sabots. Le garde m'a relâché, et j'ai enfin pu reprendre mon souffle. J'ai vu Boon cavaler au dos d'un cheval à l'allure incroyablement bizarre. J'ai alors compris que cette grande clôture était en fait un corral. L'animal que Boon avait appelé « zenzen » avait une robe orange foncé et ressemblait à un cheval de Seconde Terre, sauf qu'il avait des pattes d'une longueur incroyable. Car en fait, comme j'ai pu le constater, chacune d'entre elles avait une articulation supplémentaire. Non, je ne plaisante pas. Prenez une patte de cheval, puis ajoutez une nouvelle section d'une soixantaine de centimètres avec une articulation en plus, et vous aurez une idée de ce qu'est un zenzen. Et il avait une drôle de façon de se déplacer, comme une araignée. Mais c'était bien un cheval, pas de doute.

– Viens, gar ! m'a crié Boon comme on appelle un chien. Viens ! Bon garçon !

C'était extrêmement humiliant, mais il fallait bien que je joue le jeu. J'ai marché vers le zenzen et ai levé les yeux vers Boon. C'est déjà dur de monter sur un cheval normal, mais celui-ci faisait trente centimètres de plus. Boon m'a tendu la main.

– Allez, prends ma patte !

Je lui ai jeté un regard noir, mais lui ai tendu la main. Boon s'en est emparé et m'a tiré comme une poupée de son. Bon sang, il avait de la force dans les bras. Il m'a déposé sur la selle juste derrière lui.

– Pas mal ! a fait un des gardes. Tu l'as bien dressé !

– Mais tu devrais le laver, a renchéri l'autre. Il pue.

– Et lui mettre des sandales ! a ajouté le premier avec un petit rire odieux.

– Cette histoire d'odeur commence à me courir sur le haricot, ai-je chuchoté à Boon.

– Désolé !

Il a alors crié « Yah ! » tout en tirant sur les rênes. Je me suis cramponné à sa tunique pendant que nous partions à une vitesse que nul cheval ne pourrait atteindre. Cette articulation supplémentaire devait servir de turbo, parce qu'en rien de temps, on fonçait comme une formule 1. On a sillonné le sol sous les bâtiments de Lyandra. Peu après, on est arrivés à un mur de bambou ressemblant à la clôture entourant le corral. Sauf que celui-là faisait plus de quinze mètres de haut. J'ai alors compris que Lyandra était bâti comme un fort entouré d'une muraille pour empêcher les tangs d'entrer.

– La porte ! a crié Boon.

J'ai regardé par-dessus son épaule pour voir quelques gardes klees ouvrir une grande porte à deux battants. Boon n'a même pas ralenti. Les gardes ont dû comprendre qu'il ne s'arrêterait pas, parce qu'ils se sont empressés de l'ouvrir. Juste à temps d'ailleurs, et Boon et moi avons quitté Lyandra pour nous aventurer dans la jungle.

Boon savait mener sa monture. On a filé sur le sentier étroit comme en rase campagne. Pas très rassurant, mais tant pis. Non seulement il fallait arriver au flume avant Saint Dane, mais tant que nous filions à une telle vitesse, les tangs ne risquaient pas de nous attaquer. Et pourtant, Boon ne prenait pas de risques inutiles. Une de ces longues armes était accrochée au flanc de la selle. Une fois sortis de la ville, il s'est cramponné aux rênes d'une main tout en prenant l'arme de l'autre et l'a tendue en avant au cas où un tang affamé se mette sur notre chemin.

Maintenant qu'on était en route, je me suis demandé ce que je ferais une fois que j'aurais rattrapé Saint Dane. Je m'inquiétais vraiment pour vous autres. Les commentaires de Saint Dane, comme quoi c'était votre tour et sa mention de nouveaux pouvoirs, ne me disaient rien qui vaille. Une chose était sûre : ça ne présageait rien de bon. Saint Dane ne viendrait pas vous voir juste pour dire bonjour. Et il avait parlé de Gunny. J'étais sûr que celui-ci était encore vivant, mais où pouvait-il bien être ? Je ne voulais pas quitter Eelong, mais savoir que Saint Dane en avait après vous était plus important. Chaque chose en son temps.

Ce galop effréné au milieu de la jungle se déroula sans anicroches. On n'a pas croisé un seul tang. Mais au bout de quelques minutes, la pierre de mon anneau s'est mise à luire. On se rapprochait du portail. Boon nous a menés à cet arbre géant cachant le flume et s'est arrêté devant la petite entrée par où j'en étais sorti. Pas moyen de savoir si nous étions arrivés avant Saint Dane ou pas.

– Va trouver Seegen, ai-je dit à Boon en descendant du zenzen. Il doit savoir où est Gunny.

– Non, a protesté Boon. Je viens avec toi !

– Impossible. Seuls les Voyageurs peuvent emprunter les flumes.

– Et les Acolytes ?

– Tu n'es pas encore un Acolyte, ai-je rétorqué. Et même si tu en étais un, les Acolytes ne peuvent pas voyager par les flumes. Ça ne marche pas comme ça.

Je me suis tu. Mon esprit carburait à toute allure. Mes propres mots ont résonné à mes oreilles. *Ça ne marche pas comme ça.* Saint Dane a dit que les règles étaient modifiées et que les séparations entre les territoires s'effondraient. Était-ce le « nouveau pouvoir » dont il parlait ? Désormais, les Acolytes pouvaient-ils actionner les flumes ?

– Pendragon ? m'a crié Boon. À quoi tu penses ?

– Va voir Seegen, ai-je répondu. Je te recontacte le plus tôt possible.

Je m'étais déjà retourné lorsque Boon m'a rappelé. Je l'ai regardé. Il m'a lancé son long bâton.

– Au cas où tu tombes sur un quig, a-t-il dit.

J'ai attrapé le bout de bois et l'ai soupesé. C'était comme une batte de base-ball, en plus lourd. J'ignorais si je saurais m'en servir face à un de ces quigs humains, mais c'était toujours mieux que rien. J'ai hoché la tête, puis ai plongé dans le trou de l'arbre. Je connaissais le chemin. J'ai rampé dans l'étroit tunnel tapissé de lianes et trouvé la cavité menant au flume. J'ai tendu le bâton devant moi et descendu l'escalier, enjambé le tas d'ossements et me suis retrouvé dans l'immense caverne où se trouvait le flume. Il m'a suffi de jeter un coup d'œil à terre pour voir la flèche que j'avais gravée. Jusque-là, tout se passait comme sur des roulettes.

Je ne savais pas si j'avais devancé Saint Dane ou s'il était déjà parti pour la Seconde Terre, mais quoi qu'il en soit je n'avais pas une seconde à perdre. Je ne me suis même pas changé, j'ai gardé mes haillons d'Eelong. J'ai posé le bâton à côté de ma combinaison de Veelox et plongé derrière le rideau de lianes dissimulant le flume.

Une fois dans le tunnel, j'ai remarqué quelque chose d'inattendu. Une lumière brillait au loin, comme si j'avais déjà actionné le flume. Mais elle ne s'est pas rapprochée et n'a pas non plus diminué pour disparaître. Elle est restée là, comme si le flume n'était qu'à moitié activé. Je ne savais ce que ça voulait dire, mais je n'avais pas le temps de m'attarder.

– Seconde Terre ! ai-je crié.

La lumière est venue me prendre pour m'emmener chez nous. Mais cela n'avait rien à voir avec les autres voyages que j'avais faits vers la Seconde Terre. Chaque fois, j'avais l'impression de retourner dans un endroit calme et rationnel. Cette fois-ci, j'avais peur de ce que j'allais y trouver… et je n'allais pas être déçu. Le trajet fut étrangement similaire à celui de Veelox à Eelong. Une fois de plus, j'ai vu d'étranges formes flottant dans le vide. On aurait dit d'immenses pièces d'un jeu d'échec. Il y avait aussi de beaux cristaux bleu ciel qui ressemblaient au glaze, ce précieux minerai de Denduron. On aurait dit que ce champ d'étoiles était peuplé de fantômes en provenance des autres territoires. Je me suis demandé s'il y avait un rapport avec ce que Saint Dane avait dit, comme quoi les murs séparant les territoires s'effondraient.

Vous autres savez ce qui s'est passé à mon arrivée en Seconde Terre. Quand je vous ai vus à l'entrée du flume, vous aviez l'air terrifiés, ce qui voulait dire que Saint Dane était déjà passé par là. J'étais soulagé de voir que vous alliez bien, mais toute cette histoire continuait de m'inquiéter. C'est vrai que je n'ai pas été très sympa avec vous, et je m'en excuse, mais j'avais tant de trucs qui me tournaient en tête, notamment après avoir découvert ce qu'il y avait dans le sac. Pas de doute, Saint Dane est un monstre. Quand vous m'avez dit qu'il était reparti sur Eelong, j'ai su que je devais en faire autant. À nouveau, je m'excuse de m'être conduit comme un gros nul.

Je comptais retourner sur Eelong, puis sortir de cet arbre et voir si je pouvais retrouver mon chemin jusqu'à Lyandra. Il fallait que je trouve Seegen, l'autre Voyageur. Et Gunny aussi. Après ça, il nous resterait à chercher un moyen d'empêcher Saint Dane d'orchestrer l'extermination des gars. J'ai porté le sac contenant la main de Gunny avec révérence. Je ne savais pas ce que j'allais en faire, mais en tout cas je voulais l'avoir sur moi.

Mais lorsque le flume m'a redéposé sur Eelong, j'ai aussitôt modifié mes plans. Je me suis frayé un chemin au milieu des lianes pour me retrouver dans la vaste caverne souterraine…

… Et face à un grand félin à la fourrure d'un noir de jais. Il se tenait à quatre pattes, droit devant moi. Ses yeux ambrés semblaient regarder à travers mon corps. S'il avait reçu l'autorisation de chasser les gars, il venait de se dégoter un casse-croûte. En l'occurrence moi.

On est restés plantés là, à se regarder en chiens de faïence, pendant ce qui m'a semblé une éternité. J'ai remarqué que mon bâton était encore là où je l'avais laissé – hors de portée. Quoique je n'aurais pas su par quel bout le prendre. Maintenant, c'était au félin de jouer. J'ai légèrement fléchi mes jambes, prêt à bondir s'il passait à l'attaque.

Mais non. Il s'est contenté de dire d'un ton très calme :

– Alors, c'est toi Pendragon.

J'ai aussitôt compris à qui j'avais affaire. Je l'avais déjà vue et ne courais aucun danger.

– Je m'appelle Kasha, a-t-elle continué. Mon père est Seegen, le Voyageur d'Eelong. (Elle s'est dressée sur ses pattes de derrière et a croisé les bras.) Et il a disparu, a-t-elle ajouté.

C'est là que se termine ce journal, les gars. Je le rédige depuis la ville de Lyandra, dans la demeure de Kasha, fille de Seegen. Sauf que Seegen ne s'y trouve pas. La question est : où est-il passé ?

Si j'ai choisi de m'arrêter là, c'est parce que je tiens à vous prévenir. Le fait de perdre Veelox a définitivement modifié la nature même de Halla. Je ne sais trop ce que ça signifie, sinon que cela semble satisfaire Saint Dane, ce qui veut dire que ça ne présage rien de bon. Maintenant, vous êtes des Acolytes, tous les deux. Je suis fier de vous, et je sais que je peux compter sur vous, moi et tous les autres Voyageurs qui passeront par la Seconde Terre. Mais je commence à croire que ce n'est pas tout. Je n'en suis pas sûr, mais je pense que maintenant, vous avez le pouvoir d'activer les flumes.

Surtout, ne vous en servez pas.

S'il y a bien une chose que j'ai apprise de l'oncle Press, c'est qu'il ne faut pas mélanger les territoires. Vous vous souvenez de ce qui est arrivé sur Denduron ? On a frôlé la catastrophe. Je ne peux même pas imaginer ce qui se passerait si les Acolytes se mêlaient de voyager d'un monde à l'autre. Je peux me tromper, mais mon instinct me souffle que ce serait pire que tout. Je vous en prie, attendez mon prochain journal. J'espère qu'au moment où je l'écrirai, j'aurais plus d'informations à vous donner. Vous êtes des chefs. Je ne sais pas ce que je ferais sans vous, même si vous ne faites que lire mes journaux. Une fois de plus, désolé d'avoir été si dur avec vous, mais je pense que vous me comprenez.

Et j'espère que la prochaine fois que je vous écrirai, j'aurai des nouvelles de Gunny. Jusque-là, pensez à moi et soyez prudents.

Fin du journal n° 16

Seconde Terre

... Pensez à moi et soyez prudents.

Courtney Chetwynde lut les derniers mots du journal à voix haute, puis jeta les pages brunes et rêches sur la table, devant le canapé où était assis Mark Dimond. Ils se trouvaient chez Courtney, au sous-sol, dans l'atelier poussiéreux de son père. Celui-ci ne l'employait jamais. Ils l'appelaient « le musée des outils ».

– C'est nul, a fait Courtney dégoûtée.

– Comment ça ?

– On a enfin une chance de pouvoir vraiment aider Bobby, et il nous dit de ne rien faire.

Mark se redressa. Il ne s'attendait pas à une telle réaction de sa part.

– Hé, c'est toi qui n'étais pas sûre de vouloir devenir Acolyte. Et maintenant, tu es en rogne parce qu'on te déconseille de prendre le flume ?

Courtney ramassa un marteau qui traînait en tapota la paume de sa main, un geste qui montrait qu'elle était vraiment en colère. Tout d'abord, elle ne dit rien, et Mark préféra ne pas insister. Quoi qu'elle ait en tête, il fallait qu'elle le résolve à sa façon. Finalement, après avoir martelé sa paume si longtemps que Mark crut qu'elle allait se briser un ou deux os, elle finit par se confier :

– On est mal barrés. Nous tous. Toi, moi, nos familles, Stony Brook, la Seconde Terre, Halla... *Tout le monde* ! Jusque-là, cette histoire ressemblait à un rêve bizarroïde. Mais le fait de voir Saint Dane en chair et en os l'a rendue bien réelle.

Elle jeta le marteau sur l'établi. Le tintement métallique résonna dans tout le sous-sol. Mark n'avait jamais vu Courtney dans un tel état. Elle était concentrée, comme lorsqu'elle faisait du sport. Mais il y avait autre chose. Quelque chose de différent. Elle semblait... plus âgée. Il ne voyait pas comment le formuler autrement. Il sentait un mélange détonant d'émotions contradictoires : de la colère, de la peur, de la violence.

– On sait ce qui se passe, continua-t-elle. Autant que Bobby. Comment peut-on rester là à se tourner les pouces en attendant le passage du courrier ?

– Parce que c'est ce que Bobby nous a dit de faire, répondit-il faiblement, craignant de s'attirer les foudres de Courtney.

– Foutaises ! a crié Courtney. Bobby n'est sûr de rien. Il ne sait pas si on doit vraiment éviter d'emprunter les flumes sous peine de déclencher une catastrophe ! Et je vais te dire une bonne chose : Saint Dane a-t-il jamais dit la vérité ? Rien n'est jamais comme il y paraît de prime abord – c'est comme ça qu'il manipule son monde. Il te donne juste assez d'informations pour que tu croies savoir ce qui se passe, et quand tu as bien mordu à l'hameçon, il chamboule tout. Tu sais ce que je crois ? Il est possible qu'il se joue de Bobby, une fois de plus. Peut-être que Saint Dane a *peur* qu'on emprunte les flumes ! Hein ? Qu'est-ce que tu en dis ? Peut-être qu'il ne veut pas avoir encore plus d'ennemis à affronter. Tu y as pensé ?

Mark y réfléchit un moment. C'était sérieux.

– D'accord, dit-il calmement. Je ne sais pas si tu as raison, mais mettons que t-t-tu sois dans le vrai. D'après toi, que d-d-devrions-nous faire ?

Courtney parut se démonter. Sous les yeux de Mark, ses épaules s'affaissèrent, et elle se laissa tomber à côté de lui sur le canapé, soulevant un nuage de poussière qui fit tousser Mark.

– Ce n'est qu'une théorie, dit-elle d'un ton las. Je n'ai pas dit que je comprenais tout ce qui se passe.

Mark eut un soupir de soulagement. Un instant, il avait cru que Courtney allait suggérer de partir pour Eelong. Ce qui serait exactement ce que Bobby leur avait conseillé de ne *pas* faire. De plus, il n'avait aucune envie de se retrouver face à face avec un de ces tangs. Sans parler des quigs... ou des klees, qui s'apprêtaient à légaliser la chasse aux humains. Non, pour Mark, se rendre sur Eelong serait vraiment une très, très mauvaise idée.

Courtney était là, sur le canapé, très raide, à faire jouer les muscles de sa mâchoire. Mark commençait à croire que sa colère était surtout due à tous ses problèmes au lycée et en sport. Courtney n'avait pas l'habitude d'échouer, et pourtant c'était ce qui lui arrivait. Soudain, Mark comprit que ce soudain enthousiasme pour leur combat contre Saint Dane pouvait être sa façon de se prouver quelque chose. Mais il n'allait certainement pas lui faire part de sa théorie. Il ne voulait pas qu'elle reprenne ce marteau pour lui défoncer le crâne.

– Je veux l'aider, dit doucement Mark. Mais il faut le faire de façon intelligente.

– Je sais, répondit Courtney. Un jour, tu m'as dit que tu espérais que Saint Dane vienne en Seconde Terre pour qu'on puisse prendre part à la bataille. Tu te souviens ?

– Oui.

– Eh bien, ton vœu est exaucé. Saint Dane est venu chez nous. Il sait qui on est. Tu es content ?

Mark y réfléchit un instant avant de répondre :

– Pas vraiment. J'ai peur.

– Ouais, moi aussi, admit Courtney. Je ne suis pas complètement idiote.

– En fait, reprit Mark, on ne peut rien faire du tout. On ne va pas se rendre sur Eelong, parce qu'on ne ferait que déranger, ou nous faire dévorer. Bobby arrive à peine à s'en sortir. Il n'a pas besoin de devoir s'occuper de nous.

Courtney acquiesça.

– Et on n'arrive pas à se faire à l'idée que Bobby ne veut pas qu'on prenne les flumes, poursuivit-il. Il a peut-être tort, mais on n'en sait rien.

– Et toi, qu'en penses-tu ? Que doit-on faire ?

– Ça me fait mal de le dire, mais... rien. Il va falloir attendre qu'il se passe quelque chose qui nous permette d'éclaircir tout ça.

– Mais c'est une vraie torture, fit Courtney entre ses dents. C'est tellement dur d'aller à l'école, de faire ses devoirs, de passer des interrogations écrites et de parler à ses parents tout en sachant que l'univers est en train de s'écrouler !

– Ben... oui, je sais.

Courtney sourit et battit en retraite.

– Oui, je sais que tu sais, fit-elle d'une petite voix.

Mark ramassa les feuilles du journal et les roula ensemble.

– Il faut que je rentre, dit-il. Je les déposerai à la banque demain matin. Peut-être qu'on peut se retrouver après les cours pour parler de ce qu'on va...

Mark se tut. Il resta bouche bée.

– Qu'est-ce qu'il y a ? demanda Courtney.

Mark laissa tomber le journal et leva la main. Son anneau s'activait à nouveau.

– Déjà un autre journal ? demanda Courtney.

– Non.

Tous deux pouvaient voir que la pierre au centre de l'anneau n'avait pas changé. Par contre, un des symboles entourant cette même pierre s'était mis à luire. Chacun de ces symboles représentait un des territoires de Halla. Celui-ci représentait trois lignes ondulées, comme des vagues.

– On reçoit un message d'un autre Acolyte, dit Mark, stupéfait.

Lorsque Tom Dorney leur avait parlé de leur rôle en tant qu'Acolytes, il leur avait dit qu'ils pouvaient communiquer entre eux via les anneaux. Mark et Courtney avaient déjà vu le système en action lorsqu'ils avaient reçu un message de l'Acolyte de Veelox, Evangeline. Mark retira son anneau et le posa sur la table. Il se mit à grandir, ouvrant un passage entre les territoires. Ils entendirent les notes musicales et virent les lumières familières. Tout aussi étrange et magique que soit cette procédure, elle leur était devenue habituelle. Ils se protégèrent les yeux contre la lumière, puis, en quelques secondes, tout fut terminé. L'anneau était redevenu normal. La livraison était effectuée. Sur la table, il y avait un nouveau rouleau de parchemins.

– On dirait un nouveau journal de Bobby, remarqua Courtney, mais en plus court.

Mark ramassa le tout et le déroula pour révéler une seule page.

– Alors ? demanda Courtney, impatiente.

– Je crois qu'on vient d'avoir notre première mission d'Acolytes, répondit gravement Mark.

Il tendit la page à Courtney. Elle lut : *Vous devez vous rendre au flume.*

– C'est tout ? demanda-t-elle. Qui nous l'a envoyé ?

Mark reprit la page et la roula.

– Pas la moindre idée. Tu es prête ?

– Tu veux y aller maintenant ? a-t-elle répondu, surprise. C'est presque l'heure du dîner.

Mark lui jeta un regard qui disait nettement : « Tu rigoles ? »

Courtney sourit en comprenant qu'elle se trompait dans ses priorités.

– Mettons que je n'ai rien dit. Je raconterai à mes parents que je vais à la bibliothèque. Passe un coup de fil à ta mère pour en faire autant.

– D'accord.

Puis tous deux se sont tus une seconde, le temps de digérer la réalité de ce qui se passait. Finalement, Mark dit :

– Heu... je suis un peu nerveux. Et si Saint Dane revenait ?

Courtney sauta sur ses pieds.

– En ce cas, on lui fera voir de quel bois on se chauffe. C'est ce qu'on voulait, non ?

Quinze minute plus tard, Mark et Courtney se retrouvaient dans le sous-sol de la maison abandonnée de Sherwood House. Ils avaient donné des explications crédibles à leurs parents et s'étaient promis de passer au fast-food du coin pour prendre quelque chose à manger. Ni l'un, ni l'autre n'aimait raconter des bobards, mais lorsque la survie de l'univers était en jeu, ils pouvaient se le permettre.

– C'est bizarre, demanda Courtney en descendant dans le sous-sol sombre et désert, mais il n'y a pas de quigs. Remarque, je ne m'en plains pas.

– Je ne sais pas, répondit Mark. Mais d'après ce qu'a dit Bobby, ils ne se montrent que lorsque Saint Dane est dans le coin.

– Ça me va. Pas de quigs, pas de Saint Dane. Jusque-là, cette mission me plaît bien.

Ils s'approchaient de la porte de bois gravée du symbole en forme d'étoile marquant l'entrée du flume. Il faisait nuit noire. Le sous-sol était plongé dans les ténèbres, mais leurs yeux s'y étaient accoutumés, du moins suffisamment pour qu'ils puissent s'orienter. Mark portait son sac à dos, mais le laissa tomber devant la porte. Ils se regardèrent brièvement, puis entrèrent dans la cave qui contenait le tunnel donnant sur l'infini.

– C'est tentant, non ? dit Courtney sur le ton de la plaisanterie.

Mark acquiesça. Il lui jeta un regard en biais : il avait presque peur qu'elle ne saute dans le flume.

– Comment vont-ils savoir que nous sommes là ? demanda-t-elle. Qui qu'*ils* soient.

– Je ne sais pas s'il doivent forcément être au courant. Les flumes permettent aux Voyageurs de se rendre là où ils doivent être et au bon moment. Si quelqu'un a besoin de nous, peu importe quand il partira, il arrivera maintenant.

– C'est dingue, répondit Courtney en secouant la tête.

– Je sais, reprit Mark. Mais jusque-là, ça a fonctionné, non ?

Avant que Courtney ait pu répondre, une lumière apparut dans les profondeurs du flume.

– Tu dois avoir raison, fit Courtney. C'est parti.

Les deux Acolytes reculèrent autant que possible dans l'étroit espace. Ils se cramponnèrent l'un à l'autre pour se rassurer. Tous deux pensaient la même chose : la dernière fois qu'il s'était passé quelque chose d'approchant, c'est Saint Dane qui était sorti du flume. Les lumières se firent plus fortes, éclairant les parois. Les notes musicales s'amplifièrent et les murs de pierre grise se transformèrent en cristal.

– N'aie pas peur, chuchota Mark d'une voix étonnamment assurée. Je crois que c'est ce qui doit se passer.

Un peu plus tard, après un ultime éclair, les lumières disparurent comme elles étaient apparues, emportant la musique. Lorsque les yeux de Mark et Courtney se furent réaccoutumés à l'obscurité de la cave, ils regardèrent dans le flume pour voir qui était arrivé. Tous deux en restèrent bouche bée de surprise. Ce n'était ni Saint Dane, ni Bobby, ni aucun autre des Voyageurs qu'ils avaient rencontré ou que Bobby avait mentionné.

C'était un grand félin.

Mark et Courtney restèrent cramponnés l'un à l'autre. Même s'ils savaient que sur Eelong, ces tigres étaient intelligents, c'était autre chose de se retrouver face à l'un d'entre eux. Un fauve pareil pouvait les couper en deux d'un coup de griffe et les dévorer. Il se tenait là, à quatre pattes, et les regardait fixement. Ce qui redonna espoir à Mark et Courtney, c'est de constater qu'il portait une tunique, comme dans la description de Bobby.

– Vous êtes les Acolytes de Seconde Terre ? demanda-t-il d'une voix ferme et masculine.

Ni Mark, ni Courtney ne purent lui répondre. Ils restèrent plantés là, bouche bée.

– J'ai dit, reprit-il d'un ton agacé, êtes-vous les Acolytes ?

Mark et Courtney acquiescèrent.

– Bien. Je m'appelle Seegen. Je suis le Voyageur d'Eelong.

Courtney lança à Mark un regard surpris.

– On... on a reçu un message nous demandant de venir ici, dit Mark d'une petite voix.

– Oui. Envoyé par mes propres Acolytes.

– Ils savent qui nous sommes ? demanda Courtney, étonnée.

– Les Acolytes savent bien des choses.

– Vraiment ? reprit Courtney. Nous sommes des Acolytes et on n'y comprend rien.

– Je dois voir Pendragon, le Voyageur en chef, continua Seegen. J'ai à lui faire part d'informations vitales. Il doit venir sur Eelong.

– Un instant, répondit Courtney. Apparemment, vos Acolytes ne savent pas tout. Bobby y est déjà.

Ils n'auraient pas cru qu'un chat puisse avoir l'air surpris, mais ce fut le cas. Seegen oscilla sur ses pattes comme s'il avait le vertige. Il dut s'asseoir.

– Vous ne vous sentez pas bien ? demanda Courtney.

– On ne dirait pas, ajouta Mark.

– Pendragon ne sait pas dans quoi il s'est fourré, reprit-il d'une voix faible. Je dois le retrouver.

– Dites-nous tout, fit Courtney.

– Je crois avoir découvert comment Saint Dane compte décimer les habitants d'Eelong. Il veut empoisonner tout le territoire.

– Empoisonner... le territoire ? répéta Mark.

– J'en ai déjà vu les signes avant-coureurs. Les tangs meurent par centaines. Je pense qu'ils sont les premières victimes du poison. Il faut en informer Pendragon !

– Comment savez-vous que c'est Saint Dane qui empoisonne les tangs ? demanda Courtney.

– Parce qu'il ne s'est jamais rien produit de tel dans toute l'histoire d'Eelong, répondit Seegen. Pas à une telle échelle. Ce n'est pas naturel. Ça ne peut être que l'œuvre de Saint Dane. Seul Pendragon pourra le comprendre. Je dois l'avertir avant...

Il ne termina pas sa phrase. Il se figea et resta là comme une image mise en mode pause, à scruter le vide.

– Avant quoi ? insista Courtney.

Pas de réponse.

– Hé, vous êtes sûr que ça va ? demanda Mark.

– Seegen ? appela Courtney. Allô ?

Le félin ne répondit pas. Courtney fit un pas en direction du Voyageur. Mark l'imita.

– Vous feriez peut-être mieux de retourner sur Eelong, renchérit nerveusement Courtney. Bobby s'y trouve, et il vous cherche. Vous pourrez tout lui dire.

Seegen restait toujours immobile. Courtney tendit la main vers lui, mais Mark lui prit le bras en criant :

– Non !

– Qu'y a-t-il ?

– Regarde.

Il désignait la bouche de Seegen. Un filet de liquide vert s'en écoulait, dégoulinant sur sa fourrure. Mark passa prudemment sa main devant le visage du félin. Il la garda en place un moment, puis :

– Il ne respire plus.

Courtney fit un pas en arrière.

– Tu veux rire ?

Mark passa sa main devant les yeux vitreux du félin. Il ne cilla pas. Il continua de fixer l'infini.

– Ce n'est pas possible ! s'exclama Courtney, prise de panique. Il n'y a pas un instant, il était en pleine forme. On ne peut pas... cesser de vivre, comme ça, tout d'un coup !

En effet, Seegen n'avait guère changé par rapport au moment où il était encore en vie. Tout était comme avant, sauf qu'il était mort. Mark baissa les yeux, perdu dans ses pensées.

– Mark ! s'écria Courtney. Que vas-t-on faire ? C'est... c'est... la cata.

– C'est encore pire, répondit Mark.

– Comment ça ?

– Je connais les journaux de Bobby sur le bout des doigts, expliqua Mark. Je les ai relus une bonne douzaine de fois chacun. Je me souviens de tout, jusqu'au moindre détail.

– Et alors ? pressa Courtney.

– On a déjà connu ça. Rappelle-toi. Seegen meurt subitement, sans signe avant-coureur, et un liquide vert s'écoule de sa bouche, et...

– Et un poison mortel est lâché sur Eelong ! interrompit Courtney, qui voyait où il voulait en venir. Un poison tel qu'ils n'en ont jamais vu, qui infecte les récoltes et les rend toxiques. Tu ne penses pas...

– Si, j'y pense, répondit gravement Mark. Saint Dane a dit que les murs séparant les territoires s'effondraient.

– Cloral, affirma Courtney[1].

---

1. Voir Pendragon n° 2, *La Cité perdue de Faar.*

– Oui, Cloral ! répéta Mark. Je ne sais ni comment, ni pourquoi, mais d'une certaine façon, le poison avec lequel Saint Dane a tenté de détruire Cloral est encore actif, et il a réussi à s'infiltrer sur Eelong.

– Et un Voyageur y a succombé, ajouta Courtney. S'il est le seul à connaître la vérité...

– Ce n'est pas le cas. Nous, on sait.

SECONDE TERRE

Courtney prit le bras de Mark et l'entraîna dans le grand sous-sol vide de Sherwood House. Une fois dehors, il retira son bras.

– Qu'est-ce qui te prend ? demanda-t-il.

– Je ne pouvais rester là en bas en compagnie de ce mort, ce... ce...

– Ce klee. Ils s'appellent des klees. Et c'était le Voyageur d'Eelong.

– En tout cas, c'était... trop flippant.

– C'est bien le moindre de nos soucis.

– Que va-t-on faire, Mark ? demanda Courtney qui perdait manifestement son sang-froid habituel. Saint Dane a diffusé son poison sur Eelong, et on est les seuls à le savoir.

Mark se mit à tourner comme un lion en cage. Son esprit passait en revue toutes les possibilités, mais aucune n'était encourageante.

– C'est mal, marmonna-t-il. On n'est pas censé faire passer quoi que ce soit d'un territoire à un autre.

– Il y a bien des choses que Saint Dane n'est pas censé faire, et ça ne l'en a jamais empêché. Il faut mettre Bobby au courant !

– Et je sais comment faire, s'exclama Mark. On peut envoyer un message à Boon, l'Acolyte d'Eelong. Dorney nous a montré comment on fait !

– Bonne idée, sauf un détail.

– Quoi ?

– Boon n'est pas Acolyte. Du moins pas encore. Je croyais que tu te rappelais de tout ?

– Alors *qui* nous a envoyé ce message ?
– L'Acolyte de Seegen. Ce n'est pas Boon.
– Eh bien, on peut toujours essayer ! s'exclama Mark.
Il s'empara de son sac à dos, qu'il avait laissé devant la porte, et en tira un cahier à spirale et un stylo. Il passa des pages remplies de notes prises en cours (Mark adorait prendre des notes) jusqu'à ce qu'il trouve une page blanche. Il lut en même temps qu'il écrivait :
– *Ce message est pour Pendragon, le Voyageur en chef. Saint Dane a introduit sur Eelong le poison mutant qu'il a utilisé sur Cloral. Seegen est mort. Le poison l'a tué. Son corps est en Seconde Terre. Que doit-on faire ? Mark et Courtney.*
– Tu vois autre chose ? demanda Mark.
Courtney secoua la tête. Mark arracha le message et le plia en deux. Il retira son anneau de Voyageur et le posa sur le sol.
– Dorney a dit qu'il fallait prononcer le nom de l'Acolyte à qui on veut l'envoyer, dit Mark hors d'haleine.
Il tint la note au-dessus de l'anneau, se racla la gorge et dit :
– Boon !
Rien ne se produisit.
– Boon d'Eelong ! reprit Mark plus fort.
Ils scrutèrent l'anneau. Qui ne faisait rien du tout.
– Envoie ce message à Boon ! hurla Mark. L'Acolyte d'Eelong !
Toujours rien.
– J'oublie quelque chose ? fit Mark, exaspéré.
– Oui, répondit Courtney. Je te l'ai dit : Boon n'est pas Acolyte. Tu ne voulais pas m'écouter !
Mark ramassa l'anneau et le remit à son doigt.
– Alors, je ne sais vraiment pas quoi faire.
Courtney prit le message de Mark, le lut, puis le relut une seconde fois. Une idée prenait forme dans sa tête.
– Mark, fit-elle doucement, avant de me rembarrer, réfléchis à ce que je vais te dire, d'accord ?
Mark acquiesça.
– Saint Dane a dit qu'une fois que le premier territoire tomberait, les autres suivraient comme des dominos, non ?

– Oui. Et j'en ai marre de me le voir rappeler toutes les trente secondes.

– D'après ce qu'on a vu, sa prédiction est en train de devenir réalité. Veelox est condamné, et maintenant, il se passe de drôles de choses. Comme ces images que Bobby voit dans les flumes ou la façon dont les cheveux de Saint Dane ont pris feu. Je pense qu'il devient de plus en plus puissant, et s'il fait tomber un autre territoire, Dieu sait ce qui peut arriver.

– Jusque-là, je te suis.

– Eelong est mal barrée, continua Courtney. On dirait que, sous l'influence de Saint Dane, les klees sont tout disposés à massacrer les gars.

– Un instant, interrompit Mark. Je crois que Saint Dane se trompe. Bien sûr, si les gars disparaissaient, l'écologie d'Eelong serait compromise, mais arrête de rêver. Même s'ils légalisent à nouveau la chasse aux gars, ils ne peuvent pas exterminer toute l'espèce !

– Tout à fait ! s'écria Courtney. À moins de disposer d'une arme si puissante qu'elle pourrait en éliminer des milliers d'un seul coup avant qu'ils comprennent ce qu'il se passe.

Mark se sentit mal. La vérité commençait à lui apparaître, claire comme de l'eau de roche.

– Le poison de Cloral ! Saint Dane l'a introduit sur Eelong pour exterminer les gars !

– C'est même pire que ça, reprit Courtney avec passion. Dis-moi, après avoir tué les gars, que vont faire les klees ?

Mark trouva tout de suite la réponse, et elle le frappa comme un direct à l'estomac.

– Oh, bon sang, fit-il, de plus en plus paniqué. Ils vont les manger ! Si les klees ignorent l'existence du poison et mangent les gars contaminés…

– Voilà ! cria Courtney. Il les tuera, eux aussi. Alors toute la chaîne alimentaire sera complètement chamboulée et… Mark, Saint Dane a vraiment une chance de détruire Eelong !

– J'y crois pas ! fit Mark en continuant de tourner comme un lion en cage.

– Je n'ai pas fini, reprit Courtney, très calme.

– Quoi encore ?

– Oui. (Courtney inspira profondément.) Et ça ne te plaira pas.

– Rien de tout ça ne me plaît. Vas-y.

– Mark, on va devoir voyager.

Mark se figea. Il ne s'y attendait pas.

– Dis quelque chose.

– Pas question ! C'est exactement ce que Bobby nous a déconseillé de faire !

– Il peut se tromper, rétorqua Courtney. La balle vient d'entrer dans notre camp. Bobby n'ignore pas que Saint Dane veut exterminer les gars, mais on est les seuls à savoir comment. Le Conseil des klees a peut-être déjà révoqué la loi qui interdisait de tuer les gars...

– L'édit quarante-six.

– Peu importe ! On connaît la vérité. Qu'est-ce que tu vas dire en lisant le prochain journal de Bobby ? Et si tu découvres que des milliers de gars sont morts de façon mystérieuse ? Je ne veux pas devoir dire à Bobby qu'on savait ce qui allait se passer, mais qu'on n'a rien fait pour l'empêcher.

Mark s'enfonça dans les profondeurs du sous-sol. Il n'entendait que le bruit de ses pas sur le sol jonché de débris. L'ennui, c'est qu'il était d'accord avec tout ce que disait Courtney. Mais il avait du mal à admettre qu'ils allaient désobéir à un ordre direct de Bobby. Et l'idée de prendre le flume l'enthousiasmait encore moins. Oh, il y avait rêvé, mais de là à passer à l'acte... À vrai dire, il n'était pas sûr d'avoir le cran de faire un tel voyage. Courtney, peut-être, mais pas lui. Il avait peur d'être trop... Mark.

– Si tu ne veux pas y aller, dit doucement Courtney, je comprendrai. Mais moi, j'irai seule s'il le faut.

Mark se retourna d'un bond pour voir Courtney derrière lui, les pieds fermement plantés dans le sol. Il comprit alors qu'elle avait déjà pris sa décision. Il était inutile de discuter. Elle allait prendre le flume.

– Un... un instant, dit Mark en s'accrochant à sa raison. Et si j'étais d'accord avec toi ? Je ne dis pas que c'est le cas, mais c'est une hypothèse. Toi, je ne sais pas, mais je n'ai jamais affronté de quig, de tang ou toute autre créature qui peut rôder dans la jungle d'Eelong. Hé, même le chat de ma mère me fait peur ! Et il m'a donné assez de coups de griffes pour ça. C'est vrai, Bobby doit être informé de ce qui se passe, mais en allant sur Eelong, on se ferait tuer avant d'avoir pu le trouver.

Courtney lui décocha un sourire rusé.

– Qui te parle d'aller sur Eelong ?

Mark lui jeta un regard curieux. Elle venait de le convaincre d'ignorer l'avis de Bobby pour voler à son secours et, maintenant, elle lui disait qu'elle avait autre chose en tête.

– Alors là, je ne te suis plus.

Courtney s'empara du cahier de Mark et de son stylo et se mit à rédiger un autre message. Elle aussi le lut en cours de route :

– *Ceci est un message de Courtney Chetwynde et Mark Dimond, Acolytes de Bobby Pendragon en Seconde Terre. On croit que Saint Dane a diffusé sur Eelong le poison qui a failli détruire le territoire de Cloral. Maintenant, les Acolytes peuvent emprunter les flumes. On vient demander votre aide pour trouver un moyen d'empêcher le pire.*

Courtney arracha la feuille et la plia en deux.

– À qui veux-tu envoyer ça ? demanda Mark, complètement perdu.

– À une Acolyte. Je crois qu'elle s'appelle... Wu Yenza.

– Wu Yenza ? Mais elle est de...

– Exact, annonça Courtney. Elle est de Cloral[1].

Mark la dévisagea, stupéfait. Courtney tendit la main.

– File-moi ton anneau.

Mark obéit. Il était trop stupéfait pour se rebeller. Courtney le prit et le posa délicatement sur le sol. Elle tendit le message au-dessus de l'anneau et énonça d'une voix claire :

– Wu Yenza !

Aussitôt, l'un des dix symboles représentant les territoires s'anima. C'était une petite ligne ondulée évoquant une vague.

---

1. Voir Pendragon n° 2, *La Cité perdue de Faar.*

L'anneau tressauta et s'agrandit, révélant le tunnel menant aux territoires. Une lumière brillante s'en échappa, comme les phares d'un train, et l'habituel mélange de notes musicales s'éleva. Courtney cligna de l'œil à Mark et jeta son message dans l'anneau. La feuille disparut et l'anneau reprit sa taille normale. Courtney le ramassa et le tendit à Mark.

– Le facteur est passé, dit-elle.

Mark prit l'anneau et le passa à son doigt.

– Pour Eelong, tu as raison. On n'irait sans doute pas bien loin. Mais en admettant qu'on ait de la chance et qu'on trouve Bobby, il n'y a qu'une seule façon de sauver Eelong... c'est l'antidote de Cloral.

– Tu veux l'amener sur Eelong ?

– Exactement.

La bouche de Mark se dessécha. Ce que suggérait Courtney était contraire à tout ce qu'ils avaient appris à propos des territoires et de leur fonctionnement.

– Mais rien ne d-d-doit passer d'un territoire à l'autre, chuchota Mark.

– D'après Saint Dane, les règles ont changé. Et lui-même ne se gêne pas pour les transgresser. Je pense que l'alternative est bien pire. Si on ne fait rien, il obtiendra son second territoire.

Mark en avait le vertige. Il dut écarter les pieds pour ne pas perdre l'équilibre. Il baissa les yeux dans l'espoir que tout cela ne soit qu'un cauchemar.

– J'aimerais bien que tu viennes avec moi, dit Courtney. Mais si tu ne veux pas, je comprendrai.

– Je... Je ne sais pas, balbutia-t-il. Tout ça est tellement... tordu. Tu sais qu'Andy Mitchell s'est lancé dans la recherche scientifique ?

Courtney prit un air surpris presque comique. Si Mark n'était pas si bouleversé, il aurait éclaté de rire.

– Mitchell ? Ce crétin des Alpes ?

– Le monde est sens dessus dessous, répondit Mark.

Courtney acquiesça.

– Je te comprends. Rien ne marche comme je l'aurais cru. À tous les niveaux. Je dis peut-être des bêtises, mais aussi incroyable que puisse être l'idée d'aller sur Cloral, au moins, on a peut-être une chance d'influer sur le cours des événements. J'y vais, Mark. Tu viens avec moi ?

Mark regarda dans les yeux gris de Courtney et y lut la confiance et l'intensité qu'ils avaient perdus depuis peu. Cette bonne vieille Courtney était de retour, et elle était prête à l'action.

– Je peux te demander quelque chose ? dit-il d'une voix mal assurée.

– Vas-y.

– Que... Que va-t-on dire à nos parents ?

Courtney éclata de rire.

– On va prendre un flume qui nous mènera à l'autre bout de Halla pour essayer d'empêcher la destruction de l'humanité. Je ne sais pas pour tes parents, mais si je disais la vérité aux miens, ils m'enfermeraient dans ma chambre et soit ils feraient venir une équipe de psys pour un lavage de cerveau express, soit ils me garderaient là au moins jusqu'à mon quarantième anniversaire.

Mark eut un petit rire nerveux.

– Oui, et dire que ma mère a bien failli m'empêcher d'aller à la bibliothèque ce soir.

Tous deux éclatèrent d'un rire nerveux.

– On s'en occupera à notre retour, ajouta Courtney.

Mark acquiesça. Il ne savait ce qu'il redoutait le plus : sauter dans le flume ou expliquer à ses parents pourquoi il avait disparu. Décidément, tout était différent. Une fois qu'ils auraient passé ce cap, ils ne pourraient plus revenir en arrière. Lorsqu'ils reviendraient en Seconde Terre, si toutefois ils y retournaient, ils devraient tout confesser, sur Bobby et son oncle Press. Ils devraient dire à la police qu'ils avaient dissimulé la vérité sur la disparition des Pendragon de peur de finir à l'asile psychiatrique. Bien sûr, s'ils racontaient tout ça, c'est ce qui les attendrait de toute façon. Un aller simple vers une cellule capitonnée. Aussi effrayant que puisse paraître cette option, plus Mark y réfléchissait, plus il trouvait que Courtney avait raison. Ils n'avaient pas le choix. Ils devaient partir.

Courtney se dirigea vers la cave. Elle regarda l'étoile pyrogravée dans le bois qui indiquait l'entrée d'un flume. Elle la caressa du doigt, sentant ses rebords lisses.

– Prêt ? demanda-t-elle.

Mark inspira profondément et s'approcha à son tour de la porte.

– C'est ta dernière chance de m'en dissuader.

Courtney sourit, ouvrit la porte et dit :

– En route pour Cloral.

SECONDE TERRE

Le corps de Seegen était là, immobile, à l'entrée du flume, ses yeux aveugles fixant le vide. Mark et Courtney entrèrent dans la cave et s'immobilisèrent devant cette dernière victime de la guerre contre Saint Dane. Pas de doute, ce n'était pas une rigolade. Les enjeux étaient énormes. Des vies en dépendaient.

Courtney rompit le silence :

– Je n'avais encore jamais vu de cadavre.

– C'est un chat, dit doucement Mark. Ça compte pour du beurre, non ?

– Certainement pas. Que va-t-on faire de lui ?

– On devrait le ramener sur Eelong, proposa Mark. Chez lui.

– C'est possible ?

Mark haussa les épaules.

– On peut toujours essayer. Mais d'abord, on devrait dire quelque chose. Simple question de respect.

Courtney acquiesça et baissa la tête ; Mark fit de même et dit avec révérence :

– On ne sait pas grand-chose sur Seegen. Il venait du territoire d'Eelong ; sa fille s'appelle Kasha ; c'était un Voyageur : et il est mort au combat, alors qu'il luttait pour protéger Halla de Saint Dane. Rien que pour ça, c'était un héros. Il n'y a pas grand-chose à ajouter, sinon tout faire pour qu'il ne soit pas mort en vain.

Tous deux restèrent la tête basse pendant un moment.

– C'était parfait, dit Courtney.

– Attends-moi, fit Mark.

Il courut hors de la cave, pour retourner avec un sac plein de carottes tirées de son sac à dos.

– Quoi, tu veux casser la croûte maintenant ? demanda Courtney, stupéfaite.

– Un instant.

Mark reprit la note qu'il avait écrite à l'Acolyte d'Eelong. Il s'agenouilla près de Seegen et approcha prudemment le papier de la bouche du félin mort.

– À quoi tu joues ? demanda nerveusement Courtney.

– Il faut s'assurer qu'on a bien affaire à ce même poison. (Il arracha quelques poils au menton du félin.) Il y en aura certainement des traces sur sa fourrure. À Cloral, ils pourront l'examiner pour vérifier si c'est bien le même fléau.

Mark se redressa et replia le papier plusieurs fois en s'assurant que ses échantillons étaient bien enfermés à l'intérieur. Il sortit les carottes du sac en plastique et y mit le papier replié, puis scella hermétiquement le tout.

– C'est une bonne idée, remarqua Courtney.

– Ouais, je suis un petit malin. (Il fourra le sac dans sa poche.) Mort de trouille, mais malin. Et maintenant ?

– Maintenant, on va bien voir si ça marche, dit Courtney, haussant les épaules.

Elle regarda dans le flume, inspira profondément et cria :

– *Eelong* !

Aussitôt, le flume s'anima.

– Oh, bon sang ! fit Mark, admiratif. Et s'il nous emmène aussi ?

Courtney poussa Mark sur le côté du flume. Ils se serrèrent l'un contre l'autre alors que la lumière et la musique emplissaient la cave. Le flume tressaillit légèrement. Mark et Courtney sentirent vibrer le sol comme s'il se produisait un petit tremblement de terre. Ils échangèrent un bref regard, puis n'y pensèrent plus. Ils attendirent que le flume les emporte. En vain. La lumière et la musique disparurent, et ils étaient toujours en Seconde Terre. Courtney se détacha de Mark et scruta l'embouchure à temps pour voir disparaître les lumières dans le lointain. Le cadavre de Seegen n'était plus là.

– Adieu, Seegen, dit Mark.

Ils restèrent là, sans bouger, à regarder le flume inerte. Au bout d'un long moment, Mark dit doucement :

– Courtney, j'ai vraiment peur.

– Ouais, moi aussi.

Ni l'un, ni l'autre ne fit le moindre geste.

– Ça semble si loin, reprit Mark, et parfois, j'ai l'impression que c'était hier.

– Quoi ?

– Cette nuit où Osa est venue à mon chevet pour me donner l'anneau. Parfois, je revois cette époque d'avant le départ de Bobby. Avant qu'on ne sache ce qu'étaient les Voyageurs, les territoires et Saint Dane.

– Moi aussi, admit Courtney. Je repense souvent au soir où Bobby est parti. C'est comme si ça s'était passé dans une autre vie.

– Oui, une existence bien différente.

Ils restèrent silencieux quelques instants, puis Mark dit :

– Tu crois qu'on a bien agi ?

– Je n'en sais rien, Mark. Je ne vais pas mentir en prétendant en être sûre. Mais d'après tout ce qu'on sait, je pense qu'on n'avait pas le choix.

Mark acquiesça d'un air pensif.

– Tu sais ce que je crois ?

– Non ?

Mark se redressa de toute sa taille et regarda Courtney droit dans les yeux.

– Je crois qu'on n'est pas sur le bon territoire, déclara-t-il avec toute l'assurance possible.

Courtney eut un grand sourire.

– Alors exprime ta pensée.

Mark Dimond était prêt à l'aventure, et son vœu allait être exaucé. Après avoir suivi de loin les aventures de Bobby depuis tout ce temps, Courtney et lui allaient entrer dans la partie. Mark regarda dans le flume, inspira profondément et cria :

– *Cloral* !

Le tunnel s'anima. Les murs se mirent à craquer et grogner. Mark et Courtney sentirent le sol se tortiller sous leurs pieds comme un serpent.

– Jusque-là, le flume n'a jamais tremblé, remarqua nerveusement Mark.

– C'est vrai, répondit Mark.

Tout au loin, les lumières apparurent. Mais elles tardaient à les emporter. L'amas de notes musicales arriva à son tour. Mark enserra la main de Courtney. Leur instinct leur hurlait de reculer, mais ils y résistèrent. Dans le passé, ils se seraient peut-être dégonflés, mais pas maintenant. Aujourd'hui, ils devaient laisser le flume les emporter. La roche grise devint transparente comme du cristal. Bientôt, le phénomène affecterait tout le tunnel, et ils seraient partis.

Blong !

Mark et Courtney firent un bond en arrière : un bout de roche de la taille d'un ballon de foot s'était détaché du plafond pour s'abattre à leurs pieds, les ratant de peu.

– Ça ne peut pas être un bon signe, remarqua Courtney.

– Il y a un os, renchérit Mark.

Blang ! Un autre fragment du flume se détacha du mur et roula à leurs pieds.

– On ferait peut-être mieux de remettre ça à une autre fois, proposa Courtney.

Trop tard. Tous deux le sentirent en même temps. La puissance du flume les entraînait doucement, mais inexorablement. Même s'ils l'avaient voulu, ils ne pouvaient plus reculer. La lumière les aveugla, les notes musicales dansèrent autour d'eux, les murs devinrent limpides...

– Et nous voilà partis, dit Courtney.

– Yaouuuuuuh ! cria Mark.

Et le tunnel les absorba.

CLORAL

Le voyage fut exactement ce à quoi ils s'attendaient... en mieux. Maintenant, ils assistaient en personne à ce que Bobby avait raconté dans son journal. La sensation de flotter dans un air chaud, les nombreux virages abordés sans crainte de se heurter aux murs de cristal, le champ d'étoiles qui s'étendait au-delà, les notes de musique résonnant à leurs oreilles – tout était tel que Bobby l'avait décrit. Mark et Courtney continuèrent de se tenir la main. D'abord, ils se cramponnèrent pour se rassurer, puis finirent par se détendre et profiter du voyage.

– C'est... C'est incroyable, s'exclama Mark.

Il regarda Courtney, qui flottait à ses côtés, les yeux écarquillés, enregistrant tout jusqu'au moindre détail.

– Regarde ! cria-t-elle en désignant le champ d'étoiles.

Ils virent ce qui ressemblait à un poisson géant nageant le long du flume, comme s'il les suivait. Il était aussi gros qu'une maison, avec une peau si transparente qu'ils voyaient les étoiles à travers.

– C'est une de ces images dont Bobby nous a parlé ! s'exclama Mark.

L'immense poisson partit dans la direction opposée et fila vers les étoiles.

– Qu'est-ce que c'est ? demanda Mark en désignant l'autre côté du flume.

Là, un énorme objet en forme de pyramide tournoyait dans l'espace. Lui aussi était vaguement transparent.

– C'est peut-être une pyramide d'Utopias, suggéra Courtney.

– Qu'est-ce que ça veut dire ?

Courtney éclata de rire.

– Tu rigoles ? Comme si tout ça avait l'ombre d'une signification ! (Elle lâcha sa main et fit un saut périlleux, comme un astronaute en apesanteur.) Tu n'as qu'à suivre le mouvement !

Mark éclata à son tour de rire, ce qui ne lui ressemblait guère, et tenta aussi d'effectuer un saut périlleux. Mais il s'arrêta à mi-chemin et ils se retrouvèrent coincés, Mark la tête en bas, Courtney les pieds en avant. Ils se regardèrent et redoublèrent d'hilarité. Un peu plus tard, les notes musicales s'emballèrent, jointes par un nouveau bruit qui ressemblait à...

– De l'eau ! s'exclama Mark en tentant de se retourner. J'avais oublié que le flume de Cloral donne sur...

Ils jaillirent du tunnel avant qu'il ne puisse finir sa phrase et se retrouvèrent dans le vide. Sous l'effet de la gravité, ils tombèrent dans une mare remplie d'eau. Comme Courtney était dans le bon sens, elle eut le temps de serrer les pieds et se pincer le nez. Quant à Mark, il tomba la tête la première et battit des bras pour se redresser, mais il était trop tard : il fit un plat retentissant qui résonna comme un coup de canon. Courtney refit surface la première et le chercha aussitôt.

– Mark ? Mark !

Un peu plus tard, il émergea à son tour. Il flotta là un instant, ses cheveux longs collés sur ses yeux, et Courtney se demanda s'il était blessé. Puis il émit un simple :

– Aïe.

Courtney éclata de rire. Il en fit autant. Ils avaient réussi. Ils nagèrent jusqu'au rebord de la mare et se hissèrent sur la corniche rocailleuse pour examiner leur entourage. Tout était exactement comme Bobby l'avait décrit. Ils se trouvaient dans une caverne aux murs tapissés de racines et de grandes fleurs multicolores.

– Je n'arrive pas à croire qu'on est vraiment là ! s'exclama Mark.

Il se pencha, cueillit un fruit vert foncé ressemblant à un concombre et le coupa en deux.

– D'après Bobby, ils sont délicieux.

L'intérieur du fruit était rouge comme celui d'une pastèque. Mark mordit dedans avec une telle fougue que le jus dégoulina sur son menton.

– Alors ? demanda Courtney.

– Sucré, croquant, excellent, répondit-il en souriant. Bobby était encore en dessous de la vérité.

Mark tendit l'autre moitié à Courtney. Tous deux prirent tout leur temps pour apprécier cet étrange fruit qu'on ne trouvait que sur ce territoire. Tout en mangeant, ils examinèrent la caverne, impressionnés.

– Cloral, dit Courtney. Incroyable.

– C'est comme si on était entrés dans un livre, ajouta Mark.

Tous deux trempèrent leurs pieds dans l'eau chaude qui avait servi à amortir leur chute.

– J'espère que Wu Yenza a reçu le message, dit Courtney. Sinon, nous n'irons pas plus loin.

Ils savaient tous les deux que, sans masques ni ceintures, ils ne pourraient pas sortir de cette caverne, située dans les profondeurs de l'océan de Cloral. Il ne fallait pas compter retenir son souffle jusqu'à la surface. Et même s'ils en étaient capables, ils se retrouveraient au milieu de l'océan, à la merci des requins quigs. Courtney avait raison : si Wu Yenza n'avait pas reçu le message, leur voyage s'arrêterait dans cette caverne.

– Je pense qu'elle l'a reçue, annonça Courtney.

– Comment le sais-tu ? demanda Mark.

Courtney se déplaça précautionneusement le long de la corniche jusqu'à un amas de lianes. Elle les souleva pour révéler…

– Des vêtements ! s'exclama Mark. Des vêtements de Cloral !

Courtney ramassa une chemise bleu ciel qui semblait faite d'une matière légère et caoutchouteuse couleur bleu ciel.

– On nous attend, dit-elle.

– Super ! s'exclama Mark ! J'imagine qu'on n'a plus qu'à rester là et…

Il ne termina pas sa phrase.

– Qu'est-ce qu'il y a ? demanda Courtney.

Mark leva la main. La pierre grise sur son anneau étincelait.

– On a du courrier.

Mark le retira et le posa sur la pierre pendant que Courtney s'empressait de le rejoindre. L'anneau émit un rai de lumière qui illumina la caverne remplie de fleurs, au point de leur donner l'impression de se tenir dans un gigantesque arbre de Noël. L'anneau grandit et les notes musicales rebondirent sur les parois. Comme toujours, le processus entier dura quelques secondes tout au plus. Lorsque tout fut terminé, l'anneau reprit sa taille normale, et le journal de Bobby gisait à ses côtés.

Ils étaient si absorbés par cet événement qu'ils ne remarquèrent pas l'ombre qui s'élevait vers eux du fond du bassin. En silence, elle se dirigea vers le centre et fit surface droit devant eux.

Mark ramassa le parchemin roulé et déclara :

– Au moins, on aura quelque chose à faire en attendant que quelqu'un vienne nous chercher.

C'est alors que la silhouette prit la parole :

– Vous n'aurez pas à attendre.

Mark et Courtney sursautèrent. Ils virevoltèrent pour voir…

Là, au milieu du bassin, agitant les bras pour rester à la surface, flottait un type pourvu d'un masque respiratoire transparent recouvrant son visage. Il retira le globe, qui reprit aussitôt sa forme ronde naturelle. Ils constatèrent alors que le nouveau venu arborait de longs cheveux noirs cascadant sur ses épaules. Il avait des yeux en amande et un sourire éblouissant.

– Vous devez être Mark et Courtney, dit-il. On dirait que vous êtes passés par un sacré tourne-boule.

– T-t-tu es…, balbutia Mark.

– Qui est-ce que tu attendais ? répondit-il en riant. Un poulpe ?

– Spader ? bafouilla Courtney.

– Hobie-ho, les gars ! s'exclama le Voyageur. Bienvenue sur Cloral.

CLORAL

Mark et Courtney avaient l'impression de se retrouver dans un rêve.

Ils n'avaient connu les merveilles de Cloral que par les journaux de Bobby et, à présent, ils les voyaient de leurs yeux. Pour de vrai. Là. Et tout était comme ils se l'étaient imaginés.

– Je suis fier de vous rencontrer enfin, les gars ! dit Vo Spader en se hissant hors du bassin.

Il reposa son globe sur la corniche et se redressa de tout son mètre quatre-vingt. Mark et Courtney remarquèrent qu'il portait son gilet noir sans manches d'aquanier. Il tendit la main à Mark :

– Vous êtes exactement comme Pendragon vous avait décrit.

Mark serra la main tendue, bouche bée, en le dévorant des yeux comme s'il était une vedette de cinéma. Spader lui décocha un clin d'œil rassurant, puis serra pareillement la main de Courtney.

– Tu as une sacrée poigne, Courtney, dit-il. Et d'après Pendragon, du caractère aussi.

Courtney soutint son regard en souriant.

– Il dit vrai.

Spader lui rendit son sourire.

– Je m'en souviendrai.

– Wu Yenza a r-r-reçu notre message ? demanda Mark.

– En effet. Je ne peux pas vraiment dire qu'il m'ait empli de joie.

– Tout va mal, débita Mark a tout allure. Saint Dane a récupéré le poison dont il s'est servi sur Cloral et…

– Holà, Mark ! s'exclama le Voyageur. Chaque chose en son temps. Rentrons à la maison, que vous puissiez lire le nouveau journal.

– Vraiment ? demanda Mark époustouflé. À la maison ? Tu veux dire sur Grallion ?

– Pourquoi, ça t'embête ? répondit Spader.

– Oh, non, c'est formidable ! s'exclama Mark. Et on peut boire quelques sniggers, aussi ?

– Mark ! réprimanda Courtney. On n'est pas là pour s'amuser !

Spader eut un rire chaleureux.

– Ne vous en faites pas, je vous comprends. Ce doit être drôle d'atterrir dans un territoire étranger dont vous avez juste entendu parler.

– Oui, admit Courtney, c'est assez bizarre.

– Mais je vais faire en sorte que tout se passe bien, reprit Spader en clignant de l'œil. D'ac ?

– D'ac ! répondit Mark.

Il fallut d'abord faire passer à Mark et Courtney leurs vêtements de Cloral. Chacun choisit une combinaison de plongée deux-pièces bleu vif et deux sandales d'un matériau élastique.

– Le premier qui regarde est un homme mort ! railla Courtney en se débarrassant de ses habits de Seconde Terre détrempés.

– Je n'oserais jamais ! reprit Spader du même ton.

Pendant que Mark et Courtney se changeaient, Spader prit le dernier journal de Bobby et le scella dans un sac amphibie qu'il accrocha à sa ceinture. Mark surprit son geste et dit :

– Tiens, ajoute aussi ça !

Il lui passa l'échantillon de fourrure prélevé sur Seegen. Spader le prit sans poser de question et le mit dans le sac. Puis il s'empara de deux globes respiratoires posés près des vêtements. Ils étaient bien de la taille d'un ballon de basket avec des appareils en forme d'harmonica extrayant l'oxygène de l'eau.

– Pendragon vous a expliqué comment ça marche ? demanda-t-il.

– Tout à fait, répondit Mark. Ils se moulent autour de notre tête pour qu'on puisse parler et respirer sous l'eau.

– C'est bien ça, répondit Spader.

– Et il nous faut des ceintures pour pouvoir flotter entre deux eaux ou quelque chose comme ça, non ? demanda Courtney.

– Exact ! répondit-il. Je vois que vous êtes bien renseignés !

– On fait ce qu'on peut.

Mark jeta un bref coup d'œil à Courtney. Il comprit alors qu'elle flirtait sans vergogne avec Spader. Et lui n'y semblait pas indifférent ! Pourvu que ce petit jeu n'aille pas plus loin.

– Je n'ai qu'un traîneau, dit Spader en désignant un appareil flottant à la surface du bassin.

Il était rouge vif et de la taille approximative d'un ballon de foot pourvu de poignées. D'après les journaux de Bobby, ils savaient qu'il s'en servait pour se propulser sous l'eau.

– Un seul ? répondit Mark, déçu.

Il aurait bien voulu en avoir un pour lui tout seul.

– Pas de panique. Il est assez puissant pour nous trois.

– Et ces requins quigs ? demanda Courtney.

– Depuis ce tourne-boule avec Saint Dane, répondit le Voyageur, je n'en ai pas vu la queue d'un. D'après moi, ils sont partis.

Mark et Courtney étaient prêts. Leurs combinaisons de plongeurs aux manches et aux jambes longues leur allaient parfaitement. Mark constata que cette tenue mettait Courtney en valeur. Il se demanda si Spader l'avait remarqué, lui aussi.

– Vous autres pouvez nager sous l'eau, non ? demanda Spader.

– Moi, ça va, répondit Courtney.

– M-m-moi aussi, mentit Mark.

La vérité était que Mark nageait comme une enclume. Mais il se dit qu'avec les globes respiratoires, cela devait être aussi facile que l'avait décrit Bobby. Ce n'était pas une bête peur irrationnelle qui l'empêcherait de contempler les splendeurs de Cloral.

– Parfait ! s'écria Spader. Alors c'est parti !

Mark et Courtney ramassèrent leurs globes respiratoires et les passèrent comme des casques de moto. Aussitôt, ils rétrécirent pour épouser les contours de leurs têtes. Bien que Mark sache ce qui allait se passer, la sensation le prit par surprise. Il fit un pas en avant, glissa et tomba sur le derrière.

– Hé, vas-y doucement ! dit Spader en l'aidant à se relever. Ça va ?

– Oui, répondit Mark gêné. Tout est... impec.

Courtney leva les yeux au ciel. Ils savaient tous les deux que « impec » était une des tournures préférées de Spader.

– Bon, voilà comment on va faire, reprit Spader. On va y aller doucement, le temps que vous vous habituiez à être sous l'eau. Dès que tout le monde sera à l'aise, vous vous accrocherez à ma ceinture et je vous ramènerai à la surface. D'accord ?

– Hobie-ho ! répondit Mark.

Courtney fit de son mieux pour ne pas lever à nouveau les yeux au ciel.

Spader, lui, éclata de rire et leur décocha un sourire sincère.

– Hobie-ho, allons-y !

Spader fut le premier à sauter dans le bassin, suivi par Courtney. Mark s'y laissa glisser plus doucement. Mark et Courtney sentirent aussitôt leurs ceintures se refermer autour de leurs tailles pour les faire flotter. Ils n'eurent même pas à battre des pieds ou des bras pour atteindre la surface.

– Allez, on plonge, dit Spader avant de joindre le geste à la parole.

– Courtney ? demanda Mark.

– Oui ?

– Tu crois vraiment que tout ça est bien réel ?

– Pas vraiment.

– Je dois avouer, fit Mark, mais j'en reste baba.

– Ne t'en fais pas, répondit Courtney. C'est pareil pour moi. On a tout le temps pour devenir blasés.

– Oui, tu dois avoir raison.

– Suivons le mouvement. Hobie-ho, espèce de boutonneux ! ajouta-t-elle sur un ton moqueur.

Mark sourit, puis tous deux plongèrent sous la surface. Spader les attendait juste au-dessus du sable, à cinq mètres de profondeur. Mark et Courtney descendirent jusqu'au fond et se mirent à genoux.

– Tout baigne ? demanda Spader.

Courtney et Mark s'étonnèrent de l'entendre avec une telle précision sous l'eau. Bobby leur avait expliqué comment cela fonctionnait, mais c'était autre chose de le constater en réalité. Mark leva le pouce.

– Tu peux me parler, Mark, remarqua Spader.

– Ah, oui. Tout va bien.

La vérité était tout autre : il se sentait si nerveux qu'il avait du mal à inspirer profondément.

– Courtney ? demanda Spader.

– C'est vraiment zarbi, répondit-elle, la respiration sifflante.

– Détendez-vous, dit calmement Spader. Respirez normalement, sans y penser. Je vous assure que vous allez vite vous y faire.

Ils restèrent agenouillés sur le sable pendant quelques minutes, le temps de s'habituer à flotter dans ces eaux chaudes et de respirer via les globes. Spader avait raison : ils ne tardèrent pas à se détendre. Il dit à Mark et Courtney de s'accrocher à sa ceinture. Lorsqu'ils furent en position, il prit son traîneau à deux mains, le tint devant lui et fit démarrer le moteur. Dans un gémissement sourd, le traîneau démarra, entraînant le trio avec lui. Aussi incroyable que cela puisse paraître à Mark et Courtney, ils étaient en route vers Grallion. Ils foncèrent sous le plafond rocheux pendant plusieurs minutes jusqu'à ce que Spader annonce :

– Pleine mer, droit devant !

Ils virent un ruban de lumière marquant la fin du rocher. Puis ils jaillirent entre deux eaux. Mark et Courtney admirèrent ce magnifique récif de corail qui s'étendait en dessous de l'avancée rocheuse. Des bancs de poissons bariolés nageaient paresseusement, une forêt d'algues rouges ondulait au rythme des courants et de superbes formations coralliennes transformaient le fonds en jardin sculpté.

Mark regarda Courtney. Courtney regarda Mark. Tous deux sourirent.

Spader les fit monter vers le soleil. Lorsque leurs têtes crevèrent la surface, Mark remarqua quelque chose qui le fit éclater de rire.

– C'est un skimmer ! s'écria-t-il.

En effet, le véhicule aquatique oscillait doucement au rythme des vagues. On aurait dit une grande motoneige blanche avec un ponton externe servant de stabilisateur. Le pont était plat avec des flancs bas, si bien qu'ils n'eurent aucun mal à s'y hisser.

– Retirez vos globes, ordonna Spader.

Il ouvrit une trappe dans le compartiment de rangements de la cabine et y rangea leur équipement, plus le journal de Bobby.

– Tout baigne ? demanda Spader.

– Oh, oui. Ça baigne. Ça flotte. Ça nage. Comme tu voudras, répondit gaiement Mark.

– Je peux conduire ? demanda Courtney.

Mark n'en croyait pas ses oreilles. Quelle audace ! Quoique, c'était Courtney toute crachée.

– Si tu veux ! répondit Spader. Viens par là.

Les commandes du skimmer évoquaient un guidon de moto, sauf qu'il fallait piloter debout. Courtney s'empara des poignées avec l'assurance d'un aquanier confirmé. Spader se mit derrière elle et lui montra comment accélérer et faire virer son engin.

– C'est facile, non ? dit-il.

– On ne peut plus facile. Assez parlé. Allons-y !

Mark se cramponna au rebord de l'appareil. Il avait confiance en l'expérience de Spader, mais n'était pas sûr que Courtney soit si douée. Spader actionna une manette, et le skimmer se mit à ronronner. Les pontons s'abaissèrent lentement dans l'eau. Lorsqu'ils eurent disparu sous la surface, Spader dit :

– À toi de jouer.

Inutile de lui dire deux fois.

– Yahoooouuuu ! cria Courtney en essorant la poignée.

Le skimmer bondit si brutalement que Mark fut projeté en arrière, bien qu'il se cramponnât fermement. Spader lui indiqua la bonne direction, et les voilà partis sur les vagues paresseuses.

– C'est vraiment le pied ! s'écria Courtney, radieuse.

Spader passa la majeure partie du voyage assis à côté de Mark, les jambes écartées, très détendu. Mark ne pouvait en dire autant. Il continua de se cramponner au rebord, au cas où. Tous deux regardaient Courtney, les mains sur le guidon, ses longs cheveux bruns flottant au vent, un grand sourire aux lèvres. Mark se dit qu'il y avait bien longtemps qu'il ne l'avait pas vue si heureuse. Il savait qu'ils n'étaient pas là pour s'amuser, mais pour l'instant il n'allait pas s'en plaindre.

En un rien de temps, ils arrivèrent en vue de l'énorme barge qu'était l'habitat agricole de Grallion. C'est là que Spader travaillait au sein d'une équipe d'aquaniers qui s'assuraient du bon fonctionnement de la ville flottante. Spader mit le skimmer à quai et les mena le long de la passerelle, puis ils montèrent un escalier pour aborder la surface de l'énorme barge. Là, le spectacle qui attendait Mark et Courtney les laissa sans voix. Ils virent des hectares entiers de champs luxuriants. Ils savaient que, à l'exception de la cité de Faar, Cloral était entièrement recouverte d'eau. Toutes leurs provisions venaient de barges semblables à Grallion ou de fermes sous-marines s'étendant sur tout le territoire. Celles-là même que Saint Dane avait cherché à empoisonner. Se retrouver là, face à l'une de ces fermes en sachant qu'elles avaient bien failli être détruites – et Cloral avec elles – les ramena à la réalité. Ils étaient là parce que Saint Dane avait introduit ce même poison sur Eelong.

Ils gagnèrent le petit appartement de l'aquanier, situé en bordure de la ville, avec vue sur l'océan.

– Faites comme chez vous, les amis, dit gaiement Spader.

Tout l'ameublement était fait d'une sorte de plastique moulé. Il n'y avait pas de coussins, mais les fauteuils étaient bien assez confortables.

– J'espère que vous avez faim. J'ai préparé des poissons cooger.

– Et des sniggers ? demanda Mark.

– Aussi, fit Spader avec un petit rire.

– J'ai l'estomac dans les talons, dit Courtney.

Depuis leur départ de Seconde Terre, ils n'avaient pas vraiment eu le temps d'y penser. Mais maintenant qu'ils étaient au calme, ils ne cracheraient pas sur un bon repas. Spader leur servit des assiettes remplies de chair de poisson blanche friable. À leur grande surprise, elle était froide, mais néanmoins délicieuse. Spader présenta à Mark un grand verre de snigger rouge foncé. Il but une grande gorgée du liquide glacé et reconnut l'horrible goût amer dont Bobby leur avait parlé. Il ouvrit de grands yeux et faillit s'étrangler.

– Tiens le choc ! fit Spader en riant.

Mark garda ce liquide infâme dans sa bouche. Un instant plus tard, il fut récompensé par un goût délicieux, sucré au relent de noisette, qui resta dans sa bouche bien après qu'il eut avalé.

– Formidable ! dit-il avec un grand sourire.

Tous trois éclatèrent de rire et finirent leur repas. Pour Mark et Courtney, ce voyage était un rêve devenu réalité, mais ils gardaient tous dans un coin de leur esprit la vraie raison de leur présence ici. Ce n'était pas pour faire du skimmer ou siroter des boissons exotiques.

– J'ai quelque chose à tirer au clair, fit Spader, soudain très sérieux. Tu as lu les journaux de Pendragon, tu sais donc ce qu'il pense de moi.

– Qu'est-ce que tu veux dire ? demanda Courtney. Il a écrit que tu étais un de ses meilleurs amis.

– Et ce n'est pas peu dire, s'empressa de reprendre Mark. Je connais Bobby. On est amis depuis toujours, ou presque.

Il tenait à établir d'office sa place dans la hiérarchie.

– Pendragon est comme un frère pour moi, reprit Spader. Mais j'ai bien peur qu'après ce qui s'est passé en Seconde Terre, il n'ait plus confiance en moi.

Mark et Courtney savaient ce qu'il voulait dire. Saint Dane avait tué le père de Spader, et celui-ci voulait le venger. Il était même assoiffé de vengeance. Sa haine du Voyageur démoniaque était si intense qu'elle lui tournait parfois la tête. En Première Terre, elle l'avait aveuglé au point qu'il avait refusé d'écouter Bobby et Gunny, et avait bien failli provoquer une catastrophe qui aurait signé l'arrêt de mort des trois territoires terrestres. Après cela, Bobby lui avait demandé de rentrer sur Cloral en attendant qu'il soit capable de maîtriser sa colère.

– Dis-nous franchement, reprit Courtney, Bobby avait-il raison ? Je veux dire, en te demandant de retourner chez toi ?

Mark lui décocha un bref coup d'œil. Comment pouvait-elle poser une telle question à quelqu'un qu'ils connaissaient à peine ? Spader réfléchit quelques secondes avant de répondre :

– Oui, finit-il par dire. C'est vrai que j'ai vraiment débloqué. Même si ce n'est pas facile de rentrer chez soi et de se comporter comme s'il ne s'était rien passé. Mais je l'ai fait, comme me l'a demandé Pendragon. J'espère avoir un peu mûri en cours de route. Mais je suis un Voyageur. Je ne vous mentirai pas : je ronge mon frein en attendant le jour où je pourrai enfin sauter dans un flume et reprendre le combat.

– Je crois que ce jour est venu, dit Courtney.

Spader ne put s'empêcher de sourire.

– Depuis le temps que j'attends ça ! Quoi que veuille Pendragon, je suis là.

Mark et Courtney échangèrent un regard nerveux.

– Eh bien, dit Courtney, ce n'est pas tout à fait ça. Bobby ne sait pas qu'on est ici.

Spader cligna des yeux une fois, puis une seconde, comme s'il n'y comprenait rien.

– Je ne te suis pas. Ce n'est pas Pendragon qui vous envoie ?

– C'est pire que ça, reprit Mark. S'il savait qu'on est là, il ne serait pas content du tout. Il pense que les Acolytes ne doivent pas emprunter les flumes. Que, d'une certaine façon, cela peut jouer en faveur de Saint Dane.

– Mais il peut se tromper, s'empressa d'ajouter Courtney. Saint Dane peut lui avoir mis cette idée dans la tête.

– Et si nous avons couru le risque de venir, c'est parce qu'Eelong est menacé et qu'on est les seuls à savoir ce qui se passe vraiment, expliqua Mark.

– Nous en avons parlé au Voyageur d'Eelong, reprit Courtney. Il s'appelait Seegen. Mais il est mort. Avant son décès, il nous a donné des informations qu'il nous faut transmettre.

Le regard de Spader ne cessait de passer de l'un à l'autre. Visiblement, il avait du mal à comprendre. Finalement, il n'y tint plus et sauta sur ses pieds :

– Arrêtez ! s'écria-t-il. C'est un peu trop rapide pour moi. Si je comprends bien, Pendragon vous a dit de ne pas prendre les flumes, mais vous l'avez fait quand même à cause des informations qu'un autre Voyageur vous a confiées ?

– Oui, acquiesça Courtney. Mais ce n'est pas tout. Ce même Voyageur est mort sous nos yeux. Tué par le poison de Cloral.

– On sait qu'on n'est pas censé transférer des objets d'un territoire sur un autre, ajouta Mark, mais on dirait que Saint Dane, lui, ne s'est pas gêné. Il a trouvé un moyen d'importer sur Eelong le poison qui a failli dévaster Cloral.

Spader se mit à faire les cent pas.

– Ce n'est pas bon, les amis, dit-il d'un ton soucieux. Maintenir la séparation entre les territoires est presque aussi important que d'arrêter Saint Dane. Ce sont des mondes différents à des époques différentes. S'ils commencent à se chevaucher, ce serait le plus grand tourne-boule qu'on puisse imaginer. Enfin, c'est ce qu'on m'a raconté.

– Mais Saint Dane ne respecte pas les règles, argumenta Courtney.

– Vous en êtes sûrs ?

Mark s'empara du sac étanche contenant le dernier journal de Bobby et sortit l'autre sac en plastique contenant l'échantillon de fourrure de Seegen.

– Voici un morceau de fourrure prélevé dans la bouche de Seegen, dit Mark. Porte-le à tes ingénieurs agronomes. Je suis sûr qu'ils peuvent l'analyser et découvrir s'il s'agit du même poison.

Spader le regarda, stupéfait :

– Seegen avait de la fourrure dans sa bouche ?

– Les êtres d'Eelong sont des espèces de grands félins, répondit Courtney. Des chats. Mais peut-être qu'il n'y en a pas sur Cloral ?

Spader la regarda en cherchant à comprendre ce qu'elle lui disait exactement.

– Désolé, les amis, mais cette histoire me met mal à l'aise. Je suis déjà mal vu de Pendragon. Si je vous aide, il peut ne plus jamais vouloir me faire confiance. Et si vous repreniez le flume ? Vous pourriez rentrer chez vous avant que Pendragon s'aperçoive que…

– Non ! s'exclama Courtney en se levant à son tour. Seegen est mort avant d'avoir pu prévenir Bobby ! lui cracha-t-elle au visage. Mais il nous a prévenus, *nous*. On est les seuls à savoir ce qui se passe. Si on ne fait rien, Eelong est fichu. Tu t'inquiètes de la confiance de Bobby ? D'après toi, que pensera-t-il lorsqu'il verra Saint Dane détruire un autre territoire et qu'il découvrira que tu n'as rien fait pour l'en empêcher ?

Spader et Courtney se tenaient face à face, et leurs nez se touchaient presque. Ni l'un, ni l'autre ne sourcilla. Mark les regarda tour à tour sans trop savoir que dire.

– Pendragon avait raison, finit par déclarer Spader. Tu as un sacré caractère.

– Et tu n'as encore rien vu, rétorqua Courtney. Tu vas nous aider, oui ou non ?

Spader tint bon :

– Jetons un œil à ce journal, Mark, dit-il sans quitter Courtney des yeux. J'aimerais bien découvrir ce monde de chats que vous appelez Eelong.

Journal n° 17

EELONG

J'ai perdu toute notion du temps. Depuis combien de temps suis-je sur Eelong ? Des jours ? Des semaines ? Des mois peut-être. Je n'en sais rien. Ai-je passé la date de mon anniversaire ? Est-ce que j'ai désormais seize ans ? Qui peut le dire ? Pour moi, ça ne signifie plus rien. Désolé d'être si lugubre, mais depuis mon dernier journal, la situation ne s'est guère améliorée. Il m'est arrivé des trucs que je ne souhaiterais pas à mon pire ennemi. Enfin, si, peut-être à Saint Dane, mais c'est bien la seule exception.

Maintenant que j'ai pu manger un morceau et prendre un peu de repos, je recommence à me sentir humain. Quoique, sur Eelong, ce n'est pas forcément une bonne chose. Demain, nous entreprendrons un voyage qui, je l'espère, nous fournira quelques réponses, ainsi qu'un moyen de déjouer le plan démentiel de Saint Dane pour exterminer les gars. Et si ce voyage aboutit, j'aurai de bonnes chances de retrouver Gunny. J'espère qu'il est encore en vie. Comme on ne part que demain matin, cela me laisse le temps d'écrire ce journal. Revenons en arrière pour passer en revue tout ce qui s'est passé depuis la dernière fois que je vous ai écrit. C'est le moment ou jamais.

Je vous avais laissé au moment où je revenais sur Eelong après vous avoir rendu visite en Seconde Terre. Je me suis retrouvé à l'embouchure du flume, et j'avais en face de moi un félin noir nommé Kasha.

– Tu n'es pas comme je me l'imaginais, a-t-elle dit d'un air suffisant.

Elle m'a toisé de bas en haut. Pourvu qu'elle ne me trouve pas appétissant.

– Vraiment ? ai-je demandé sur le ton le plus naturel possible. À quoi tu t'attendais ?

– Je ne sais pas. À quelqu'un de plus… intéressant.

Merci bien. J'aurais pu monter sur mes grands chevaux, mais je devais faire attention. Kasha était peut-être la fille d'un Voyageur, mais je l'avais vue à l'œuvre face à ce tang. Elle était intraitable, intrépide… et carnivore. Je n'ai pas relevé l'insulte.

– Où est mon père ? a-t-elle demandé.

– Bonne question, ai-je rétorqué. Je ne l'ai toujours pas rencontré.

– N'es-tu pas le chef de ces soi-disant… Voyageurs ? feula-t-elle en faisant un pas en avant. Tu devrais savoir tout ça, non ?

J'ai eu un geste de recul. Je n'ai pu m'en empêcher. Je n'avais encore jamais été menacé par un félin mangeur d'homme. Kasha a penché la tête sur le côté.

– Je te fais peur ?

Je ne voulais pas lui montrer à quel point j'étais faible et terrifié, même si c'était la stricte vérité.

– Sur Eelong, je suis un gar, ai-je dit en tentant d'empêcher ma voix de trembler. Mais viens donc faire un tour sur ma planète natale. Tu verras, tout y est différent.

À vrai dire, ça ne l'était pas tant que ça. J'aurais tout aussi peur d'elle en Seconde Terre. Mais il fallait bien que je sauve les meubles.

Kasha a fait un second pas dans ma direction. Cette fois-ci, je n'ai pas reculé, mais je n'en avais pas moins peur pour autant. Elle a approché son museau de mon visage et m'a toisé. Je n'ai pas cillé.

– S'il est arrivé quelque chose à mon père à cause de votre petit jeu idiot… je te mettrai en pièces de mes mains, grogna-t-elle.

Oups.

– Ce n'est pas un jeu, ai-je rétorqué, et tu insultes ton père en le rabaissant ainsi.

Elle a plissé les yeux comme un tigre. Si j'avais mal calculé mon coup, j'allais finir en steak tartare. Mais que pouvais-je dire d'autre ? Elle venait de dénigrer tous les efforts que nous autres Voyageurs déployons pour sauver la peau de gens comme elle. Ou leur fourrure, dans ce cas précis.

– Tu crois vraiment que c'est un jeu ? ai-je repris. Alors regarde.

J'ai levé le sac crasseux que j'avais ramené de Seconde Terre, et qui contenait le cadeau macabre de Saint Dane.

– Hé, qu'est-ce qu'il y a là-dedans ? fit une voix amicale.

C'était Boon. Le chat brun s'est approché derrière Kasha pour se tenir à ses côtés.

– Tu as retrouvé Saint Dane ? m'a-t-il demandé.

– Pas tout à fait. Mais il a donné ce sac à mes Acolytes. Un petit exemple de ce dont il est capable.

J'ai tendu le sac à Boon. Il l'a ouvert et en a tiré la main de Gunny. Je m'attendais à ce que Kasha et lui prennent un air dégoûté, mais apparemment, pour eux, il n'y avait pas de quoi faire tout un plat. J'imagine que, sur un monde aussi sauvage qu'Eelong, un membre tranché n'a rien d'inhabituel. Moi, par contre, j'ai dû me détourner. Cette vision me donnait envie de pleurer.

– Elle porte un anneau de Voyageur, a remarqué Boon.

– Retire-le pour moi, s'il te plaît, lui ai-je demandé.

Ce qu'il a fait, et il me l'a tendu. Je l'ai accroché autour de mon cou avec mon propre anneau.

– C'est la main de ce grand gar noir ? a demandé Boon. Celui que tu appelles Gunny ?

– Oui. (Je me suis tourné vers Kasha.) Tu penses toujours que c'est un jeu ?

Elle n'a pas répondu. Une main coupée ne lui faisait ni chaud ni froid. Vous parlez d'un cynisme.

– Tu veux bien l'enterrer ? ai-je demandé à Boon.

– Il faudra la brûler, a-t-il répondu. C'est ce qu'on fait chez nous. On ne veut pas qu'un tang la déterre et…

Il n'a pas terminé sa phrase, mais je voyais ce qu'il voulait dire. Avec révérence, il a remis la main dans le sac.

– Jette-la ! ordonna Kasha. Ce n'est qu'un gar.

– Mais aussi un Voyageur, argua Boon. Il mérite mieux que ça.

– Merci.

Ce chat commençait à me plaire vraiment. Kasha m'a jeté un regard noir. Je n'ai pas cillé.

– Maintenant, a-t-elle dit subitement, tu vas venir avec moi. Demain, nous irons chercher mon père.

– Parfait, ai-je répondu. C'est exactement ce que j'ai envie de faire.

Kasha s'est détournée, irritée. Apparemment, elle n'aimait pas voir un gar lui tenir tête.

– Pourquoi tu ne m'as pas dit que Seegen avait disparu ? ai-je demandé à Boon.

– Je ne savais pas ! s'est-il défendu. La dernière fois que je l'ai vu, il quittait Lyandra avec Yorn.

– Yorn ? Qui est-ce ?

– L'Acolyte de Seegen. Tu crois qu'ils ont des ennuis ?

– Comment veux-tu que je le sache ? Je suis nouveau dans ce monde.

– C'est vrai, pardon.

Avant de quitter le flume, j'ai ramassé une autre paire de sandales dans la pile de vêtements. J'ai pris tout mon temps pour les essayer, faisant attendre Kasha et Boon. Kasha n'avait pas l'air contente, ce qui me convenait plutôt. C'était mesquin, je sais, mais autant profiter du peu de pouvoir que j'avais. Une fois dehors, j'ai constaté que le cheval zenzen n'était plus là. On a donc grimpé aux cordes pour emprunter les ponts aériens menant à Lyandra.

– Quand as-tu vu ton père pour la dernière fois ? ai-je demandé à Kasha en cours de route.

– Il y a trois jours, a-t-elle répondu d'un ton glacial.

– Qu'est-ce qui te fait croire qu'il a disparu ?

– Parce qu'on était censés se retrouver ce matin, à mon retour d'incursion. Or il n'est pas venu. Ça ne lui ressemble guère.

Ses réponses étaient sèches. J'ai eu l'impression qu'elle n'aimait pas les interrogatoires, mais tant pis. L'affaire était trop importante pour que je veuille ménager sa susceptibilité.

– C'est quoi, une incursion ? ai-je demandé.

– C'est mon travail.

– À moi aussi, a ajouté Boon avec un peu plus d'enthousiasme. On sillonne en meute le sol de la jungle pour chasser, ramasser des fruits ou couper des arbres afin d'obtenir des matériaux de construction, ou tout ce dont on peut avoir besoin à Lyandra. C'est un boulot dangereux et très important.

– Que sais-tu des Voyageurs ? ai-je demandé à Kasha.

C'était une question de trop. Kasha s'est arrêtée net et tournée vers moi en grondant d'un air menaçant. Ses yeux brûlaient de colère.

– Je vais te dire ce que je sais, *gar*. (Elle a craché ce dernier mot comme s'il lui laissait un goût amer dans la bouche, ou la gueule, au choix.) Mon père était un visionnaire qui a érigé des villes entières. Maintenant, ce n'est plus qu'un vieux klee débile qui raconte des contes de fées dans lesquels des animaux voyagent dans le temps pour combattre un gar maléfique. Et d'après lui, c'est très dangereux. Tu veux savoir ce que c'est que le vrai danger ? Accompagne-nous à notre prochaine incursion. J'aimerais bien te voir combattre un tang furieux. Ensuite, tu me diras que tu as encore plus peur d'un gar nommé Saint Dane.

Et elle a grogné, maîtrisant à grand-peine sa colère. J'imagine qu'il valait mieux ne pas discuter, ou elle m'aurait arraché la tête. Je suis resté très calme :

– S'il ne raconte que des sornettes, comment se fait-il que je me trouve là, devant toi ?

Ce qui n'a fait qu'attiser sa colère.

– Tu n'es qu'un monstre, un phénomène de foire. Lorsqu'on aura retrouvé mon père, je le lui prouverai.

Et elle s'est remise en marche. Boon a haussé les épaules et l'a suivi. Décidément, on partait d'un mauvais pied. Je ne savais que penser de Kasha. S'il arrivait quelque chose à Seegen, ce serait elle la Voyageuse d'Eelong. Voilà qui ne me disait rien qui vaille. Et en plus, elle m'en tiendrait responsable. Ce qui me disait encore moins. Il me restait à espérer que Seegen réapparaisse et que Kasha ne soit qu'un inconvénient mineur.

Vraiment, pourvu qu'on retrouve Seegen à Lyandra !

Journal n° 17
(suite)

EELONG

Lorsqu'on est arrivés au portail de Lyandra, la bande solaire s'était couchée. La nuit était tombée sur Eelong. À travers l'épais feuillage, j'ai vu des étoiles. Il y avait des lucioles partout, comme en Seconde Terre. Elles s'allumaient quelques secondes, puis s'éteignaient. Mais contrairement à leurs équivalents de Seconde Terre, celles-ci étaient de toutes les couleurs imaginables. Rouge, vert, violet, bleu et même jaune, comme chez nous. C'était stupéfiant. Alors que j'admirais le spectacle, Boon s'est planté devant moi et m'a jeté un regard penaud. Je savais où il voulait en venir. J'ai tendu les poignets.

– Merci, Pendragon, a-t-il dit d'un air soulagé tout en passant une laisse autour de mes mains.

Ça ne m'enchantait guère, mais c'était plus sûr. Kasha s'est arrêtée juste le temps nécessaire. Quand nous sommes entrés dans la ville, elle a tenu à rester loin en avant. Elle refusait à ce qu'on la voie en compagnie d'un gar. On l'a suivie le long de plusieurs ponts aériens et on a aussi emprunté quelques ascenseurs avant d'atteindre notre destination... chez Kasha.

Elle vivait au cœur d'un grand arbre évidé, mais contrairement aux autres, celui-ci était pourvu de cloisons formant des pièces séparées. D'abord, on est entrés dans la salle principale, avec une table et des chaises pour les repas, de grands bancs en guise de meubles et même des sculptures faites de branches entremêlées accrochées aux murs. Incroyable. Ce chat possédait des œuvres d'art ! Une porte en arche donnait sur un balcon doté d'un grand four. Kasha ne m'a pas fait faire le tour du propriétaire. Je crois qu'elle aurait préféré m'envoyer au diable. Comme si j'allais salir ses tapis.

– Les gars dorment à l'arrière, dans l'enclos, a-t-elle dit froidement.

– Ce n'est pas un gar ordinaire, a râlé Boon. Tu ne peux pas le faire…

– Si, je peux, rétorqua-t-elle. Il dort dans l'enclos, ou au sol, avec les tangs.

– Non ! a insisté Boon.

Kasha lui a décoché un regard furieux, comme si elle n'avait pas l'habitude qu'on la contredise. Boon ne renonça qu'à moitié.

– Désolé, Kasha, a-t-il continué d'un air penaud. Même si tu n'es pas d'accord avec ton père, Pendragon est un Voyageur. Il faut le traiter avec respect. C'est ce que voudrait Seegen.

Kasha est restée là, à me dévisager. Elle avait horreur de devoir se comporter en civilisée avec un gar inculte.

– Très bien, a-t-elle fini par dire. Boon, fais-nous la cuisine. Je m'occupe du ménage.

Elle est passée dans une autre pièce, nous laissant seuls, Boon et moi.

– Viens, dit-il. Je vais préparer quelque chose.

Il m'a retiré mes liens et m'a précédé dans la cuisine pour préparer le dîner. Je n'avais encore jamais mangé de nourriture pour chats, même si je doutais fort qu'il se contente d'ouvrir un paquet de croquettes. D'un autre côté, j'avais si faim que j'aurais dévoré n'importe quoi. Il a fouillé dans une boîte posée à même le sol qui servait de réfrigérateur. Il en a tiré trois oiseaux qui ressemblaient à des poulets, déjà plumés, comme s'ils venaient du supermarché.

– Tu manges de la viande, non ? m'a-t-il demandé.

– Ça dépend, ai-je répondu.

– De quoi ?

– Si tu comptes la faire cuire ou pas.

À mon grand soulagement, Boon a éclaté de rire.

– Bien sûr ! On n'est pas des bêtes !

Ben voyons.

Boon a entrepris de faire cuire les poulets, ou quel que soit le nom qu'on leur donne ici, sur une rôtissoire évoquant celle de Garden Poultry chez nous, à Stony Brook. Un lit de braise chauffait les bêtes lentement et de tous côtés. Lorsque l'odeur a frappé mes narines, je me suis mis à saliver. Des poulets au barbecue ! Il ne manquait plus qu'un cornet de frites. Pendant que notre repas cuisait, j'en ai profité pour interroger Boon sur Kasha.

– Pourquoi est-elle toujours furieuse ?

– Elle vénère son père, a-t-il répondu. C'est un héros. Il a contribué à construire Lyandra à partir de rien, et qui plus est, il lui a fallu repousser les tangs pour y parvenir. Seegen lui a appris tout ce qu'elle sait. Quand il s'est mis à parler de Voyageurs, de gars intelligents et de territoires différents, ça a détruit l'image qu'elle avait de lui. À ses yeux, il avait perdu la tête. Et puis il lui a expliqué qu'à sa mort, elle prendrait sa place. Là, ç'a été la goutte qui fait déborder le vase. Ensuite, elle n'a même plus voulu lui adresser la parole. Ce que tu dois comprendre, c'est que Kasha est formidable. Elle est courageuse, attentionnée et ferait tout pour venir en aide à un ami. Mais elle est aussi têtue. Elle a sa vision des choses, et c'est assez dur de lui faire changer d'avis.

– Mais toi, tu crois en ce que dit Seegen ?

– J'ai un peu plus d'imagination qu'elle, a répondu Boon. Et puis, je suis là et toi aussi, non ? Seegen a dit que tu viendrais, et te voilà.

– Et sa mère ? ai-je demandé. Celle de Kasha, je veux dire.

– Elle a été tuée lors d'un assaut des tangs, a-t-il répondu. Je crois que c'est pour ça qu'elle s'est portée volontaire pour les incursions. Elle aime affronter les tangs. À chaque fois qu'elle en tue un, je suis sûr qu'elle pense à sa mère.

Boon s'est tu : Kasha entrait dans la cuisine.

– C'est prêt ? a-t-elle demandé.

– C'est prêt ! a répondu Boon.

Les trois oiseaux étaient tout croquants et semblaient délicieux. Boon les a retirés de leur brochette pour les amener à l'intérieur, et on s'est installés autour de la table. Kasha m'a jeté un regard noir. Ce devait être dur pour elle d'avoir un gar pouilleux à sa table. Oui, eh bien tant pis pour elle. Je me suis assis poliment et ai attendu que Boon nous serve. Il a déposé un poulet en face de chacun d'entre nous. Et c'est tout. Pas de couteau, pas de fourchette. Pas d'assiette non plus. J'espérais presque un accompagnement de légumes, mais il ne faut pas trop demander. Je me contenterais des poulets. J'ai arraché une patte et mordu dedans. Oh, comme c'était bon ! Ça avait un goût… ben, de poulet. Pas de surprise. Mais ç'aurait pu avoir un goût de semelle, je m'en serais contenté. Je me suis mis à dévorer, mais pas avec la même avidité que Boon et Kasha. Ils ont mis trente secondes pour venir à bout de leurs parts – os compris. J'avais à peine fini ma patte qu'ils étaient déjà en train de se lécher les griffes en lorgnant mon poulet du coin de l'œil. Aussi affamé que j'étais, je ne risquais pas d'en venir à bout. J'ai arraché l'autre patte, ai pris un peu de viande du bréchet et ai demandé :

– Vous voulez finir ça ?

En guise de réponse, Boon s'est empressé de le saisir, l'a déchiré en deux et en a tendu une part à Kasha. Ces chats étaient civilisés, mais mangeaient comme des bêtes. Pour parachever cette drôle de scène, j'ai entendu un bruit bizarre. On aurait dit un moteur, sauf qu'il n'y avait rien dans la pièce qui puisse le produire. C'est alors que j'ai compris. Ce son provenait de Kasha et Boon. Ils ronronnaient. Dément, non ?

J'ai fini mon repas délicieux et ai cherché des yeux une serviette pour m'essuyer les mains, mais j'ai compris que c'était idiot. J'ai donc fait comme mes hôtes et me suis léché les doigts. Pourquoi pas ? Je ne l'aurais jamais fait chez moi, mais après tout, dans la Rome antique… Lorsque j'ai fini, j'ai constaté que mon assiette était vide. Les chats avaient pris et dévoré les os. Ne pas oublier : dans le coin, il vaut mieux se dépêcher de se restaurer si on ne veut pas mourir de faim.

– Il se fait tard, a annoncé Kasha. J'ai besoin de repos. Demain, nous irons chez mon père. Sois prêt à partir tôt.

– Où vais-je dormir ? ai-je demandé en espérant qu'elle ne m'envoie pas dans l'enclos.

Elle a jeté un coup d'œil à Boon et craché :

– Ici même.

Ça lui arrachait les tripes d'accueillir un animal sous son toit. Ouais, eh bien grand bien lui fasse.

– Je vais te chercher une couverture, a ajouté Boon.

– Il me faudrait de quoi écrire, ai-je ajouté.

C'était le moment de tenir à jour mon journal.

Kasha m'a regardé comme s'il venait de me pousser des antennes sur la tête.

– Tu sais écrire ? a-t-elle demandé sans cacher sa surprise.

– Parfaitement, aussi bizarre que ça puisse paraître, ai-je répondu d'un ton hautain. Et je sais compter, aussi. Tu veux une démonstration ?

– Je vais te chercher tout ça, s'empressa de dire Boon pour éviter le pire.

Kasha s'est retirée sans dire bonne nuit. Boon m'a apporté une couverture rugueuse, des pages de parchemin blanches et un crayon. Ou plutôt un stylo, avec un réservoir d'encre à l'intérieur. Je me passerais d'encrier. Eelong était vraiment un drôle d'endroit. Plutôt sauvage en apparence, mais avec des traces de modernité.

– Je reviens demain matin, a dit Boon.

– Hé là ! Tu ne restes pas ? Et si Kasha décide de me trancher la gorge pendant la nuit ?

Boon a eu un petit rire.

– Ne t'en fais pas. Elle n'aime pas qu'on lui dise que faire, mais elle est loyale.

– Bon, je devrai te croire sur parole.

Quelque chose m'a dit que j'aurais le sommeil léger.

– Alors demain, on se lance à la poursuite de Saint Dane ? s'est écrié Boon, enthousiaste, comme s'il parlait d'une visite à Disneyland.

– Chaque chose en son temps, ai-je répondu. D'abord, on retrouve Seegen et Gunny.

– C'est vrai ! Bonne nuit, Pendragon.

Il s'est mis à quatre pattes, a sauté dans l'entrée et a disparu dans la nuit.

Je me suis assis sur un long canapé avec une couverture confortable. Bon, ce n'était pas un pullman, mais je m'en contenterais. J'ai passé plusieurs heures à rédiger le journal n° 16, celui que vous avez déjà lu. Quand j'en ai eu terminé, j'avais du mal à garder les yeux ouverts. J'ai roulé les pages, vous les ai envoyées à l'aide de mon anneau, puis me suis allongé. Durant les quelques secondes avant que je ne m'endorme, j'ai repensé à la journée incroyable que je venais de vivre. Ce matin, je m'étais réveillé sur Veelox, dans un manoir, après une nuit passée dans un lit confortable. Et à la fin de la journée, je me retrouvais sous une couverture rugueuse, dans une maison creusée à même un arbre, entouré de prédateurs félins disposés à passer une loi qui leur permettrait de chasser les humains.

Vous parlez d'une vie !

J'aurais voulu ne dormir que d'un œil, mais mon corps n'était pas d'accord. Je me suis endormi comme une souche. Puis j'ai rêvé qu'un chat me traquait. Ce n'était pas vraiment surprenant, en fait, sauf que ce rêve semblait bien réel… Si réel que je me suis réveillé en sursaut. Un instant, je me suis demandé où je me trouvais, puis tout m'est revenu d'un coup. C'est là que j'ai compris que mon rêve n'en était pas un. J'ai lentement ouvert les yeux pour voir un grand chat gris ramper vers moi, l'échine basse, prêt à bondir. En une fraction de seconde, j'étais totalement réveillé. J'étais sans défense. J'ai vite vu quel était mon seul espoir.

– Kasha ! ai-je hurlé.

J'ai roulé au bas du canapé et ai rampé dessous en tenant ma couverture devant moi – une protection illusoire en attendant que Kasha vienne à mon secours… si elle s'en donnait la peine.

Elle s'en est donné la peine. Elle a jailli dans la pièce, prête à l'action.

– Quoi ? a-t-elle feulé.

Le grand chat gris s'est dressé sur ses pattes de derrière :

– Eh bien, Kasha ? Tu laisses des gars dormir chez toi ?

À en juger par sa voix, le nouveau venu semblait vieux. Sa fourrure était plus longue que celle des félins que j'avais croisés et était grise à cause de l'âge. En tout cas, il restait dangereux.

– Où est mon père, Yorn ? grogna Kasha.

– Yorn ? me suis-je exclamé. L'Acolyte ?

Le félin m'a jeté un regard surpris. C'était le moment de prendre le contrôle de la situation.

– Je m'appelle Pendragon. Je cherche Seegen.

– Pendragon ? a répété le vieillard en un hoquet. Mais... tu ne devrais même pas être là !

– Mettons que c'est une surprise, ai-je répondu en sortant de dessous le canapé.

Mon cœur battait toujours la chamade.

– Où est Seegen ? lui ai-je demandé.

Yorn a titubé jusqu'à un banc et s'est assis. J'ignore si c'était parce qu'il était vieux et faible ou si la surprise de me voir ici lui coupait les jambes.

– Il est allé te chercher en Seconde Terre ! a-t-il répondu. Il avait des nouvelles de ce Voyageur que tu recherches. Le gar mutilé.

– Gunny ? ai-je crié.

– Oui, Gunny.

– Où est-il ? Il va bien ?

– Je n'en sais rien, a répondu Yorn. Seegen et lui sont partis en voyage il y a plusieurs jours de ça. Ils n'ont pas voulu me dire où ils allaient. Et Seegen est revenu seul. Pour autant que je sache, Gunny a perdu une main, mais c'est tout. Il a été attaqué par un tang.

Je n'en croyais pas à mes oreilles. Gunny allait bien ! Maintenant, je savais comment il avait été amputé. Mais il avait survécu. C'était tout ce qui comptait.

– Et ce n'est pas tout, Pendragon, a continué Yorn. Saint Dane est là, sur Eelong. Il influence le Conseil des klees pour qu'ils lancent une campagne d'extermination des gars. Seegen est allé en Seconde Terre pour te dire ce qui se passait et te ramener.

– C'est ridicule, a craché Kasha. Où est mon père ?

Yorn et moi nous sommes regardés. Kasha ne comprenait rien à rien. On l'a ignorée.

– Il faut que je retourne au flume, ai-je déclaré. Si Seegen est vraiment en Seconde Terre, il risque gros. Si on voit un grand félin en liberté dans les rues de Stony Brook, il...

– Kasha ! a crié une voix depuis l'entrée.

J'ai vu entrer un groupe de klees menés par celui qu'ils appelaient Durgen. Les mêmes qui accompagnaient Kasha lorsqu'elle avait affronté le tang. Je me suis vite éloigné de Yorn et me suis courbé comme l'animal que j'étais… ou que j'étais censé être.

– Que veux-tu, Durgen ? a demandé Kasha, irritée.

– On part en incursion.

– Non ! a protesté Kasha. Aujourd'hui, on est en congés.

– Plus maintenant.

– Eh bien, je ne peux pas venir avec vous, a répondu Kasha. Mon père peut être en danger, et Yorn a besoin de moi pour…

– Je suis sûr que ce vieux klee pourra s'en sortir tout seul, a interrompu Durgen. C'est un ordre, Kasha.

Yorn m'a regardé, mais n'a rien dit. Kasha s'est dirigée vers la porte.

– D'accord. Ne traînons pas en chemin, si tu veux bien ?

– Et le gar ? a demandé Durgen. Tu ne peux pas le laisser seul.

– Je m'occupe de lui, a proposé Yorn.

– Ben voyons.

Le grand chat m'a pris par la peau du cou et m'a relevé de force. Je me sentais aussi impuissant qu'un chaton, ce qui, étant donné les circonstances, était un comble.

– Après l'attaque d'hier, il nous manque quelques gars. Celui-ci peut nous servir. On se dirige vers le sud.

– Le sud ? a répété Kasha, surprise. Cela fait des mois qu'il n'y a pas d'incursions dans ce secteur.

– Tout à fait, a acquiescé Durgen. Il y a là des hectares de fruits mûrs prêts à être cueilli.

– Oui, mais c'est dangereux, a rétorqué Kasha. Le sud est infesté de tangs.

– Voilà pourquoi on a besoin d'un maximum de gars, a répondu le grand chat. On risque d'en perdre quelques-uns en cours de route. (Il a regardé Kasha droit dans les yeux.) Depuis quand as-tu peur d'une poignée de tangs ?

Kasha s'est raidie.

– Qui a dit que j'avais peur ? Allons-y.

Durgen m'a poussé vers la porte. J'ai trébuché, mais Kasha m'a rattrapé avant que je puisse tomber. J'ai jeté un bref coup d'œil à Yorn : le vieux klee semblait inquiet. Bienvenue au club. J'avais vu ce qui pouvait arriver aux gars au cours d'une incursion. À présent, j'allais en faire personnellement l'expérience.

Journal n° 17
(suite)

EELONG

Jusque-là, mon séjour sur Eelong avait été un cauchemar. Et ce n'était qu'un début. Le plan de Saint Dane était désormais évident. Il allait plonger Eelong dans le chaos en diminuant le nombre des gars, ce qui bouleverserait la chaîne alimentaire et entraînerait la destruction des klees. Mon plan à moi était tout aussi clair. Je devais voir Seegen, le Voyageur d'Eelong, pour qu'il m'aide à retrouver Gunny. Ensuite, à nous trois, nous tenterions de contrecarrer Saint Dane. Ce qui ne serait pas de la tarte. Et pourtant, je ne pouvais même pas me consacrer entièrement à ma tâche, parce que je m'étais laissé embarquer dans une mission-suicide : servir d'appât à tangs pour une bande de chats afin d'éviter qu'ils se fassent attaquer en cueillant des fruits. Complètement idiot, non ? Le futur du territoire tout entier était en jeu, et je devais aller en vadrouille dans une zone dangereuse.

Je commençais vraiment à détester Eelong.

On était à l'aube. Le ciel s'éclaircissait. La bande de soleil ne tarderait pas à apparaître à l'horizon. L'équipe a emmené la petite troupe de gars – moi compris – jusqu'à l'enclos où ils gardaient les chevaux zenzen. En tout, nous étions cinq félins et trois gars... plus moi. Ils ont entravé mes mains et m'ont enchaîné aux autres pour qu'on marche en ligne comme les détenus dans les films de prison. Je ne sais pas pourquoi ils prenaient cette peine : les gars n'avaient pas l'air de vouloir s'échapper. J'étais le seul qui aurait nettement préféré être ailleurs. Kasha marchait devant avec les autres klees. De temps en temps, elle me jetait un coup d'œil. Peut-être me fais-je des idées, mais j'ai cru lire un brin de compassion dans son regard. Ou de l'inquiétude, peut-être. Je n'étais pas prêt, et elle le savait. D'un autre côté, peut-être y voyait-elle un moyen de se débarrasser de moi vite fait, bien fait. Quoi qu'il en soit, cette journée ne me disait rien qui vaille.

En arrivant à l'enclos, j'ai vu venir vers nous un grand wagon aux larges roues de bois tiré par deux zenzens. Assis à l'avant, Boon tenait les rênes. À l'arrière étaient parqués une douzaine d'autres gars qui avaient l'air aussi content d'être là que moi-même. Boon a arrêté le wagon et crié joyeusement :

– Bonjour tout le monde ! (Il m'a repéré, et son sourire s'est effacé.) Ah, non, pas celui-là. Il est trop nul.

J'ai fait de mon mieux pour avoir l'air d'un bon à rien.

– Qu'est-ce qu'il a ? a demandé Durden.

– Il a été malade, a répondu Kasha. Il est encore affaibli. Il ne pourra jamais récolter son poids.

Oh. Kasha aussi prenait ma défense. Parfait. Au moins, elle était de mon côté. Durgen a touché mes bras de ses pattes. J'ai tenté de me recroqueviller pour avoir l'air faible, mais je ne suis pas un grand acteur. Il m'a levé le menton et a plongé son regard dans mes yeux. Enfin, il m'a saisi les mains pour les examiner.

– Il est un peu mou, s'est-il exclamé, mais il est solide.

Il a lâché mes mains, m'a tourné le dos et s'en est allé. Soudain, il s'est retourné d'un bloc et m'a jeté son arme en bois. Je n'ai pas eu le temps de réfléchir : par pur réflexe, j'ai attrapé le bâton au vol. Grave erreur. Il aurait mieux valu qu'il m'assomme. J'ai jeté un œil à Kasha qui a baissé la tête, déçue.

– En tout cas, ses réflexes sont corrects, a lancé Durgen. Supérieurs à la moyenne, même. Et c'est le plus grand, le plus fort de tous. Même convalescent, il récoltera plus que les autres. Qu'il vienne.

Bon. Tant pis. Les trois gars et moi-même avons été chargés à l'arrière du wagon, où il y avait à peine la place de s'asseoir. Nous étions majoritairement des hommes, mais j'ai aussi vu quelques femmes. Tout le monde était installé à même le dur plancher de bois. Pas vraiment un voyage en première classe. J'ai trouvé un petit espace entre deux gars. J'ai failli demander poliment : « Excusez-moi, je peux m'asseoir là ? » Mais j'ai vite compris que ça ne servirait à rien. Je me suis donc fait une place à coups de coude et me suis installé sans un mot.

– Allons-y ! a crié Durgen.

Boon a fait claquer les rênes, et le wagon s'est ébranlé, tressautant sur le sol de la jungle. J'ai ressenti le moindre cahot jusque dans mes os. Un peu plus tard, l'immense portail s'est ouvert et nous sommes sortis de Lyandra, en partance vers Dieu sait quelles contrées dangereuses. Kasha et Durgen cheminaient devant le chariot, les trois autres klees fermaient la marche. Une fois passée la porte, les félins se sont crispés et ont tiré leurs armes. Leurs yeux ont fouillé les alentours, à l'affût du moindre danger.

Entre la menace des tangs et les cahots, le voyage s'annonçait long. La seule chose qui puisse me remonter le moral était encore de voir ces pauvres bougres qui m'entouraient. L'angoisse. Je me retrouvais coincé en compagnie d'une bande de loqueteux qui baissaient les yeux. Cela n'aurait pas dû m'étonner, et pourtant, j'avais du mal à me faire à l'idée que, même s'ils ressemblaient à des humains, ils ne l'étaient pas. Tenter de tenir une conversation avec eux était comme de vouloir qu'un troupeau de vaches se dresse sur ses pattes de derrière et danse la salsa. Et en plus, ils puaient sec. Ils ne devaient pas avoir pris de bain depuis… le jour de leur naissance, peut-être ?

En cours de route, un des félins a jeté un sac dans le wagon. Les gars ont plongé et l'ont déchiré pour en tirer ce qui ressemblait à des morceaux d'un fruit évoquant une pomme, mais bleu vif. Les gars se les sont arrachés comme si c'était leur dernier repas. Je me suis alors dit que, pour certains d'entre eux, c'était probablement le cas. Pourvu que je n'en fasse pas partie. Je n'ai pas cherché à m'emparer d'un morceau. Je n'avais plus d'appétit.

Ai-je déjà dit qu'Eelong me plaisait de moins en moins ?

On a cheminé pendant une heure environ. De temps en temps, Boon se tournait sur son siège pour voir s'il ne m'était rien arrivé. Je pouvais juste lui décocher un faible sourire… même si j'avais les fesses en compote. Boon répondait d'un hochement de tête.

On a fini par s'extirper de la jungle pour aborder une vaste clairière. D'abord, j'ai cru qu'on était arrivés à la ferme où nous devions cueillir les fruits, mais je me trompais. Oh, c'était bien une ferme. Le chariot se trouvait en bordure d'un grand champ de maïs. Mais au lieu d'épis dorés, il y poussait des fruits bleus semblables à ceux qu'on avait jetés dans le chariot.

Et ce n'était pas tout. Là, au milieu des plantes, gisaient des cadavres de tangs. On aurait dit qu'ils étaient tombés raides, comme ça. Pas que j'éprouve la moindre compassion pour ces monstres, mais c'était assez angoissant.

Durgen a fait un pas en avant pour étudier le carnage. Kasha s'est approchée de lui :

– Que s'est-il passé ?

Durgen semblait troublé.

– On a parlé de récoltes corrompues. Ces tangs ont dû se tromper de ferme.

– Mais comment est-ce possible ? a insisté Kasha. Les fruits étaient trop mûrs ?

– C'est ce que je dirais, a répondu Durgen. Mais quelle qu'en soit la raison, vu la pénurie, ça ne doit pas se reproduire. Raison de plus de ne pas traîner. Allons récolter tout ce qu'on peut.

Le chariot s'est remis en branle. J'ai vu bien d'autres tangs morts. C'était horrible, mais cela m'a donné l'espoir qu'avec tous ces cadavres, leurs congénères ne viendraient pas nous déranger. Quoique, si ces fruits étaient empoisonnés, je n'avais guère envie d'aller les cueillir. Soudain, j'étais content de ne pas avoir touché à ceux qu'on nous avait jetés.

On a vite quitté la ferme pour suivre le chemin qui replongeait dans la jungle. Je ne demandais qu'à m'éloigner du cimetière des tangs.

– La mort, a chuchoté une voix à mes côtés.

J'ai sursauté de surprise. J'ai regardé d'où provenait la voix, mais n'ai vu que des gars regardant le spectacle de leurs grands yeux remplis d'effroi. Puis une autre voix a dit :

– Bientôt.

Je me suis retourné d'un bloc pour me retrouver face à un autre gar.

– Vous pouvez parler ? ai-je murmuré de peur que les klees m'entendent.

Il m'a regardé. Pour la première fois, j'ai vu une lueur d'intelligence dans ses yeux. Il m'a fait un petit sourire.

– Bientôt.

Je n'en revenais pas. Les gars pouvaient parler ! Incroyable. On les traitait comme des animaux, et c'est vrai qu'ils agissaient comme tels, mais ils avaient un langage ! Ils étaient intelligents ! Pourquoi Boon ne me l'avait-il pas dit ? Ou Kasha ? Comment les klees pouvaient-ils traiter les gars comme des bêtes alors qu'ils avaient des facultés intellectuelles ?

J'ai regardé les autres gars et me suis figé sur place. Tous me regardaient avec ce drôle de sourire. Je ne savais pas comment réagir. Ils n'avaient pas l'air dangereux, au contraire. Ils me regardaient avec… affection. Non, je ne plaisante pas. C'est le genre de regard empreint de fierté que vos parents vous jettent lorsque vous jouez un rôle dans une pièce minable au lycée et qu'ils vous voient déjà sur la route des oscars. Je n'avais vu un tel regard qu'une fois – enfin, à part mes parents. C'était dans l'arène de Denduron, lorsqu'un pauvre mineur Milago était sur le point d'être attaqué par un quig[1]. Vous vous souvenez ? Il m'a repéré dans la foule et, même s'il vivait ses derniers instants, il s'est redressé et m'a jeté un regard plein de fierté. À l'époque, ça m'avait vraiment remué, et ce n'était pas mieux aujourd'hui. Qu'est-ce que tous ces gens voyaient en moi ? Savaient-ils que j'étais un Voyageur venu les sauver des griffes de Saint Dane ? C'était impossible… non ?

On m'a doucement tapé sur l'épaule. C'était le premier gar à m'avoir parlé. Il a tendu la main. Dans sa paume, j'ai vu quelque chose que j'ai reconnu. C'était un petit cube d'ambre comme celui que j'avais aperçu à Lyandra. En y regardant de plus près, c'était fait d'une sorte de cristal. Mais l'une des faces était noire. J'ai regardé ce drôle d'objet sans trop savoir quoi faire. Il ne voulait pas que je le prenne, juste me le montrer.

---

1. Voir Pendragon n° 1, *Le Marchand de peur.*

– Qu'est-ce que c'est ? ai-je demandé sans trop savoir s'il comprendrait.

Le gar a penché la tête, comme surpris que j'ignore de quoi il s'agissait.

– L'Eau noire, a dit le gar.

Je n'avais pas la moindre idée de ce qu'il voulait dire. J'avais encore du mal à assimiler le simple fait qu'il puisse parler. C'est alors qu'un autre a dit :

– L'Eau noire.

Lui aussi tenait un de ces petits cubes. J'ai regardé à l'avant du chariot pour voir deux autres gars portant ces mêmes cubes. Chacun les contemplait avec révérence comme s'ils étaient leur bien le plus précieux.

– Bientôt, a répété l'un d'entre eux, et les autres ont acquiescé.

– Bientôt quoi ? ai-je demandé.

– Chez nous, a répondu un autre.

Avant que j'aie pu poser d'autres questions, le chariot s'est arrêté brusquement. Les gars se sont empressés de cacher leurs cubes. De toute évidence, ils ne voulaient pas que les klees les voient. Intéressant. Très intéressant, même. Ce qui me mettait face à un dilemme. Si je voulais savoir ce qu'étaient ces cubes, je devais demander à Boon ou Kasha. Mais si les gars ne voulaient pas que les klees soient au courant, n'allais-je pas trahir leur confiance ? Boon et Kasha étaient de mon côté. Enfin, au moins Boon. Mais ils étaient des klees, et les klees étaient sur le point d'exterminer les gars en toute légalité. Précisément ce que je devais empêcher. Que faire ? Je commençais à avoir aussi mal à la tête qu'au derrière.

– Tout le monde dehors ! a crié Durgen.

Il a ouvert en grand la portière arrière du chariot, et nous sommes tous descendus. Un des félins a défait nos liens pendant qu'un autre tendait un grand sac vide à chacun d'entre nous. Une fois que la circulation s'est rétablie dans mes jambes, j'ai regardé où nous étions. Comme j'écoutais les gars, je n'avais pas vu qu'on était sortis de la jungle pour arriver à une autre ferme. Cette fois, pas de cadavres de tangs à l'horizon. Durgen s'est dirigé vers le premier rang de plantations et a cueilli une de ces pommes bleues. Puis il est revenu au chariot et l'a jetée au gar qui se tenait à côté de moi.

– Mange, a-t-il ordonné.

Le gar a regardé la pomme comme si c'était du poison. Et c'en était peut-être.

– Exécution ! a crié Durgen.

Le gar a fermé les yeux et mordu dans le fruit.

– Encore ! a aboyé Durgen.

Terrifié, le pauvre bougre a pris plusieurs petites bouchées et a avalé. On l'a tous regardé fixement en attendant... quoi ? Qu'il tombe raide mort, comme les tangs ?

Heureusement, ç'a n'a pas été le cas. Le gar a eu l'air soulagé et s'est empressé de finir le fruit. Mais il n'est pas allé bien loin, car Durgen lui a arraché des mains. Ce type commençait à me débecter grave.

– Ici, les fruits sont bons ! a-t-il crié à la cantonade. On peut les récolter.

Ô joie, ô bonheur.

Soudain, on m'a brutalement tiré par le col de ma chemise et entraîné à l'écart du groupe.

– Ne cherche pas à t'enfuir, gar, a sifflé une voix à mon oreille.

C'était Kasha. Elle m'a emmené assez loin à l'écart du groupe pour qu'ils ne puissent pas écouter ce qu'on se disait et m'a poussé si brutalement que j'ai failli m'étaler à terre.

– Hé, doucement ! ai-je râlé.

– Faut qu'on parle, a-t-elle répondu.

– Que s'est-il passé à l'autre ferme ? De quoi sont morts ces tangs ?

– Je ne sais pas, a-t-elle répondu. Mais écoute-moi, si tu tiens à la vie. Fais ce qu'on te dit. Mais prends soin de rester au cœur de la meute. Les tangs attaquent par l'extérieur.

– Tu ne m'avais pas dit que les gars savaient parler, ai-je dit. Ce ne sont pas des bêtes. Ils sont intelligents.

– Pendragon, tu m'écoutes ?

– Oui, oui. Par l'extérieur. Comment les klees peuvent-ils vouloir chasser des êtres intelligents ?

Kasha a jeté un coup d'œil derrière moi. Durgen marchait vers nous à grandes enjambées.

– Fais ce que je te dis, m'a-t-elle dit rapidement.

Elle m'a donné un coup de pied. J'ai mordu la poussière face au grand félin.

– Je m'assurais qu'il en porterait suffisamment, a-t-elle expliqué à Durgen.

Kasha jouait la comédie, mais je crois qu'elle en profitait un brin. Durgen m'a empoigné par le col de ma chemise et relevé de force. Je commençais à en avoir marre d'être traité comme un sac à patates.

– Parfait, a-t-il dit. Alors il dirigera la meute.

Il m'a poussé vers les autres gars. J'ignorais ce qu'il voulait dire par là, mais j'étais sûr que je n'aimerais pas ça.

Les klees ont rassemblé les gars, épaule contre épaule. J'étais au centre de la meute. D'après ce que disait Kasha, c'était plutôt bon signe. Mais on m'a fait prendre la tête pour entrer dans les plantations pendant que, derrière moi, les autres se déployaient en V. Zut. J'étais la pointe de la flèche. Si un tang affamé se tapissait dans ces plantes, je serais le premier à passer à sa portée. J'ai jeté un coup d'œil en arrière pour voir Boon, toujours sur son siège, l'air effaré. J'ai entendu un craquement sonore et une pointe de douleur a transpercé mon dos. Aïe ! Durgen était là, derrière moi, avec une longue lanière qu'il maniait comme un fouet.

– Allez ! a-t-il hurlé. Avant que les tangs ne reniflent vos carcasses puantes !

Je ne me le suis pas fait dire deux fois. Je me suis avancé dans la première rangée de plantes. Les autres m'ont suivi de chaque côté, toujours en arrière. Comme je ne savais pas quoi faire, je me suis mis à cueillir les fruits bleus pour les jeter dans mon sac. Ce travail mécanique me convenait, vu que mon esprit restait paralysé par la peur qu'un tang me saute dessus. J'ai regardé en arrière pour voir ce que faisaient les klees pour assurer notre protection. La réponse était simple : que dalle. Au contraire, c'est *nous* qui étions là pour assurer *leur* protection. Pendant que Boon et un autre klee restaient près du chariot, les autres marchaient derrière nous, à l'intérieur du V, sans craindre une attaque surprise. Kasha était avec eux, ce qui m'a rassuré un peu. Un tout petit peu.

Une fois mon sac rempli, un gar est venu le prendre et m'en a tendu un autre, vide celui-ci. Puis il a ramené le sac plein pour le jeter dans le chariot. Deux d'entre nous étaient préposés aux sacs. J'ai vite compris que lorsque le chariot serait plein, il n'y aurait plus de place pour nous autres. Du moins pour les survivants.

La cueillette n'était guère rapide. Environ une minute pour retirer tous les fruits d'une seule plante. J'ai vite appris que, lorsqu'on en avait terminé une, il fallait la déraciner et la poser à plat. Ce qui veut dire qu'au fur et à mesure que notre formation progressait, on laissait derrière nous un sillage qui ne cessait de s'élargir. Je ne sais pas combien de temps nous avons travaillé. Deux heures ? Trois ? Je commençais à fatiguer. Et les klees n'ont pas pris la peine de nous donner à boire. Ou à manger. Soudain, une idée m'a frappée. Si les tangs étaient vraiment malins, ils attaqueraient plus tard dans la journée, quand leurs proies seraient trop crevées pour se défendre. Pourvu qu'ils n'aient pas assez de cervelle pour ça.

J'ai rempli un second sac et ai levé la main pour qu'on vienne le récupérer. Mais personne ne s'est avancé. Jusque-là, ils avaient réagi assez vite. Le processus devait s'être ralenti… ou arrêté. Je me suis tourné vers Kasha en levant le lourd sac. Elle m'a vu et a crié :

– Ici !

Toujours rien.

Les autres gars ont interrompu leur cueillette. J'ai aussitôt senti monter la tension alors qu'ils jetaient des regards nerveux à droite et à gauche. Les félins ont braqué leurs armes. Oh, oh. Tout le monde s'est figé, sans respirer, tendant l'oreille. Quelques secondes se sont écoulées. Je n'ai rien entendu, que le vent agitant les plantes. Où étaient les ramasseurs ? Prenaient-ils tout leur temps, ou y avait-il une explication bien plus sinistre ?

J'ai regardé sur ma gauche. À quelques mètres de moi se tenait le gar qui m'avait montré le cube d'ambre. Tous ses sens étaient en alerte. Il avait peur. Je ne peux l'en blâmer : moi aussi. Il a regardé au loin dans les plantations denses, mais n'a rien vu d'autre que des épis. Son regard a dérivé pour se poser sur moi. Nos yeux se sont croisés. Aussitôt, son expression terrifiée est devenue sereine. Non, sans charre. On aurait dit que tout son corps se détendait. Il m'a même souri.

Ce serait la dernière chose qu'il ferait de sa vie.

C'est alors que j'ai senti une odeur pestilentielle. Celle d'un tang affamé. Une seconde plus tard, les épis ont bruissé juste devant le gar et quelque chose en a jailli. C'est arrivé si vite que je ne pourrais décrire avec précision ce qui s'est passé. Soudain, une sorte de tourbillon vert s'est enroulé autour de lui et l'a entraîné au milieu des épis. Je suis resté figé sur place, et mon cri est resté coincé dans ma gorge. Quelque chose a jailli du rideau vert, quelque chose qui a roulé à mes pieds. J'ai baissé les yeux, et ce que j'ai vu me hantera jusqu'à la fin de mes jours. C'était la tête de mon ami le gar. Ses yeux vitreux me regardaient.

Ma gorge s'est décoincée. J'ai poussé un grand cri... et l'attaque a commencé.

Journal n° 17
(suite)

EELONG

L'assaut a été aussi rapide que violent.

Comme je le craignais, les tangs avaient attendu leur heure. On aurait dit que le meurtre du premier gar avait donné le signal de l'attaque. Ils ont jailli des plantations comme des guérilleros. C'était peut-être des animaux, mais ils étaient malins. Leur peau verte se fondait si bien dans la végétation qu'on avait failli leur marcher dessus.

Un tang m'a sauté dessus. Sans réfléchir, je lui ai balancé le sac de fruits. Ce n'était pas vraiment une arme, mais il m'a sauvé la vie. Le sac plein a percuté l'estomac du tang avec une telle force que le prédateur a émis un grognement. Il s'est affalé sur le dos en agitant sa queue écailleuse. Il ne tarderait pas à se redresser, mais j'avais gagné les quelques secondes pour faire la seule chose envisageable.

Fuir à toutes jambes.

Tout s'est passé si vite que je ne revois la scène qu'en brefs flashes horribles. J'ai vu un autre tang sauter pour happer le gar qui se trouvait de l'autre côté de moi. Son cri de douleur m'a remué les tripes. Je ne l'ai jamais revu. Tout autour de moi, les gars laissaient tomber leurs sacs de fruits pour courir vers le chariot. Ils n'avaient pas d'armes. Les klees n'ont pas levé le petit doigt pour les aider. Tout en reculant, ils brandissaient leurs bâtons, mais uniquement pour protéger leur propre couenne. Quelques tangs s'en sont pris à eux, mais les explorateurs avisés savaient manier leurs armes : ils les ont repoussés et en ont même assommé quelques-uns. Des cris s'élevaient tout autour de moi, ceux des gars comme ceux des tangs assoiffés de sang qui les écharpaient. Je n'avais pas la moindre idée de leur nombre. Ils pouvaient être dix comme cent. Tout était comme brouillé.

J'ai cherché à m'éloigner de cet horrible carnage pour atteindre le chariot. J'ai couru comme un dératé, sautant par-dessus les plants abattus. Je n'ai pas osé regarder en arrière : j'avais trop peur de ce que je pourrais voir. Et puis ça m'aurait ralenti. J'ai toujours été rapide, mais pouvais-je distancer un tang affamé ?

Devant moi, les klees avaient choisi la fuite. Ils s'étaient mis à quatre pattes et cavalaient comme s'ils avaient le diable aux trousses. Je n'ai pas vu Kasha, mais j'ai supposé qu'elle était avec les autres. Elle m'avait abandonné. Ça m'apprendra à me fier au futur Voyageur d'Eelong. Derrière moi, j'ai entendu les pas lourds des tangs sur les plantes déracinées. Ils cherchaient à nous rattraper. Mais je commençais à reprendre courage. J'étais plus rapide qu'eux. J'avais presque atteint le chariot. Cela dit, une fois que j'y serais, qu'allais-je faire ? Je savais que les klees tiendraient tête à ces monstres. Mais assureraient-ils ma protection, à moi et aux autres qui avaient eu la chance de revenir ? Pouvais-je compter sur Kasha ? Sur Boon ? Je ne tarderais pas à le savoir. Le chariot était là, devant moi. Boon était sur le siège du conducteur et nous faisait signe de nous dépêcher. Je n'aurais pas dû le regarder, parce que j'ai arrêté de faire attention où je mettais les pieds… et j'ai glissé.

J'ai titubé en avant et ai fait un saut de carpe pour me retrouver face à face avec un gar mort. Du sang dégoulinait de sa bouche. J'ai sauté sur mes pieds pour voir ce qui avait failli me faire tomber. C'était un autre cadavre gar. J'ai alors compris ce qui était arrivé à ceux qui étaient chargés de récupérer les sacs pleins. Les tangs leur avaient tendu un piège. J'ai jeté un coup d'œil sur ma droite – un tang entraînait un gar derrière les épis. Il avait trouvé son repas. Et en regardant en arrière, j'ai vu un autre lézard se précipiter vers moi. Sa gueule ouverte dévoilait de longs crocs sanguinolents. Je suis resté planté là, incapable de bouger. J'étais fichu. Même si j'avais tourné les talons pour partir en courant, je n'aurais jamais pu le distancer. J'ai reculé, mais trop tard. Le tang a bondi…

Et un tourbillon est passé devant moi pour renverser la bête. Un gar ! Il a combattu avec bravoure, mais ce pauvre bougre n'avait pas une chance. J'ai fait un pas en avant pour l'aider, mais il était trop tard. Le tang a labouré sa poitrine de ses longues griffes acérées. Ces trois poignards ont carrément traversé son corps pour ressortir dans son dos. Le gar s'est débattu vainement, mais a réussi à tourner la tête pour me regarder. Ce type souffrait le martyre, mais lorsqu'il m'a vu, il s'est détendu, comme si la douleur s'était dissipée comme par magie.

Je l'ai reconnu. C'était l'un de ceux avec qui j'avais discuté dans le chariot. Son regard semblait paisible. Il ne souffrait plus. Et, plus incroyable encore, il a souri. Si, je vous assure, je l'ai vu de mes yeux. Cet humain primitif avait sacrifié sa vie pour sauver la mienne. Mais pourquoi ? Du sang a jailli aux commissures de ses lèvres, mais il n'a pas perdu son sourire. Il a coassé deux mots, d'une voix si basse que j'ai eu du mal à les entendre :

– Eau noire, a-t-il chuchoté.

Il a fermé les yeux. Il était mort. Le tang a retiré ses griffes, a jeté le cadavre à terre et m'a regardé. Impossible de savoir s'il allait m'attaquer ou se contenter d'une seule proie. Je n'allais pas lui laisser le temps de se décider. J'ai couru vers le chariot en tentant d'ignorer le bloc de glace emplissant mon estomac. Je m'attendais à sentir les griffes du tang labourer mon dos, mais non. Il devait être allé dévorer sa victime en paix. Beurk.

– Viens ! dépêche-toi ! m'a crié Boon.

Les autres klees sont arrivés au chariot avant moi. Sur vingt gars, une poignée tout au plus avaient survécu à l'assaut. Et, grâce à celui qui s'était sacrifié pour moi, j'en faisais partie.

– Durgen ! À l'aide !

Ce cri déchirant venait d'un klee qui se trouvait encore à une vingtaine de mètres du chariot. Il était à terre, sans doute blessé. J'ai vu qu'il saignait des deux jambes. Il rampait lamentablement en utilisant ses pattes de devant. Et un tang était là, juste derrière lui, prêt à le mettre en pièces, marchant avec précautions au cas où sa proie puisse encore se défendre. Son arme en bois gisait à côté de lui, mais le klee était trop faible pour s'en servir. Il était condamné… à moins qu'on ne vienne à son secours. J'ai jeté un coup d'œil vers le chariot : les gars s'étaient planqués dessous. Les klees étaient en ligne, armes en batterie, prêts à se défendre. Pas un ne fit un geste pour aider son congénère. J'ai eu une brève pensée pour le gar qui avait donné sa vie pour moi. Je me sentais obligé de faire quelque chose pour aider le klee blessé. Avant de pouvoir me dégonfler, j'ai couru vers le félin. Je sais, c'était crétin, mais je devais le faire. Il y avait déjà eu bien assez de morts.

– Non ! a crié Boon.

Maintenant que j'y repense, je regrette de ne pas l'avoir écouté. Tout aurait été pour le mieux. Mais comment aurais-je pu deviner les conséquences de mes actes ? Je voulais m'emparer de l'arme du klee et m'en servir pour repousser le tang. J'espérais que, si les autres me voyaient lutter pour sauver leur congénère, ils viendraient nous aider.

Complètement idiot.

J'ai couru vers le klee et ai ramassé son bâton. Mais à peine l'avais-je soulevé qu'un autre tang est sorti du couvert des rangées d'épis. Visiblement, il attendait une occasion comme celle-ci. Sa queue écailleuse a jailli et frappé mes mains si vite que j'ai eu l'impression de recevoir une décharge électrique. Le choc m'a arraché mon bâton. Quel idiot ! Maintenant, on était mal barrés tous les deux, le klee et moi. Il était blessé, moi sans défense – face à deux tangs bien décidés à nous mettre à leur menu.

J'ai alors entendu siffler quelque chose à mes oreilles, si près que je me suis baissé, craignant que cela ne me frappe l'arrière du crâne. Un peu plus tard, j'ai vu de quoi il s'agissait.

Kasha. Elle avait frappé de son espèce de lasso. Les trois boules m'ont dépassé, bourdonnant comme une scie à métaux, pour s'enrouler autour du cou du tang le plus proche. Kasha a tiré sur le lasso. J'ai entendu un craquement sec assez écœurant. Elle avait brisé la nuque du tang. Le soulagement a pris le pas sur l'écœurement. La bête s'est effondrée. Morte avant même d'avoir touché le sol. Mais il restait encore le second, et Kasha n'avait plus son lasso.

Le tang ne m'a pas attaqué, ni Kasha. Il s'est tourné vers une proie facile : le klee blessé. La bête a sauté sur le dos du félin et a refermé ses mâchoires sur son cou. Le malheureux s'est redressé et a tenté de le repousser, mais le monstre n'a rien voulu savoir. Le klee était déjà affaibli par tout le sang qu'il avait perdu. Il n'avait pas une chance. Sous mes yeux horrifiés, il a martelé inutilement le sol, les mâchoires du tang enserrant toujours son cou.

Une main puissante s'est posée sur mon épaule. Je me suis retourné d'un bloc en m'attendant à tomber sur un autre tang, mais c'était Kasha.

– C'est fini, a-t-elle dit tristement. Allons-y.

Tout était peut-être terminé pour ce malheureux klee, mais pas pour nous. D'autres tangs s'approchaient, et leurs intentions étaient claires. Il fallait qu'on s'en aille, et vite. On s'est mis à courir vers le chariot. J'ai jeté un coup d'œil en arrière pour voir que le combat était terminé. Les quelques tangs restant entraînaient leurs victimes au milieu des épis. À présent, je comprenais mieux pourquoi les klees bâtissaient leurs villes dans des arbres. Ces lézards étaient des tueurs impitoyables.

Je ne savais trop que faire une fois que je serais revenu au chariot. Comme je devais toujours me faire passer pour un gar comme les autres, j'ai décidé de me cacher sous le chariot avec les survivants. Mais je n'en ai pas eu l'occasion. En nous voyant approcher, Durgen a fait un pas en avant et a décoché une gifle monumentale à Kasha. Tout le monde s'est figé de surprise – Kasha comprise. Durgen est resté planté devant elle à la dévisager d'un regard brûlant de colère.

– Tu as sacrifié un klee pour un gar ? a-t-il craché. Tu es folle ?

Zut. Kasha m'avait sauvé la vie, et apparemment elle allait le payer cher. Mais elle lui a tenu tête :

– Il était quasiment mort lorsque je suis arrivée. Si j'avais tenté de le tirer de là, ils seraient morts tous les deux.

C'était peut-être vrai, après tout. Mais Durgen n'était pas convaincu. Il a giflé Kasha une seconde fois. Elle a à peine frémi. C'était une dure. Elle a encaissé le coup.

– Tu n'en sais rien ! a crié Durgen de sa voix de stentor. Même si tu n'avais qu'une infime chance de le sauver, tu aurais dû la saisir ! Et tu ne l'a pas fait. Pourquoi ? Pour… *ça*.

Durgen m'a pris par le col et m'a soulevé de terre.

– C'est un animal, Kasha ! Un animal !

Et il m'a jeté au sol, sans douceur. Je ne m'y attendais pas : je me suis affalé en me cognant l'épaule. J'ai pris tout mon temps pour me relever, de peur qu'il s'en prenne encore à moi.

– Ce klee était ton ami, a repris Durgen d'un ton moins dur. Et tu lui as préféré cette bête.

Kasha a baissé les yeux. Je crois qu'elle venait d'assimiler le fait qu'un klee, un de ses proches, était mort.

– J'ai fait ce qui me semblait approprié, a-t-elle dit.

– Et moi, je vais faire ce qui *me* semble approprié, a répondu Durgen avec colère. Faites tourner le wagon ! Retournons à Lyandra !

Je me suis tourné vers Boon. Il ouvrait de grands yeux effrayés. Il savait très bien pourquoi Kasha avait fait ce choix, mais ne dirait rien. Il n'avait pas le choix. Je me suis redressé lentement. Kasha est passée devant moi sans me regarder. J'imagine qu'elle devait remettre en question sa décision. Le voyage de retour n'a rien eu d'une partie de plaisir. Comme le chariot était rempli de ces fruits bleus, on n'a pas pu y monter. J'imagine que s'ils nous avaient permis de faire le trajet dans la cale, c'était pour économiser nos forces pour la cueillette. Maintenant que c'était fait, peu importait si pas un seul d'entre nous ne revenait. Boon a gardé sa place aux rênes pendant que je cheminais derrière le chariot avec ce qui restait des gars. Kasha et un autre klee fermaient la marche, tandis que Durgen et les autres restaient devant. Si on tombait sur une autre bande de tangs, je doute que quiconque ait la force de combattre.

Durant les quelques heures qu'a duré le trajet, j'ai eu tout le temps de réfléchir à la suite des événements. Il me restait encore à retrouver Seegen. Pour cela, j'avais probablement intérêt à passer par son Acolyte, Yorn. Si Seegen était bien en Seconde Terre, je me servirais de son intermédiaire pour vous faire parvenir un message, les amis. Ce serait à vous de le trouver pour lui dire de revenir sur Eelong. Je sais, ce n'était pas vraiment un plan en or massif. Vous n'auriez pas beaucoup de chances de le retrouver. Je vois mal un tigre en tunique arpenter les rues de Stony Brook. Il se ferait abattre ou capturer pour finir dans un zoo. Mais j'étais trop crevé pour gamberger.

Heureusement, nous n'avons pas croisé de tangs en chemin. Lorsqu'on a passé les portes de Lyandra, j'étais décidé à demander à Boon si je pouvais m'installer chez lui. J'étais sûr que Kasha ne voudrait plus me voir. Mais dès que les portes se sont refermées, mon plan a volé en éclats. Durgen m'a une fois de plus saisi par le col. Je commençais à en avoir ras le bol de ses manières. Il m'a entraîné à l'écart. Boon a sauté du chariot pour atterrir devant lui.

– Hé ! a-t-il dit avec un rire nerveux. Que fais-tu ?

– Que les autres gars déchargent le chariot à la station, a-t-il ordonné. Tu le ramèneras à l'enclos.

– Ouais, d'accord, a répondu Boon. Mais que vas-tu faire du gar de Kasha ?

Durgen s'est arrêté et a regardé Kasha, qui se tenait près du chariot. Elle a ouvert de grands yeux, mais n'a pas dit un mot. Durgen a repris la parole, mais c'est à elle qu'il s'est adressé :

– Un de mes meilleurs amis est mort à la place de ce gar. J'espère bien en tirer quelque chose.

Qu'est-ce qu'il racontait ? Il voulait me manger ou quoi ?

Kasha a fait un pas en avant.

– Il est à moi. Tu ne peux pas me le prendre.

– Il ne t'appartient plus, a rétorqué Durgen. Je vais le vendre aux dresseurs.

– Non ! a crié Boon.

– Pas question ! a renchéri Kasha.

Dungen m'a poussé sans douceur. Boon m'a rattrapé. Durgen s'est rapproché de Kasha et lui a craché en plein visage :

– Et comment comptes-tu m'en empêcher ?

Kasha n'a pas reculé. Durgen non plus. Match nul.

– Où sont les dresseurs, Boon ? ai-je murmuré, un brin nerveux. Est-ce qu'ils vont me manger ?

– Ne t'en fais pas, a-t-il répondu. On te sortira de là.

Il n'a pas pu m'en dire davantage. Durgan s'est détourné de Kasha pour s'emparer à nouveau de moi. Sauf que j'en avais ma claque. Il était grand temps que je reprenne ma vie en main. Je me suis arraché aux griffes de Durgen et lui ai tenu tête, enfin, du mieux que j'ai pu.

– Je ne suis pas un animal, ai-je déclaré. Je ne suis pas ta propriété, et il n'est pas question que tu me vendes.

Je croyais vraiment qu'il n'en reviendrait pas. Et en effet, il a eu l'air stupéfait. Je présume qu'il n'avait jamais entendu un gar émettre une phrase aussi longue, surtout en lui tenant tête. Du coin de l'œil, j'ai vu que les autres gars me regardaient, interloqués. Seuls Kasha et Boon ne semblaient pas étonnés. Normal.

La réaction de Durgen m'a pris par surprise. En fait, il a éclaté de rire.

– Tiens donc ! Un gar qui se croit supérieur aux autres. (Il a posé ses pattes sur ses hanches.) Eh bien, si tu le prends comme ça…

Et il m'a giflé du plat de sa main. Violemment. C'était si inattendu, si rapide que je n'ai rien pu faire. Il m'a frappé en pleine tempe. J'ai vu trente-six chandelles. Et même plus. Il ne m'a pas assommé, mais, pendant un instant, j'ai perdu tout contact avec la réalité. Tout est devenu flou. Je me souviens d'avoir été tiré par la jambe pendant un temps impossible à déterminer. Tout était brouillé. Celui qui s'était emparé de moi était plutôt brutal. Je me rappelle que ma tête a cogné des angles aigus plusieurs fois, ce qui ne m'a pas vraiment aidé à reprendre mes esprits.

Dans mon souvenir, tout est devenu noir. Pas comme si on avait éteint la lumière, mais sombre. Je me suis même demandé si la nuit était tombée. Et on a fini par s'immobiliser, aussi. On était arrivé. Dans un endroit froid et vaguement humide. J'ai dû perdre conscience une ou deux fois, impossible de le dire. Je ne sais combien de temps je suis resté comme ça, prostré, mais je me souviens de ma première pensée cohérente. Je ne savais pas où j'étais, mais en tout cas, ça ne sentait pas la rose.

J'ai ouvert les yeux et tenté de reprendre mes esprits. Il faisait toujours sombre, mais ce n'était pas la nuit et je n'étais pas à l'extérieur. J'ai remarqué des murs de pierre et un plafond décoré d'une drôle de façon. D'abord, j'ai cru à un échiquier, car des boîtes flottaient tout là-haut. Bizarre. Je suis resté sur le dos, à regarder ce drôle d'échiquier en cherchant à comprendre. Soudain, un klee est apparu. Tout compte fait, ce n'était pas un échiquier, mais une sorte de grille. Le chat s'est avancé et a baissé les yeux.

– Bienvenue à la maison, a fait le klee avec un rictus méprisant.

Il a balancé un seau d'eau à travers la grille. Je n'ai pas eu le temps de réagir : le jet d'eau puante m'a arrosé. Au moins, ça m'a réveillé. Je me suis assis en soufflant pour chasser cette infection de mes narines et ai regardé autour de moi. J'étais dans une grande salle plongée dans l'obscurité, avec des murs de pierre et une grille de bambous en guise de plafond. C'était une sorte de cage. Et je n'y étais pas seul. Une douzaine d'autres gars étaient là, adossés aux murs, pâles comme la mort et douloureusement maigres, comme s'ils n'avaient pas pris un vrai repas depuis des mois.

J'ai regardé l'un d'entre eux et ai demandé :

– Quel est cet endroit ?

– Ici, a-t-il répondu, finit ta vie.

Journal n° 17
(suite)

EELOηG

J'étais en prison.

Je suppose que les klees avaient un autre nom pour ça. Pour eux, c'était un enclos, ou une écurie. Ici, nul n'avait commis le moindre crime, sinon d'être né gar. Pour ces pauvres bougres, c'était rajouter une dose de cruauté à leurs existences déjà misérables. La nuit, ils se blottissaient l'un contre l'autre pour partager le peu de chaleur corporelle qu'ils généraient. De jour, le soleil tapait si dur que j'ai compris ce que ressentait un homard lorsqu'on le jetait dans une marmite d'eau bouillante. Et à tout moment de la journée, l'odeur était abominable.

Le long d'un mur, il y avait une sorte de rigole censée servir de toilettes. Ouais, il y avait l'eau courante, mais le flux n'était pas assez fort pour tout emporter et les klees ne descendaient jamais dans ce cachot, ni pour le nettoyer, ni pour quoi que ce soit d'autre. On vivait dans un véritable cloaque. Pire encore, avec cette eau courante, l'humidité était telle que j'en étais imprégné jusqu'aux os.

Il y avait une porte de bois comportant une petite fenêtre avec des barreaux par laquelle je pouvais voir les klees aller et venir. Pour atténuer la dureté du sol, on n'avait guère qu'un peu de paille qui devait être là depuis un siècle. Elle puait tellement que personne n'osait s'y asseoir. Mieux vaut être mal assis que pris de nausée. Il n'y avait pas de plafond, uniquement cette grille de bambous hors de portée. Au moins, on pouvait regarder le ciel à travers et avoir un peu d'air frais. C'était bon de voir les étoiles de nuit, passer les nuages de jour et la bande solaire traversant le ciel. Malheureusement, ça signifiait aussi qu'à la moindre ondée, on se retrouvait trempés jusqu'à l'os. Mais au moins, ça lavait un peu de cette terrible puanteur.

Bien sûr, les repas étaient en dessous de tout, si j'ose dire. De temps en temps, un klee venait jeter une poignée de fruits à travers la grille. Évidemment, ceux-ci s'écrasaient contre le sol de pierre. Ce n'était pas très appétissant, mais les gars s'en moquaient. Ils se dépêchaient de tout ramasser, jusqu'au moindre morceau. Certains léchaient même les dalles. En général, je n'avais pas la moindre idée de ce qu'ils nous balançaient. Rien de recommandable, à en juger par l'odeur. D'abord, je n'ai pu me résoudre à y toucher, surtout après ces tangs morts que j'avais vus à la ferme. Mais au bout d'un moment la faim m'a poussé à rejoindre les autres. Et de toute évidence, ça ne m'a pas tué.

D'après ce que je vous raconte, vous devez vous demander combien de temps j'ai passé dans ce trou. En fait, je ne saurais le dire avec exactitude. Quand je me suis réveillé dans ce trou à rats, je ne pensais pas y rester longtemps. Je n'ai donc pas compté les jours. Mais au bout d'un moment, je me suis dit que j'avais intérêt à garder toute ma tête. À chaque fois que le jour pointait, j'ai fait une encoche dans le sol avec une petite pierre. Même si, en fait, j'ignorais combien de temps pouvait durer le jour sur Eelong. Vingt-quatre heures, comme en Seconde Terre ? Quarante-huit ? Douze ?... Qu'importe. Depuis mon départ, le temps ne signifiait plus grand-chose. Mais lorsque je repense à cette prison infecte, j'estime que j'ai dû y passer environ un mois, en termes de Seconde Terre. Oui, c'est vrai. Un mois. Un mois de trop. Et comme vous vous en doutez, ces trente jours m'ont changé.

Chaque jour, chaque heure, chaque minute, ma colère n'a cessé de croître. Comment les klees pouvaient-ils traiter les gars de façon aussi inhumaine alors que, comme je l'avais découvert, ils n'étaient pas de vulgaires bêtes sans cervelle ? Bon, d'accord, ils n'allaient pas devenir des champions d'échec du jour au lendemain. Mais ils étaient capables d'avoir des pensées cohérentes et de vrais sentiments, et ils pouvaient servir leur monde si les klees leur en donnaient l'occasion. Ce n'était pas juste.

Et j'en voulais à Durgen de m'avoir envoyé là, et à Kasha et Boon de ne pas m'en avoir sorti. J'avais peur qu'ils m'aient abandonné et me laissent mourir dans ce trou à rats. Et plus que tout, j'étais furieux contre Saint Dane. Bon, je n'avais pas besoin de ça pour le détester, mais c'était à cause de lui que je me retrouvais là-dedans. Et maintenant qu'il était débarrassé de moi, plus rien ne l'empêcherait de pousser les klees à détruire leur propre territoire.

Et puisque j'ai décidé d'être honnête, j'en voulais aussi à l'oncle Press. Après tout, c'est lui qui m'avait entraîné dans toute cette histoire[1]. Sans lui, je serais sans doute avec vous autres, à manger une pizza en regardant le dernier match de basket. Et quelle équipe est numéro un du classement, maintenant ? Mais à la place, j'étais là, à croupir dans une prison écœurante, à baigner dans ma propre mauvaise odeur, en me demandant si j'en sortirais un jour, de préférence en vie. Oui, je sais, c'est morbide. Mais je n'avais pas d'autres sujets de réflexion. J'avais déjà compté toutes les pierres du mur (8 642), résolu tous les problèmes de maths auxquels j'avais pu penser et ai même écrit des paroles alternatives à *Smells like Teen Spirit*, puisque je n'ai jamais compris un traître mot à ce que racontait ce vieux tube de Nirvana. Oui, j'étais vraiment tombé si bas. Pendant qu'Eelong courait à la catastrophe, j'étais emprisonné dans un égout à ciel ouvert, je crevais de faim et je faisais de la gymnastique mentale pour éviter de devenir cinglé.

Je sais, je ne devrais pas m'apitoyer sur mon sort. Juste une chose encore. Quand j'aurai fini ce journal, je mettrai ces horribles souvenirs de mon séjour en prison dans un endroit sûr. Je m'en remettrai, mais n'oublierai pas pour autant. Et lorsque viendra le moment d'affronter Saint Dane, je me remémorerai ce cauchemar pour y puiser des forces contre lui. Vous pouvez me croire.

Il me reste encore quelques détails de mon incarcération que je dois relater avant de les oublier. Lorsqu'on m'a jeté dans ce

---

1. Voir Pendragon n° 1, *Le Marchand de peur.*

cachot, je n'avais pas encore eu de véritable contact avec les gars, juste notre échange dans le chariot. Mais à présent, dans cet espace confiné, j'étais officiellement un gar. Je voulais en apprendre davantage sur eux. Ça n'a pas été si facile. Ils avaient peur de moi, et peut-être que la malnutrition et la claustration les avaient rendus un peu dingues. (Eux ne pouvaient pas passer le temps en inventant des paroles alternatives à *Smell like Teen Spirit* – pauvres diables.) En fait, ils n'avaient pas l'air de m'accepter comme un des leurs. Ils gardaient leurs distances, se blottissant dans les coins d'ombres en tremblant de peur, comme si j'allais leur faire du mal. J'ai mis un certain temps à comprendre pourquoi. En fait, j'avais beau leur ressembler, j'étais différent. J'étais plus grand et marchais avec l'autorité d'un klee. Ces types se tenaient toujours courbés et craignaient jusqu'à leur ombre. Pour eux, j'étais un monstre. Lorsque je cherchais à ramasser un des fruits qu'on nous avait lancés, ils se reculaient et me laissaient prendre ce que je voulais avant de venir se servir.

Quelques fois, je les ai entendus chuchoter entre eux. J'ai essayé d'engager la conversation par quelques mots simples, comme « bonjour » ou « Je m'appelle Pendragon ». Mais aussitôt, ils se taisaient et s'éloignaient. Le fait que je prenais soin de ma personne ne jouait pas non plus en ma faveur. Je n'arrêtais pas de faire des pompes et des abdos pour éviter de m'atrophier. Et à chaque fois que je m'y mettais, les gars se rassemblaient entre eux et me fixaient comme si j'effectuais un rituel exotique. Au bout d'un moment, j'ai renoncé à essayer de communiquer. C'était trop frustrant.

J'ai fini par me demander à quoi servait tout ça. Pourquoi nous gardait-on enfermés dans ce trou ? Durgen a parlé de me « vendre » aux dresseurs, mais ça faisait des semaines que j'étais là et je n'avais toujours pas vu le moindre acheteur potentiel. Je doutais qu'ils veuillent nous manger, sinon ils nous auraient nourris un peu mieux. La plupart des prisonniers n'avaient que la peau sur les os. Pas vraiment des morceaux de choix. Ça ne rimait à rien.

Puis un jour, sans crier gare, on a ouvert la trappe et deux klees ont bondi dans notre trou. Comme de bien entendu, les gars, terrifiés, se sont blottis dans un coin. Je ne les ai pas imité. J'étais trop fatigué pour avoir peur.

Les klees ont parcouru des yeux le petit groupe.

– Pas très beaux à voir, vos cocos, a dit l'un d'entre eux. (Il a désigné les deux plus grands.) Ces deux-là !

Sans plus de délibérations, ils se sont emparés des deux élus et les ont entraînés vers la sortie. Les gars paniqués ont poussé de petits cris. Les autres n'ont pas levé le petit doigt pour les aider. Et à vrai dire, moi non plus. Que pouvais-je bien faire ? J'ai pensé surprendre ces félins en chantant une chanson, ou en récitant un poème, ou en leur parlant football ou toute autre activité inattendue de la part d'un gar. Mais j'ai préféré ne pas attirer l'attention. J'étais là pour m'occuper de Saint Dane. Il valait mieux ne rien faire qui puisse m'attirer des ennuis et me détourner de mon but.

Une heure plus tard, la porte s'est rouverte et on a jeté un des gars dans la cellule. Il avait l'air crevé. Il a rampé à quatre pattes dans un coin et s'est effondré. Il semblait encore plus mal en point qu'avant. J'ai cru voir une tache sombre sur sa poitrine. De là où j'étais, on aurait bien dit du sang. Je ne pensais pas que ce soit le sien, et je n'ai jamais revu l'autre gar. Facile d'additionner deux et deux. Il s'était passé quelque chose de moche.

Les jours ont passé. J'ai perdu des forces. Jusque-là, je n'avais encore jamais eu faim. Ou plutôt *souffert* de la faim. Le pincement à l'estomac qu'on ressent lorsqu'on rate un repas ne compte pas. Il y a longtemps que je mangeais ce qu'on nous donnait sans chipoter. J'aurais dévoré des cafards si j'en avais trouvé. Je ne dormais pas beaucoup, et quand je parvenais à trouver le sommeil, je faisais des rêves terribles où je courais pour éviter un destin funeste. Alors je me réveillais en sursaut, baigné d'une sueur froide, pour constater avec désespoir que j'étais toujours en prison.

Une nuit, j'ai rêvé que j'étais allongé sur le dos, à regarder les étoiles à travers la grille. Le ciel commençait à s'éclaircir : le jour approchait. La silhouette d'un grand klee est apparu et a baissé les yeux sur moi. Je l'ai regardé en me disant que ce rêve faisait sacrément vrai lorsque le klee a feulé et dit :

– Bonjour, Pendragon. Alors, on prend l'air ?

Hein ? Je me suis vite redressé. Ce n'était pas un rêve. C'était le nommé Timber, du Conseil des klees. Ou plutôt, c'était Saint Dane.

– Tu devrais faire un brin de toilette, a-t-il ajouté. Je sens ton odeur d'ici.

– Vous vous amusez bien, hein ? ai-je dit avec colère. Je suis coincé là-dedans, là où vous pouvez me tenir à l'œil.

– Oh, non, mon ami ! C'est même l'inverse. Je préfèrerais que tu sois libre et qu'on continue notre petit match. Savoir que tu cherches à contrecarrer mes plans rend tout ça bien plus intéressant.

– Alors, sortez-moi de là !

– Ah, si seulement je le pouvais ! a-t-il soupiré en feignant la sincérité. Mais je ne peux enfreindre les lois de ce territoire. C'est contraire au règlement.

– Oui, c'est ça, ai-je répondu du ton le plus sarcastique possible. Comme si ça pouvait vous arrêter.

– Par contre, a ajouté Saint Dane, je vais te donner un bon conseil. Il y a un moyen de sortir d'ici. Quand l'occasion se présentera, ne la rate pas.

– Qu'est-ce que c'est ?

– Au revoir, Pendragon, a-t-il dit en s'en allant. Passe une bonne journée.

– Saint Dane ! ai-je crié.

Là, j'ai craqué. J'ai sauté sur place et tenté d'escalader le mur, en vain. Il était trop glissant et j'ai à peine monté une trentaine de centimètres avant de retomber le derrière par terre. Je touchais le fond. Littéralement. Je crevais de faim, je perdais des forces jour après jour et Saint Dane avait réussi à me faire péter un plomb. Je n'aimais pas faire étalage de mes faiblesses devant ce démon. Je ne voulais pas lui montrer que j'étais sensible à ses sarcasmes. Et pourtant, c'est ce que je venais de faire.

– Eau noire, a fait une voix douce.

Un gar plus courageux que les autres s'était approché de moi. Il a tendu la main. Au creux de sa paume, il y avait un de ces mystérieux cubes d'ambre.

– Qu'est-ce que c'est ? ai-je demandé.

– Maison, a fait une autre voix faible.

Le premier gar a levé la main comme s'il voulait que je prenne le cube. J'ai tendu lentement mes doigts en m'attendant que le gar recule, mais il m'a laissé prendre le précieux objet. À ma grande surprise, il ne pesait presque rien. Je l'ai fait tourner entre mes doigts avec précaution de peur de le casser, et j'ai remarqué qu'il avait une face noire, comme le premier.

– Bientôt, a repris le gar. Maison.

– Quelle maison ? ai-je insisté. Qu'est-ce que l'Eau noire ? Que va-t-il se passer ?

– Transhumance, a répondu le gar.

Transhumance ? Qu'est-ce que ça signifiait ? Cela avait un rapport avec des troupeaux allant d'un point à un autre, mais...

Avant que j'aie pu demander plus de précisions, la porte de la cellule s'est ouverte en grinçant, et deux gardes klees sont entrés. D'un geste leste, le gar a repris le cube et tenté de le cacher sous ses haillons. Trop tard. Le premier garde l'a vu et s'est rué sur le malheureux épouvanté.

– Qu'est-ce que c'est ? a-t-il hurlé. (Il lui a arraché le cube et l'a levé.) Ça a un rapport avec l'Eau noire, c'est ça ?

Le gar s'est rencogné contre le mur en tremblant de peur. Le klee a jeté le carré d'ambre sur le sol et l'a violemment écrasé. En effet, à en juger au bruit, il était aussi fragile qu'il en avait l'air. Les autres gars se sont reculés, horrifiés. Il n'en restait plus que quelques débris de verre. Les gars l'ont fixé comme s'il venait de réduire à néant leurs derniers espoirs.

Le klee a pris par le col le gar à qui il avait volé le cube et l'a relevé de force.

– Je suis sûr que les Inquisiteurs sauront te faire parler, a-t-il sifflé. Garde !

Un troisième klee est entré dans la cellule. Le premier garde a poussé sa victime vers lui.

– Il avait une de ces boîtes. Livre-le aux Inquisiteurs.

Le nouveau venu a entraîné le gar terrifié. Le garde a désigné un autre prisonnier à genoux, qui pleurait en tremblant comme une feuille.

– Lui !

Le deuxième garde l'a relevé de force, lui aussi. Le premier a parcouru la cellule des yeux jusqu'à ce que son regard se pose sur… moi.

– Et toi ! a-t-il feulé. Tu as l'air de pouvoir nous offrir un peu de spectacle.

J'en avais marre de jouer les primitifs dociles. Je me suis relevé lentement pour me dresser de toute ma taille. J'ai cru voir une lueur de surprise dans les yeux du klee. Il n'avait pas l'habitude de voir un gar si grand ou si bravache.

– Sortez-moi de là, et vous en aurez, du spectacle, ai-je dit calmement.

Les klees m'ont dévisagé d'un air stupéfait. J'imagine que jamais un gar ne leur avait parlé de la sorte. Ils étaient décontenancés, ce qui me convenait parfaitement. Ce qui me plaisait moins, c'est que le premier gar qu'ils avaient choisi semblait plus terrifié que jamais. Il a secoué violemment la tête en criant :

– Non !

Oh. Aurais-je fait une boulette ? Saint Dane a dit que j'avais un moyen de sortir d'ici, si je ne ratais pas l'occasion. Mais pouvais-je croire un seul mot de ce qu'il disait ? Un mois de famine et de claustration embrumait mon jugement.

Le premier garde klee m'a pris les bras. Je me suis dégagé.

– Ce n'est pas la peine. J'irai où vous me direz d'aller.

Le klee a hésité, puis a jeté un œil à son collègue, qui a haussé les épaules. Ils ne savaient que penser. Puis le premier s'est à nouveau emparé de moi et m'a jeté à terre. Je ne me suis pas défendu. Je ne voulais pas gâcher le peu de forces qui me restaient. Un instant plus tard, pour la première fois depuis un mois, je suis sorti de cette prison. Mes jambes étaient faibles, mais c'était bon de pouvoir m'en servir. L'autre klee entraînait le gar le long d'un couloir aux murs de pierre.

– Qu'est-ce que c'est que cette histoire ? ai-je demandé. Qu'est-ce qu'on est censés faire ?

En guise de réponse, le klee m'a poussé brutalement, une fois de plus. J'ai décidé de ne plus poser de questions. J'en avais marre de me triturer la cervelle.

On est arrivé au bout du couloir, puis on a passé la porte donnant sur l'extérieur. C'était extraordinaire de sentir l'air frais du matin. J'avais l'impression de revenir à la civilisation. Enfin, en quelque sorte. Maintenant, je pouvais voir à quoi ressemblait cette prison où j'avais passé tout ce temps. La cour était carrée et le bâtiment comportait un seul étage. Je me suis demandé combien d'autres enclos il pouvait y avoir. Plein, sans doute. Dans la cour, il restait quelques carrés de verdure, mais elle était principalement recouverte de terre battue. Au centre, il y avait un cercle de pierres de quelques mètres. Apparemment, c'était notre destination. Plusieurs klees traînaient dans la cour, très occupés à ne rien faire. En nous voyant, ils se sont dirigés vers le cercle.

Une fois face à ce ring, les gardes nous ont violemment poussés. J'ai réussi à garder mon équilibre. Le gar n'a pas eu cette chance : il s'est affalé à terre et n'a plus bougé. Tout ça me plaisait de moins en moins. Le gar et moi étions désormais seuls dans le cercle, et d'autres klees se massaient tout autour de nous. Ils semblaient joyeux et discutaient entre eux. L'air semblait vibrer d'excitation contenue, comme s'ils attendaient quelque chose. Le garde avait parlé d'un spectacle, et mon petit doigt me disait qu'il ne s'agissait pas d'un numéro de claquettes.

Le klee qui m'avait choisi est entré dans le cercle. Il m'a toisé, a eu un sourire satisfait et a hoché la tête. Puis il s'est dirigé vers le gar qui gisait dans la poussière et lui a décoché un coup de pied dans les côtes. Le malheureux a gémi de douleur, mais n'a pas bougé. Le klee s'est tourné vers les spectateurs :

– Faites vos jeux !

Aussitôt, les klees se sont mis à papoter entre eux avec animation. J'ai fini par comprendre qu'il allait y avoir une sorte de compétition entre le gar et moi. Je ne savais pas en quoi elle consisterait, mais apparemment, j'étais leur favori. J'étais en meilleure forme que le pauvre bougre blotti sur le sol. Et j'étais relativement sûr d'être plus intelligent. Mais je ne pouvais m'empêcher de penser aux deux gars qu'on avait entraîné hors de la prison. L'un était revenu couvert de sang et l'autre n'était pas revenu du tout. Mauvais.

– Qu'est-ce qu'on doit faire ? ai-je demandé au klee.

Tout le monde s'est tu et m'a regardé. Personne n'arrivait à croire qu'un gar ait pu s'adresser ainsi à un des leurs. Mais à ce stade, tant pis.

– Tu peux regagner ta liberté, a répondu le klee.

– Comment ?

On a jeté quelque chose à terre, dans l'espace entre le gar et moi. Lorsque je l'ai regardé, j'ai ouvert de grands yeux. C'était un couteau. Mais pas comme on en voit dans toutes les cuisines. Il comportait trois lames qui semblaient être les griffes d'un tang. Elles étaient longues, minces et tout aussi acérées que lorsqu'elles étaient encore rattachées à leur propriétaire.

– Un gar quittera le ring… libre, reprit le klee avec un sourire mauvais. L'autre, les pieds devant.

Avant que j'aie pu assimiler cette incroyable nouvelle, le gar qui se tenait aplati à terre comme un chiot malade a soudain bondi vers le couteau et l'a brandi, prêt à frapper.

– Pardon, a-t-il dit.

Le klee a sauté hors du cercle et le gar m'a sauté dessus.

Le combat avait commencé.

Journal n° 17
(suite)

EELONG

J'ai évité le coup, mais la lame a sifflé à quelques centimètres de moi.

Si je voulais me libérer, je devais tuer ce gar. Ben, voyons. Facile comme bonjour. Moi qui n'avais jamais frappé qui que ce soit de toute ma vie, même sous l'effet de la colère, je me voyais mal poignarder à mort un pauvre type ! Mais si je ne trouvais pas quelque chose, et vite, c'est lui qui me ferait la peau. Et à voir la façon dont il m'avait attaqué, lui n'avait pas ce dilemme moral. La situation était sans issue. Du moins pour moi.

Le gar a titubé, mais a aussitôt repris son équilibre. Il a fouetté l'air devant moi, manquant de peu me taillader la poitrine. J'ai reculé à l'autre bout du ring afin de gagner du temps. Comment me sortir de ce traquenard ? Les klees nous acclamaient. Apparemment, ils s'amusaient bien.

– Tue ! Tue ! ont-ils crié, et certains m'ont repoussé vers le gar.

J'étais bien le favori. La plupart avaient dû parier pour moi. Le gar s'est planté face à moi, les jambes fléchies, le couteau brandi. Il cherchait une occasion d'attaquer. J'ai tourné autour de lui en gardant mes distances. Il y avait une lueur de folie dans ses yeux. Il luttait pour sa propre survie et me tuerait sans hésiter.

Il m'a plongé dessus à nouveau, couteau en avant. J'ai feinté dans la direction opposée, mais il m'a touché au passage. Les trois lames ont tailladé ma tunique. J'étais si dopé à l'adrénaline que je n'aurais même pas pu dire si j'étais blessé. Des klees ont acclamé mon adversaire, d'autres l'ont hué. Ceux qui avaient parié sur moi devaient être déçus. Dur pour eux.

Le gar était hors d'haleine. Bien. J'étais en meilleure forme que lui. Si le combat se prolongeait, il serait vite crevé. C'était ma chance. Je devais l'épuiser jusqu'à ce qu'il ne soit plus en état d'attaquer, et… et… et quoi ? Je ne pourrais jamais le tuer de sang-froid. Le gar a frappé, encore et encore, mais n'a tranché que le vide. Pas vraiment un combattant aguerri. Les klees qui avaient parié sur moi ont dû s'en apercevoir aussi, parce qu'ils m'ont acclamé. Le gar a chargé, mais je l'ai évité comme un torero. Il a chancelé avant de tomber à genoux. Une poignée de klees l'ont ramassé, retourné et poussé vers moi.

Le pauvre bougre était à bout de souffle. Il hoquetait et postillonnait. J'ai aussi eu l'impression qu'il pleurait. Il a encore tenté de foncer sur moi. Je n'ai eu aucun mal à l'éviter, mais cette fois-ci je me suis accroupi et ai tendu la jambe. Le classique croche-pattes, qui a réussi au-delà de toute attente : il a mordu la poussière. Je lui ai sauté dessus pour le clouer au sol et lui arracher le couteau. Autant vouloir maîtriser une bête féroce. Il a puisé dans une réserve d'énergie primaire, sauvage, qui lui a donné la force de me repousser. Son geste m'a pris par surprise. Je suis tombé sur le dos. L'instant d'après, un couteau sillonnait les airs, visant ma gorge.

Mais j'avais encore quelques instincts animaux, moi aussi. J'ai roulé sur le côté, et la lame s'est enfoncée dans la terre à l'endroit où s'était trouvée ma tête. Je me suis relevé et ai cherché à immobiliser le gar pendant qu'il était encore au sol. Mais il m'a giflé de sa main libre avec une force surprenante. Il m'a atteint en pleine bouche et m'a renvoyé sur le dos. J'ai senti le goût de mon propre sang. Le gar avait repris le dessus. Il a arraché le poignard du sol et a sauté sur moi.

J'ai cessé de réfléchir. Ce n'était pas volontaire, mais mes réflexes ont pris le dessus. Heureusement, car ils m'ont sauvé la vie. Jusque-là, ma tactique était de trouver un moyen de battre le gar sans que personne ne se fasse tuer. Mais là, la peur, la douleur et la menace d'une mort imminente m'ont fait passer en mode survie. J'étais allongé sur le dos, vulnérable. Le gar a plongé sur moi pour porter le coup de grâce. D'instinct, j'ai levé mes jambes fléchies. Sa poitrine a cogné mes pieds et, d'une détente, je l'ai envoyé bouler par-dessus moi. Pris par surprise, le gar est retombé sur le dos avec un « ouf ! » douloureux. Apparemment, le choc lui a coupé le souffle. Je me suis aussitôt retourné et ai plongé vers le poignard. Ce pauvre bougre n'avait pas une chance de m'en empêcher. J'ai posé mon genou sur son bras tendu, et sa main s'est dépliée. Il a lâché le poignard. Je m'en suis aussitôt emparé.

Les klees m'ont acclamé. Enfin, ceux qui avaient parié sur moi. J'ai baissé le couteau vers la gorge du gar, ce qui a provoqué un surcroît d'encouragements. Ils étaient assoiffés de sang. J'ai posé la lame contre sa peau, prêt à l'égorger pour sauver ma propre peau. Je ne m'en serais jamais cru capable, mais, dans le feu de l'action, ma peur d'y rester avait fait de moi quelqu'un d'autre. Une sorte de primitif. J'étais devenu un animal uniquement concerné par sa propre survie. J'étais un gar.

C'est alors que j'ai entendu un rire familier. Il a traversé la brume démentielle qui engourdissait mon cerveau. J'ai levé les yeux. Là, au milieu des klees, j'ai vu Timber, le félin dont Saint Dane avait pris l'apparence. Tous ceux qui l'entouraient m'encourageaient à trancher la gorge de ce gar, mais Saint Dane était d'un calme olympien. On aurait dit que toute la scène se déroulait au ralenti, sinon pour Saint Dane et moi.

– Voilà ta porte de sortie, Pendragon, a-t-il dit, très calme. Tue-le et tu seras libre.

C'était donc ça, l'occasion dont il m'avait parlé. La vie de ce gar contre la mienne.

– Tue-le, a répété Saint Dane. Ce n'est pas si difficile.

Ses mots ont déclenché une réaction au plus profond de moi. Peut-être était-ce parce que j'avais déjà gagné et n'avais plus peur. Peut-être un contrecoup de l'afflux d'adrénaline. Ou peut-être ai-je compris que si je suivais son conseil, je resterais à tout jamais un meurtrier… comme Saint Dane. Voilà qui m'a remis la tête à l'endroit. J'ai serré le couteau et, sans quitter Saint Dane des yeux… je me suis relevé pour m'éloigner du gar à terre. Aussitôt, les klees furieux se sont précipités dans le ring. Mais l'instant d'avant, j'ai vu Saint Dane perdre son sourire satisfait. Je n'étais pas un tueur, et ce n'est pas lui qui m'en ferait devenir un.

Un point pour moi. Je venais de remporter une victoire. Mineure, certes, mais une victoire tout de même.

Puis ce fut l'émeute. Les klees m'en voulaient d'avoir gâché le spectacle. Tout le monde s'est bousculé dans le cercle. Apparemment, ils discutaient de leurs paris et de la façon dont ils seraient honorés. On m'a arraché le poignard, puis un bras puissant couvert de fourrure s'est refermé sur ma taille et m'a soulevé de terre. J'étais trop crevé pour me débattre. Le félin m'a entraîné à l'écart de la mêlée tout en repoussant les klees qui cherchaient à s'emparer de moi. Une fois sortis du cercle, j'ai regardé mon sauveteur.

C'était Kasha.

– Lâche-le ! a crié un klee. Il est à nous !

Elle s'est retournée et leur a tenu tête.

– Certainement pas ! a-t-elle feulé. Durgen n'avait pas le droit de le vendre.

– Alors où est notre argent ? On l'a acheté !

– Vous l'avez gardé déjà trop longtemps et il s'est bien battu, a rétorqué Kasha. Vous êtes quitte.

– Mais il n'a pas tué le gar ! a contré l'autre klee. Le combat n'est pas terminé !

Kasha a fait un pas vers les autres klees d'un air menaçant.

– Le combat *est* terminé, a-t-elle feulé rageusement. À moins que vous ne vouliez entrer dans le cercle avec moi pour en discuter ?

Les klees ont échangé des regards nerveux. Nul ne voulait se frotter à Kasha.

– Durgen ne sera pas content, a remarqué le klee.

– C'est bien le dernier de mes soucis, a craché Kasha d'un ton sarcastique.

Les klees ont haussé les épaules et se sont détournés.

– Tu es prévenue, c'est tout.

Kasha a attendu pour s'assurer qu'ils n'allaient pas me sauter dessus, puis m'a regardé :

– Ça va ?

– Je suis encore en vie, ai-je répondu. Où étais-tu passée ?

– Quoi ? C'est comme ça que tu me remercies de t'avoir sauvé ?

– Merci. Où étais-tu passée ?

– Il faut que tu manges quelque chose, a-t-elle répondu. Viens avec moi.

Elle a tendu une laisse pour la passer à mes poignets.

– Pas question, ai-je répondu, et j'ai tourné les talons.

Kasha n'a pas discuté. Elle a rangé sa laisse, et on est partis vers sa maison, côte à côte. J'étais affaibli, affamé et mes jambes n'étaient pas très assurées, mais peu importait. J'étais libre, et je n'avais pas été obligé de tuer un gar pour ça. Pour autant que je sache, ma détention et tous ces mauvais traitements étaient une mise en scène orchestrée par Saint Dane dans le but de me pousser à commettre un meurtre. Eh bien, il avait échoué. Le cauchemar était fini.

Au passage, j'ai remarqué que la prison se situait près du corral à zenzens. Manifestement, ces animaux aux jointures multiples étaient bien mieux traités que les gars. Ça faisait un mois que je n'avais pas mis le nez dehors, et maintenant, je pouvais apprécier l'incroyable beauté de Lyandra. Quoique, comparé à cette cellule, n'importe quel taudis aurait semblé un palais.

– On a essayé de te sortir de là plus tôt, a fini par dire Kasha d'un ton dépourvu de toute trace d'excuse. Mais en vain. Durgen a beaucoup d'amis parmi les dresseurs.

– Vous auriez dû insister, ai-je répondu amèrement.

– Vraiment ? a rétorqué Kasha. Tu oublies comment tu t'es retrouvé dans cette situation. C'est parce que j'ai choisi de sauver ta vie plutôt que celle d'un klee. Et là, je viens de te tirer d'affaire une seconde fois. Et tu me critiques ?

J'aurais volontiers argumenté, mais ça n'aurait pas servi à grand-chose.

– On ne pouvait même pas t'approcher, a-t-elle continué. Il a fallu attendre qu'ils te fassent sortir pour…

Elle n'a pas fini sa phrase. Elle ne voulait pas le dire.

– Pour me tuer, ai-je complété. Pourquoi gardent-ils les gars dans une prison aussi ignoble ? C'est cruel, barbare…

– Ce n'était pas une prison, a-t-elle corrigé. Il y en a une, mais pour les klees. Tu étais dans un enclos.

– Peu importe, ai-je répondu avec colère. Ils traitent les gars pire que des animaux ! Pourquoi ? Pour se repaître du spectacle de leur sang ?

– Non. Les gars ont bien des utilités.

– Lesquelles ?

– Par exemple, ils assurent le bon fonctionnement de Lyandra en nettoyant les canalisations d'eau et en remplaçant les cristaux à lumière au sommet des arbres. Les dresseurs préparent certains d'entre eux pour les tournois de wippen ou pour assister les klees aveugles qui ne peuvent pas se déplacer tout seuls. Certains sont employés comme assistants personnels ou font des acrobaties pour amuser les jeunes klees. Si un gar n'a pas de talent particulier, mais se montre affectueux, il peut faire un excellent compagnon. Les gars font partie intégrante de Lyandra.

– Et on les fait s'entretuer pour distraire les dresseurs, ai-je ajouté. Ou ils servent de chair à tangs pour protéger les explorateurs.

Kasha n'a pas fait de commentaire.

– La vérité, c'est que les gars sont vos esclaves. Pour les klees, ils sont à leur disposition, leur vie ne vaut pas un clou, et ils font tous vos sales boulots. C'est mal, Kasha ; et le pire, c'est que tu le sais très bien. À mon arrivée, je t'ai vu sauver ce gar dans la jungle. Malgré tes grands airs, tu n'es pas si insensible que ça.

– Il y a bien des choses qui ne me conviennent pas, dit-elle doucement. J'essaie de prendre en compte tous les points de vue.

On a continué notre chemin en silence pendant un moment. Puis j'ai demandé :

– Et Seegen ? Il est revenu ?

Kasha n'a pas répondu, ce qui voulait dire que non. Je commençais à m'inquiéter. Et s'il ne revenait pas du tout ? Là, la situation prendrait un tour différent et assez effrayant. Nous ne nous sommes plus rien dit. J'aurais voulu rester en colère contre Kasha, mais je n'en avais pas l'énergie. Si elle disait qu'ils n'avaient pas pu me sortir de ce trou plus tôt, je devais la croire.

Et puis, j'étais tellement soulagé d'être libre que je ne pouvais en vouloir à personne. Sauf à Saint Dane, bien sûr.

Une fois chez elle, Kasha m'a donné des vêtements, ou plutôt des haillons, pour remplacer les miens et m'a permis de me nettoyer dans sa salle de bains. C'était si bon de pouvoir laver la crasse accumulée tout au long de cet interminable mois. J'avais l'impression de changer de peau. Une fois propre, je me suis regardé. Comme j'avais maigri ! Pour la première fois de ma vie, j'avais des abdos en barre de chocolat. Et pas parce que j'étais en pleine forme, mais parce que je n'avais pas un poil de graisse pour les dissimuler. J'étais mince... mais je me sentais mal. Je ne pouvais même plus regarder mon corps. C'était trop déprimant. Je me suis empressé d'enfiler mes nouvelles frusques et de rejoindre Kasha dans son salon.

À ma grande stupéfaction, j'ai vu que, pendant ce temps, elle m'avait préparé un vrai festin. Il y avait des oiseaux rôtis, des saladiers débordants de fruits frais et des petits pains bruns appétissants.

– Ne mange pas trop vite, m'a-t-elle recommandé. Ton organisme n'est plus habitué.

Ça, ce serait dur. Je mourais de faim. Je me suis assis et ai fait de mon mieux pour ne pas m'empiffrer comme un goret, mais plus j'en enfournais, plus je criais famine. Je me suis juste arrêté le temps d'émettre un rot qui semblait venir du plus profond de mon être. Ensuite, eh bien, je suis repassé à l'attaque. Kasha est restée dans la cuisine, me laissant me bâfrer tranquillement. Mais je suis vite arrivé à saturation. En fait, je n'ai pas tant mangé que ça, vu que mon estomac s'était réduit jusqu'à la taille d'une noix. Lorsque j'ai déclaré forfait, il restait encore pas mal de plats sur la table. J'ai pensé à me fourrer deux doigts dans la gorge pour pouvoir repartir à zéro, mais ç'aurait été ridicule. Et malpoli, en plus. Donc, je me suis adossé à ma chaise et, pour la première fois depuis bien longtemps, j'ai pleinement profité de la sensation d'avoir l'estomac plein.

Je n'avais pas vu que Kasha s'était encadrée dans la porte de la cuisine.

– J'ai peur pour mon père, a-t-elle soudain déclaré. Boon et Yorn se relaient pour surveiller l'entrée de ce tunnel dans l'arbre.

– Le flume, ai-je corrigé.

– Ils sont persuadés qu'à un moment ou à un autre, il va y apparaître comme par magie, a-t-elle continué. Mais je ne partage pas leur optimisme.

Kasha s'est assise à la table en face de moi. Pour la première fois depuis que je la connaissais, elle n'avait pas l'air si sûre d'elle. J'ai eu l'impression que, à force de se torturer avec des questions sans réponses, elle était enfin disposée à m'écouter. Je n'étais peut-être qu'un gar, un être inférieur, mais elle était prête à ravaler son orgueil si cela pouvait l'aider à découvrir ce qui était arrivé à son père.

– Crois-le ou non, ai-je commencé, je sais ce que tu dois ressentir. Moi aussi, j'ai eu une vie normale. Ma famille était super, mon école me plaisait bien, j'avais des amis formidables – tout était proche de la perfection. Mais j'avais aussi l'oncle Press. Un jour, il est venu me dire que je devais abandonner mon petit monde confortable parce que d'autres avaient besoin de moi.

– Et où est cet oncle Press maintenant ? a demandé Kasha.

Zut. Je n'avais pas choisi la bonne approche. Mais je lui devais la vérité :

– Il... Il est mort.

Ce n'est pas ce qu'elle voulait entendre. Erreur critique, Bobby. Kasha s'est levée pour faire les cent pas d'un air soucieux. Étonnant : elle se déplaçait sans faire le moindre bruit. Mais après tout, c'était un chat.

– Je ne sais pas comment le dire sans que tu le prennes mal, a-t-elle commencé.

– Vas-y, déballe, ai-je insisté.

– Tu l'auras voulu. Franchement, toutes ces histoires de Voyageurs, de territoires et de démons me cassent les pieds. Je me fiche pas mal de ces contes, et pourtant ils ont gâché la vie de mon père. Tout le monde le respectait. Il allait être nommé membre du Conseil des klees ! Mais lorsqu'il a découvert ce tunnel dans l'arbre, il a changé. Cette mission absurde a viré à l'obsession. Il ne pensait plus qu'à ça. Et Yorn l'y encourageait ! J'ai essayé de lui faire entendre raison, mais tout ce qu'il a répondu, c'est qu'un jour je prendrais sa place. Je me suis tournée vers Boon, mon meilleur ami, pour qu'il m'aide. Mais Boon s'est lui aussi laissé entraîner dans cette histoire de fous ! Pendant qu'ils se régalent de combats menés sur d'autres mondes, ils oublient le véritable danger qui menace Eelong.

– C'est-à-dire ? ai-je demandé.

– Une famine sans précédent, a-t-elle répondu sans prendre de gants. Le nombre de klees ne cesse d'augmenter, tout comme celui des gars. Or nos cultures n'arrivent pas à suivre la demande. Toutes les terres fertiles sont surexploitées depuis des générations. On ne peut maintenir notre niveau de production actuel, et encore moins l'augmenter. Ce repas que je t'ai préparé est un véritable festin qui, en temps normal, aurait été rationné pour nourrir une famille entière pendant une semaine. Si on ne trouve pas un moyen d'inverser la tendance, notre société va mourir de faim. Donc, excuse-moi si je n'ai pas vraiment envie de pourchasser un démon à travers le temps et l'espace quand mon propre monde est au bord de la catastrophe.

– Kasha, ai-je repris doucement, c'est justement pour ça que tu dois te méfier de Saint Dane. Il interfère dans les territoires… euh, les mondes qui atteignent un point critique. Comme cette menace de famine, ici, sur Eelong. Pour lui, c'est pain béni. Il s'en sert pour pousser les klees à chasser les gars. En ce moment même, il siège au Conseil des klees et les pousse à abroger l'édit quarante-six. Qui sait ce qui en découlera ?

Kasha m'a jeté un regard noir.

– Il n'y a pas de gars au Conseil des klees.

– C'est parce qu'il a pris l'apparence d'un klee nommé Timber.

Mais j'ai aussitôt compris que Kasha ne voudrait jamais me croire. Si je n'avais pas vu Saint Dane se transformer, je ne l'aurais pas cru non plus. J'ai préféré changer de sujet avant de la perdre pour de bon.

– As-tu entendu parler de quelque chose qu'on appelle l'Eau noire ? ai-je demandé.

– L'Eau noire ? a-t-elle répété, incrédule. Où as-tu entendu parler de ça ?

– Des gars, quand j'étais dans leur prison, Qu'est-ce que c'est ?

– Ce n'est pas quelque chose, mais un endroit, a-t-elle répondu.

– Dis-moi tout.

– C'est un conte gar. Je n'en connais pas grand-chose, mais j'ai entendu des gars en parler. C'est l'endroit où ils iront tous un jour pour recevoir leur ultime récompense.

– Ils l'ont appelé « chez eux ».

– Je n'en doute pas. Ils ont bien besoin de croire en une vie meilleure, non ?

– Alors c'est une sorte de terre promise ? Ou un paradis ?

– Je ne connais pas ces mots.

– Peu importe. Où se trouve cet endroit ?

– Il n'existe pas, Pendragon, a-t-elle répondu avec un petit rire. Ou alors, uniquement dans l'imagination des gars. C'est un rêve.

Je me suis tu un instant, indécis. Devais-je lui parler des cubes d'ambre ? Ou de ce qu'ils appellent « la transhumance » ? Un jour, Kasha deviendrait la Voyageuse d'Eelong, et je serais tenu de lui faire confiance, mais ce n'était pas encore le cas. J'ai décidé de continuer, mais prudemment :

– Je doute que les gardes klees aient pensé que l'Eau noire n'était qu'un rêve. Quand j'étais dans cette cellule, un des gars en a parlé. Aussitôt, un des klees est entré en coup de vent et l'a emmené pour le livrer aux Inquisiteurs.

Kasha a cessé de tourner comme un lion en cage (si j'ose dire), surprise.

– Un klee a emmené un gar aux Inquisiteurs parce qu'il a parlé de l'Eau noire ? C'est absurde !

– Qui sont ces Inquisiteurs ?

– Une division de la police locale. Ils font subir des interrogatoires à quiconque menace la paix. Si tu trouves cruels les dresseurs qui organisent les combats de gars, attends de voir les Inquisiteurs. Ce sont des brutes sadiques. J'ai toujours contesté leurs méthodes. Mais ils ne s'occupent pas des gars.

– Maintenant si, ai-je répondu. Et ils s'intéressent apparemment à l'Eau noire.

Kasha a encaissé la nouvelle. Nous n'avions ni l'un, ni l'autre la moindre idée de ce que ça signifiait. Mais ça commençait à sentir le roussi. Ou plutôt, un relent de Saint Dane.

– Kasha ! a fait une voix depuis l'extérieur.

Peu après, Boon est entré dans la pièce.

– Boon, a crié Kasha, j'ai pu sauver Pendragon !

Il m'a vu, mais n'a pas réagi. S'il était content que je m'en sois sorti, il le cachait bien. Ça ne lui ressemblait guère. Je ne le connaissais pas depuis longtemps, mais suffisamment pour en conclure qu'il y avait un os. Boon est entré lentement en évitant de croiser nos regards.

– Ça ne va pas ? a demandé Kasha. Tu es malade ?

Il s'est assis et a fixé la table. Il avait pleuré.

– Boon ! a crié Kasha. Qu'est-ce qu'il y a !

Il m'a regardé. Il avait l'air effrayé et perdu. Je ne sais pas comment, mais à ce moment-là j'ai immédiatement compris ce qui le mettait dans cet état. Peut-être parce que c'était inévitable. Ou écrit. J'aurais souhaité avoir tort, mais un simple coup d'œil à Boon m'a persuadé du contraire. J'ai acquiescé pour l'encourager à parler et lui signaler que j'avais compris. Boon s'est tourné vers Kasha. Celle-ci avait les yeux écarquillés et brûlants du désir de savoir.

– J'ai trouvé Seegen, a-t-il dit, et sa voix s'est brisée.

– Vraiment ? Où est-il ?

– Il est mort.

Il n'a rien ajouté. C'était inutile. Tout le reste ne serait que détails. Importants, certes, mais pas autant que la réalité qui venait de s'imposer à moi.

Seegen était mort.

Kasha était désormais la Voyageuse d'Eelong.

Journal n° 17
(suite)

EELONG

Le corps sans vie de Seegen gisait à l'embouchure du flume.

Une heure après que Boon avait lâché sa bombe, nous nous sommes retrouvés à contempler le cadavre du Voyageur d'Eelong. Nous étions quatre : Boon, Yorn, moi et Kasha, bien sûr. C'était sa fille, après tout. Seegen était un grand félin à la fourrure grise piquetée de blanc. Même s'il était mort, j'ai senti la force et le charisme qu'il devait irradier. Mais je n'en prendrai jamais la pleine mesure. On est restés là, en silence. Je pense qu'on attendait tous que Kasha prenne la parole. En regardant ses yeux, j'ai vu qu'elle retenait ses larmes. Mais elle était trop forte pour se laisser aller.

– Comment est-il mort, Yorn ? a-t-elle demandé.

Le vieux félin a soupiré :

– Je ne sais pas. Comme je te l'ai dit, il est allé chercher Pendragon en Seconde Terre. Quand il est revenu, il était mort. Mais j'ignore ce qui s'est passé entre-temps.

Boon a examiné sommairement le corps, cherchant des traces de blessure. En vain. Kasha m'a regardé et a dit :

– Tu prétends que là d'où tu viens, les klees sont traités comme des gars. Qu'est-ce qui a bien pu arriver ?

– Ce ne sont que des conjectures, ai-je répondu, mais si Seegen était apparu sans crier gare dans ma ville natale, ils auraient cherché à le capturer. Ils lui auraient probablement balancé une charge de tranquillisants pour l'endormir. En dernier ressort, ils auraient employé des armes mortelles, mais comme il ne présente pas de blessures apparentes, je doute qu'il soit mort en Seconde Terre.

– Mais quand il est parti, il était bien vivant ! a rétorqué Kasha, luttant pour dissimuler son émotion.

J'avais mal pour elle. Je sais ce que c'est de perdre quelqu'un qu'on aime. Et je savais ce qui l'attendait.

– J'ignore comment il est mort, ai-je dit avec compassion. Et je sais que tu ne crois pas en notre combat contre Saint Dane. Et pourtant, c'est la vérité. La mort de ton père en est la preuve.

Je me suis agenouillé et ai doucement retiré son collier. Celui qui retenait son anneau de Voyageur. Je l'ai montré à Kasha.

– Maintenant, tu es la Voyageuse d'Eelong. Je ne te demande pas de me croire, mais de nous aider à lutter contre Saint Dane.

– Et pourquoi le ferais-je ? a-t-elle rétorqué.

– Parce que c'est ce que voulait ton père, et je te garantis que, d'une façon ou d'une autre, Saint Dane est responsable de sa mort. Si tu veux que justice soit faite, rejoins-nous.

Kasha a regardé l'anneau, puis Yorn, qui a hoché la tête en signe d'encouragement. Elle s'est tournée vers Boon, qui lui a adressé un faible sourire. Elle a lentement tendu la main vers l'anneau, puis a examiné la pierre grise et les étranges symboles gravés dessus.

– Je crois en ce que je vois, a-t-elle dit. Pendragon, j'étais censé avaler sans sourciller tout ce qu'il disait à propos de toi. Mais mon père est mort, et c'est la réalité, je ne peux plus le nier. (Elle m'a jeté un regard perçant avant de continuer.) Quoi que je fasse, ce sera pour lui, pas pour toi, ni pour Yorn, ni pour Boon, ni pour je ne sais quelle mission farfelue. Tant que tu acceptes ça, je te suis.

– C'est compris, ai-je répondu simplement.

C'est alors qu'elle a laissé tomber l'anneau.

– Mais je ne suis pas une Voyageuse, a-t-elle dit d'un ton dédaigneux.

Boon et Yorn m'ont regardé, guettant ma réaction. Je me suis contenté de ramasser le bijou.

– Comme tu voudras.

J'ai épousseté l'anneau et l'ai ajouté aux deux que je portais déjà autour du cou.

L'ambiance était tendue. Yorn a rompu le silence :

– Seegen était mon meilleur ami, et j'étais son Acolyte. Je suis peut-être vieux, mais je peux encore me rendre utile.

– Certainement, ai-je répondu.

– Parfait, a repris Yorn. D'abord, nous devons lui rendre les derniers hommages. Ensuite, nous pourrons nous lancer aux trousses de Saint Dane.

Nous avons sorti à grand peine le cadavre de Seegen de l'arbre afin de regagner le chariot tiré par des zenzens qui nous attendait. Nous avons allongé le défunt à l'arrière, l'avons recouvert d'une bâche en témoignage de respect, puis avons entrepris le long voyage de retour vers Lyandra.

– Est-ce qu'il aura droit à une cérémonie et un enterrement ? ai-je demandé.

– Une cérémonie, oui, a expliqué Yorn. Mais sur Eelong, nous n'enterrons pas nos morts. Nous les incinérons pour qu'ils ne soient pas la proie de tangs en maraude.

– Comme pour la main de Gunny, m'a rappelé Boon.

– Oui, a ajouté Yorn. Ça m'étonne de l'avoir retrouvé. J'étais sûre que les tangs qui l'ont attaqué l'auraient dévorée.

Yorn a baissé la tête et s'est tu, comme si cette conversation le peinait. Et je ne peux pas dire qu'elle me réjouissait. C'était vraiment la déprime. Je préférais continuer en silence. Et d'ailleurs, j'étais trop occupé à surveiller les alentours, à l'affût des tangs. Heureusement, on n'en a pas croisé un seul. Cela voulait-il dire que la chance allait tourner ? Vu tout ce qui m'était tombé dessus ces derniers temps, je l'espérais.

Une fois de retour à Lyandra, je suis resté chez Kasha pendant que les autres s'occupaient du cadavre de Seegen. Je serais bien allé avec eux, mais ils m'ont expliqué qu'un gar n'y passerait pas inaperçu. Ça m'a laissé le temps de rassembler mes idées, de manger quelque chose et de rédiger ce journal. Je ne suis pas allé bien loin. À peine me suis-je attelé à la tâche que je suis tombé raide. J'avais vraiment besoin de dormir. La dernière chose dont je me souviens, c'est qu'il faisait encore jour lorsque j'ai reposé mon stylo pour reposer mes yeux. Puis, tout d'un coup, il faisait nuit, et un Boon pris de folie me secouait pour me réveiller.

– Pendragon ! Viens vite ! a-t-il crié, à peine capable de maîtriser son excitation.

– Hein, quoi ? ai-je répondu, dans les vapes.

– Kasha m'a demandé de te ramener.

– Pourquoi ? Qu'est-ce qui se passe ? ai-je demandé en tentant de faire embrayer mon cerveau.

Il m'a pris la main et m'a relevé de force :

– C'est à propos de l'Eau noire !

Un flot d'adrénaline a couru dans mes veines. Soudain, le sommeil m'avait quitté. Boon est sorti de l'appartement sans m'attendre, mais j'étais prêt à le suivre. Je l'ai rattrapé et nous avons traversé plusieurs ponts aériens. Il n'a pas cherché à m'entraver les mains, et je ne lui ai pas rappelé ce détail. Il faisait nuit noire, et il n'y avait pas grand monde pour nous voir.

– Où va-t-on ? ai-je demandé en cours de route.

– Kasha a des relations au gouvernement, a répondu Boon. Elle a appris l'endroit où les Inquisiteurs interrogent les gars à propos de l'Eau noire. Il faut faire vite.

Excellent : Kasha venait à peine de devenir Voyageuse, et elle se rendait déjà utile. Cette histoire d'Eau noire m'intriguait. Non que cette fable soit particulièrement passionnante ou originale mais, si les klees s'y intéressaient de près, il devait y avoir quelque chose à creuser. Quelques minutes plus tard, nous sommes arrivés à l'arbre où se réunissait le Conseil des klees. Boon m'a mené à un ascenseur qui nous a emportés à son sommet.

– Ne fais pas de bruit, a-t-il chuchoté. On n'est même pas supposés être là.

Il m'a précédé sur une passerelle qui faisait le tour de l'arbre jusqu'à une porte. Celle-ci donnait sur un couloir sombre et circulaire. On a progressé rapidement et silencieusement jusqu'à ce qu'on tombe sur… Kasha. Elle guettait par une petite fenêtre creusée dans l'écorce.

– On est là ! a dit Boon d'une voix forte.

– Chut ! l'a réprimandé Kasha.

– Qu'est-ce qui se passe ? ai-je chuchoté.

J'ai avancé pour regarder à mon tour par l'ouverture, mais elle m'en a empêché.

– Je te préviens, a-t-elle dit, ce ne sera pas un spectacle très ragoûtant. Il faut t'y préparer.

– D'accord. Prépare-moi.

– Ils torturent le gar, a-t-elle déclaré. Il n'y a pas d'autre mot. S'il ne leur dit pas ce qu'ils veulent savoir, j'ai bien peur qu'ils le tuent. Et ils le feront peut-être, de toute façon.

– Qu'est-ce qu'ils veulent savoir ?

– Où se trouve l'Eau noire.

– Alors, c'est vrai ? a demandé Boon d'une voix un peu trop forte.

Aussitôt, il a posé sa patte sur sa bouche et haussé les épaules en guise d'excuse.

– Les Inquisiteurs semblent le croire, a-t-elle répondu. Tu es prêt ?

– Oui.

J'ai inspiré profondément et regardé par la meurtrière. En fait, je n'étais pas prêt du tout.

De notre position élevée, on voyait la scène à travers des fentes dans le plafond. C'était sans doute un poste d'observation pour ceux qui n'avaient pas assez d'estomac pour se tenir plus près. Comme moi. En dessous s'étendait une grande salle avec une table en son milieu. Le gar que j'avais vu à la prison y était allongé et entravé, le torse nu. Mon estomac s'est retourné lorsque j'ai vu les centaines de plaies qui labouraient sa poitrine et ses bras. Deux klees s'affairaient autour de lui. L'un d'entre eux le frappa avec une mince lanière de cuir qui émit un craquement sec. Le pauvre bougre poussa un cri de douleur. La lanière laissa une vilaine coupure sanglante sur sa poitrine. Je n'avais jamais assisté à une telle manifestation de cruauté délibérée, et j'espère ne plus jamais revoir un tel spectacle.

– Tu peux y mettre un terme, fit calmement le bourreau. Tu n'as qu'à nous dire où trouver l'Eau noire.

Le gar a gémi, mais n'a pas parlé. S'il savait où trouver cette fameuse Eau noire, il n'allait pas le leur révéler.

– Vous n'avez pas de lois pour interdire ça ? ai-je chuchoté à Kasha.

– Eh bien… non. Ce sont des animaux. Ils n'ont pas les mêmes droits que les klees.

– Ce ne sont pas des animaux ! ai-je rétorqué, furieux, en luttant pour ne pas crier. Et même si c'était le cas, ce n'est pas une raison pour les torturer !

– Oh, oh, a fait Boon. De mieux en mieux.

Je me suis à nouveau tourné vers la salle de torture. Ce que j'ai vu n'étais pas vraiment une surprise. C'était logique et cela a confirmé mon intérêt pour l'Eau noire. Le klee nommé Timber venait d'entrer dans la salle.

– Saint Dane, ai-je chuchoté.

– Mais non ! a répondu Kasha. C'est Timber, du Conseil des klees.

– C'est ce qu'il veut vous faire croire, ai-je repris sans quitter des yeux le démon. J'ai déjà essayé de te le dire. Il peut prendre l'apparence qu'il veut.

Je n'ai pas poursuivi. Ce n'était pas le moment de faire l'éducation de Kasha sur les pratiques démoniaques de Saint Dane. À l'approche de ce démon, les klees se sont écartés de leur victime. Timber tenait quelque chose qu'il a montré au gar.

– Qu'est-ce que c'est ? a-t-il demandé d'une voix calme et amicale.

C'était un de ces petits cubes d'ambre qui avaient un rapport avec l'Eau noire, même si je ne savais pas lequel. Saint Dane non plus, apparemment. Mais c'était assez important pour qu'il fasse torturer ce pauvre bougre.

– Dis-moi ce que c'est, a-t-il fait d'une voix doucereuse, et tu ne souffriras plus.

Le supplicié a ouvert de grands yeux brûlants de folie. Même de notre position élevée, j'ai vu qu'il était secoué de spasmes. Il aurait pu lui révéler son secret et abréger ses souffrances, mais préférait rester muet. Quel courage !

Timber s'est penché vers lui :

– Dis-moi, quand vas-tu rentrer chez toi ?

La réaction du gar fut étrange. À peine eut-il entendu le mot « chez toi » qu'il a paru apaisé, comme si la douleur s'était évanouie. Il a regardé Timber et a éclaté de rire. Quoi que « chez lui » puisse signifier à ses yeux, cela lui a donné le courage d'envoyer Saint Dane se faire voir. C'était une belle démonstration de courage, mais pas forcément d'intelligence. Saint Dane n'apprécie pas qu'on lui tienne tête. Ce qui a suivi a pris de court même les tortionnaires klees.

– Parle ! a-t-il ordonné avec colère.

Soudain, le gar a cessé de rire. Tout son corps s'est raidi. Il a jeté à Timber un regard surpris. Leurs yeux se sont croisés, puis il a lentement arqué le dos, comme s'il supportait un grand poids. Les klees ont échangé des regards décontenancés. Ils ne comprenaient rien à ce qui se passait.

– Que fait-il ? a demandé Kasha.

– C'est Saint Dane, ai-je répondu tristement. Il se sert de ses pouvoirs.

Le pauvre gar a lutté contre ses liens. Tout son corps a rougi sous l'effort. En contradiction avec les lois de la gravité, il s'est soulevé de la table.

– Dis-moi ce que c'est ! a hurlé Saint Dane, qui perdait son calme.

Le gar a hurlé de douleur. Les deux klees ont reculé. Ils n'avaient jamais rien vu de tel. J'aurais préféré ne pas assister à ce spectacle, mais il le fallait. Kasha a fait de même. C'était pour elle l'occasion d'avoir un aperçu de ce dont Saint Dane était capable. Le gar a fini par laisser échapper un cri guttural. J'ai entendu un craquement écœurant. Le pauvre bougre est retombé sur la table, inerte. L'un des klees n'a pu s'empêcher de se palper le cou.

– Il est mort ! a dit un autre, stupéfait. Comment est-ce possible ?

– Non ! s'est écrié Timber, exaspéré. (Il a pris le klee par le cou et a hurlé aux bourreaux :) Vous allez découvrir à quoi servent ces cubes, ou vous passerez sur cette table à votre tour !

– Oui, c'est c-c-compris, a bafouillé le klee.

Timber l'a repoussé pour sortir de la salle à grandes enjambées furieuses. Je me suis écarté de la petite fenêtre pour regarder Kasha. Elle avait l'air ébranlé. Boon s'est courbé pour vomir par terre. Et ce n'était pas une boule de poils.

– Bienvenue dans le monde merveilleux de Saint Dane, ai-je dit en luttant pour empêcher ma voix de trembler. C'était assez réel à ton goût ?

Kasha a fait un pas en arrière et s'est éclairci la gorge. Elle tentait de rester calme, mais sa voix était hachée.

– Il faut que j'aille chez mon père. Je t'en prie, viens avec moi. Peut-être y trouverons-nous quelque chose d'utile.

– Bien.

En ce qui me concernait, je devais sortir de là. Je tremblais et j'étais trempé de sueur. Et l'odeur de ce qu'avait vomi Boon n'était pas des plus agréables. On s'est empressés de quitter l'arbre pour nous rendre chez Seegen, à l'autre bout de Lyandra. Nous n'avons pas échangé un mot. On devait être tous les trois sous le choc. Je me suis demandé si Boon était toujours aussi enthousiaste à l'idée de combattre Saint Dane, maintenant qu'il avait assisté à cette scène horrible. Lorsqu'on est arrivés chez Seegen, Yorn nous attendait sur le pas de la porte.

– Que fais-tu là ? a demandé Kasha.

– Je ne voulais pas entrer, pas sans toi, a répondu le vieux klee.

– Voyons, a répondu Kasha, tu fais partie de la famille !

Yorn a souri tristement. Maintenant qu'ils avaient perdu Seegen, le cercle familial venait de se rétrécir. Nous sommes tous rentrés. L'appartement de son père ressemblait fort à celui de Kasha, ai-je constaté.

– Tu ne voudras jamais croire ce qu'on a vu, a déclaré Boon. Les Inquisiteurs torturaient ce gar pour qu'il leur révèle l'emplacement de l'Eau noire.

– L'Eau noire ? a répété Yorn, surpris. Seegen m'en avait parlé. Il semblait croire en son existence.

– Tout comme les gars, a repris Boon.

– Et Saint Dane, ai-je ajouté.

– Saint Dane ? a répété Yorn surpris. Il était là ? Avec les Inquisiteurs ?

– Oui, ai-je répondu. Il a pris la forme d'un klee nommé Timber.

– C'est vrai, Boon me l'a dit, a répondu Yorn en secouant tristement la tête. C'est effrayant de penser qu'il a pu s'introduire au Conseil des klees. Pourquoi s'intéresserait-il à l'Eau noire ?

– C'est ce que je voudrais bien savoir, ai-je répondu.

Kasha n'a rien dit. Son regard ne cessait de passer de l'un à l'autre alors qu'elle cherchait à comprendre.

– Et qu'est-ce que c'est que ces petits cubes bruns que les gars semblent tous avoir sur eux ? a demandé Boon. Saint Dane avait l'air de s'y intéresser aussi.

– Ton père pourra peut-être répondre à ces questions, a dit Yorn.

Hein ? C'était mon tour de ne plus comprendre.

– Que voulez-vous dire ? ai-je demandé.

Kasha a plongé la main sous sa tunique pour produire une petite clé de bois.

– Mon père me l'a donnée la dernière fois que je l'ai vu. Il m'a dit que, s'il devait lui arriver quelque chose, il faudrait que je m'en serve sur-le-champ.

Elle est allée à la table de cuisine et l'a tirée, révélant un banc incorporé au mur. Elle a passé sa main en dessous et l'a parcouru du bout des doigts jusqu'à ce qu'elle trouve un petit trou.

– C'est là que mon père range ce qu'il a de plus précieux, a-t-elle expliqué.

Elle a inséré la clé dans la cavité et l'a tournée. J'ai entendu cliqueter une serrure, puis elle a soulevé le couvercle. Il n'y avait qu'un seul objet dans le coffre : un coffret de la taille de la boîte à bijoux de ma mère. J'ai eu envie de remarquer que Seegen n'avait pas grand-chose de valeur en ce bas monde, mais ç'aurait été déplacé. Kasha a retiré la boîte, rabattu le siège et posé le petit coffret sur la table. J'ai remarqué un bout de papier accroché à son couvercle. Kasha l'a ouvert et a lu à haute voix :

– « Pour ma fille Kasha ».

– C'est pour toi ! s'est écrié Boon.

Kasha nous a jeté un bref regard nerveux, puis a ouvert le coffret. Elle en a tiré une autre note, qu'elle a d'abord lu en silence. J'ai vu briller une larme dans son œil. En signe de respect, nous avons tous gardé le silence. Kasha a reniflé, s'est redressée et s'est tournée vers nous :

– Il vaut mieux que je vous lise ça.

Et c'est ce qu'elle a fait.

« Ma chère Kasha, lorsque tu liras ces mots, je serai mort. Je t'en prie, ne porte pas mon deuil. C'était écrit. Je sais que tu refuses de croire aux Voyageurs et en notre mission. Je ne peux t'en vouloir. Mais, je le crains, tu ne tarderas pas à découvrir que tout cela est bien réel. Eelong court un grave danger. Si Saint Dane réussit à provoquer l'extermination des gars, notre monde ne s'en relèvera pas. Mais, aussi incroyable que cela puisse paraître, cette catastrophe serait insignifiante par rapport à ce qu'elle entraînerait. Saint Dane ne doit pas remporter une nouvelle victoire. Si tu choisis de ne pas suivre ta destinée en tant que Voyageuse, je le comprendrai. Je suis le seul fautif. Je n'ai rien fait pour te préparer à endosser cette responsabilité. Mais je te demande au moins une chose, et tu ne peux pas me la refuser. Un jour, un gar viendra, un gar du nom de Pendragon... »

Kasha m'a alors fixé. Je lui ai rendu son regard, même si j'avais envie de lui crier : « La suite ! »
Elle a alors repris :

« Fais-lui part du contenu de ce coffret. J'aimerais vous en dire plus sur les plans maléfiques de Saint Dane, mais malheureusement, c'est impossible. La légende de l'Eau noire est vraie. Cet endroit existe. Je le sais : j'y suis allé. »

Houlà ! Ça, c'était du costaud. On s'est regardés les uns les autres, puis Kasha a repris :

« Je crois que cette Eau noire est la clé du plan de Saint Dane. Ainsi que le Voyageur nommé Gunny. Il attend Pendragon dans la Cité de l'Eau noire. »

Je me suis redressé, le cœur battant. Gunny était en vie !

« J'ai besoin de toi. Tu dois aider Pendragon a gagner la Cité de l'Eau noire. Telle est ma requête. Je t'en prie, obéis-moi. Je suis fier de toi, fier de ma fille, mais plus important encore, je t'aime. »

Kasha a reposé la lettre. Aucun d'entre nous n'a prononcé un mot : on en était bien incapables. Par-delà la tombe, Seegen nous avait parlé. Il avait fait son devoir de Voyageur jusqu'au bout. Tout d'abord, j'ai regretté de ne pas l'avoir connu. Ce que je me suis dit ensuite, eh bien, Boon l'a formulé à ma place :

– Qu'est-ce qu'il y a d'autre là-dedans ?

Kasha en a tiré une autre feuille de papier. Elle est restée un instant immobile, à la fixer, comme si elle n'arrivait pas à y croire.

– Qu'y a-t-il, Kasha ? ai-je demandé d'une voix douce.

Elle m'a tendu la feuille. J'y ai lu des symboles et des nombres dessinés à la main. Et je n'y ai rien compris.

– J'y pige que dalle, ai-je dit.

Yorn a récupéré le papier, y a jeté un coup d'œil et a souri.

– Est-ce possible ?

– Je crois que oui, a répondu Kasha.

– Quoi ? ai-je demandé.

– C'est une carte, a expliqué Yorn. D'après ce que dit Seegen, je présume que c'est le chemin de l'Eau noire.

– Super ! s'est écrié Boon.

J'étais tellement stupéfait que je pouvais à peine respirer. Voilà une information que Saint Dane adorerait obtenir. Après tout, c'est pour s'en emparer qu'il avait torturé et tué un gar, alors qu'elle venait de nous tomber toute rôtie dans le bec.

– Il y a quelque chose d'autre dans cette boîte, a remarqué Yorn.

Kasha en a tiré un rouleau de papier scellé par un brin d'herbe. Elle l'a déplié et a lu :

– « Journal n° 1 : Eelong »

– Le journal de Seegen ! me suis-je écrié.

Maintenant, tout s'emboîtait. On bénéficiait de toutes les découvertes du Voyageur précédent ; on savait où était Gunny ; et on avait plusieurs longueurs d'avance sur Saint Dane. Pour la première fois depuis mon arrivée sur Eelong, j'ai eu l'impression d'avoir une occasion de rendre les coups. Mais il restait encore une grande question :

– Kasha, ai-je demandé. De quel côté es-tu ?

Elle y a réfléchi un instant, a jeté un œil aux notes de son père, puis a déclaré :

– Pendragon, je te mènerai à l'Eau noire.

Et c'est là que se termine ce journal. Maintenant que je sais ce que c'est que d'être une bête en cage, je me sens mieux. C'est une expérience que je n'oublierai jamais, et j'espère en tirer la force pour sauver les gars des manigances de Saint Dane. Ils ont bien assez souffert comme ça. Demain, Kasha, Yorn et moi partirons pour la Cité de l'Eau noire. On a décidé que Boon resterait à Lyandra pour voir ce que Saint Dane obtiendrait du Conseil des klees. On compte sur lui pour apprendre le sort destiné aux gars.

Pour finir, je dirai que j'espère que Kasha saura garder la tête froide. Parce qu'en cas de coup dur, je vais devoir compter sur elle. Et d'après ce que je sais, il y a *toujours* un coup dur. Comme dirait l'autre, ça fait partie du métier. Lorsque je vous écrirai à nouveau, j'aurai des nouvelles de Gunny. De bonnes nouvelles, j'espère.

Portez-vous bien. Ne m'oubliez pas. Et même si je ne pense pas avoir à vous le rappeler… ne vous approchez pas des flumes. Dieu sait ce qui pourrait se passer autrement.

Fin du journal n° 17

CLORAL

Portez-vous bien. Ne m'oubliez pas. Et même si je ne pense pas avoir à vous le rappeler... ne vous approchez pas des flumes. Dieu sait ce qui pourrait se passer autrement.

Après avoir lu ces mots à voix haute à Courtney et Spader, Mark baissa les feuilles du journal n° 17. Tout le monde avait l'air bien sombre.

– Est-ce qu'on a commis une erreur en venant ici ? demanda Mark solennellement.

– Non ! répondit Courtney avec assurance. Bobby ne sait pas tout. Et ces tangs morts qu'il a vus près des fermes ? Non, tout s'emboîte parfaitement. C'est bien le poison de Cloral ! Et je parierais que Saint Dane cherche cette Eau noire pour pouvoir l'empoisonner aussi.

– Qu'en dis-tu, Spader ? demanda Mark.

– Je pense que Courtney a raison.

– Merci ! s'exclama-t-elle, triomphante.

– Mais j'ignore si amener l'antidote de Cloral est vraiment une bonne chose, continua-t-il.

– Comment peux-tu dire ça ? fit Courtney. Les anciennes règles ne s'appliquent plus. Saint Dane nous a dit lui-même que tout avait changé. S'il mélange les territoires, on peut bien en faire autant ?

– Oui, répondit Spader, pensif, mais lui, c'est le méchant.

Courtney ne pouvait prétendre le contraire. Elle ramassa le sac contenant l'échantillon de fourrure de Seegen.

– Et ça, on l'a bien fait venir de Seconde Terre ? Est-ce qu'on ne mélange pas déjà les territoires ?

– Je vais détruire tout ça, répondit Mark d'un ton penaud.

– Ouais, rétorqua Courtney, une fois qu'on n'en aura plus besoin. Je crois qu'en effet tout a changé. Saint Dane a fait tomber un premier territoire, et ça l'a rendu plus fort. Mélanger les territoires peut être dangereux, mais le laisser remporter une seconde victoire l'est encore plus.

– Et le fait que des Acolytes empruntent les flumes ? Bobby pense aussi que c'est mal.

– Mais il ne peut pas en être sûr, rétorqua Courtney. Par contre, ce qui est certain, c'est que Saint Dane va exterminer les gars. Il a le poison pour le faire et l'appui des klees. Qu'est-ce que tu veux ? Qu'on rentre chez nous pour attendre le prochain journal de Bobby, où il nous dira qu'il a perdu la partie et que Saint Dane est plus fort que jamais ? Ou peut-être que Saint Dane aura l'amabilité de passer nous le dire de vive voix avant de s'attaquer à la Seconde Terre ?

Mark se tourna vers Spader. Les yeux baissés, il fixait le sol. Mark vit que ses mâchoires étaient crispées comme s'il serrait les dents. Finalement, il se leva et prit le sac en plastique des mains de Courtney.

– On ne fera rien du tout tant qu'on ne saura pas où on va. Venez avec moi.

Peu après, le trio avait rejoint le laboratoire agronomique de Grallion. Ils regardaient Ty Manoo, l'un des agronomes qui avait involontairement créé le poison mortel qui avait failli ravager Cloral, actuellement occupé à préparer une plaquette de microscope avec les échantillons prélevés sur la fourrure de Seegen.

– Nos intentions étaient pourtant nobles, expliqua le scientifique rondouillard. Au départ, nous voulions concevoir un engrais qui doublerait la production de nos fermes. Nous espérions nourrir Cloral pendant des générations ! Mais quelque chose de terrible s'est produit.

Les autres savaient très bien ce qui s'était produit. Saint Dane était passé par là.

– L'engrais a modifié la structure moléculaire de tout ce qu'il touchait. Il a empoisonné les récoltes. C'était terrible.

Ty Manoo était petit et chauve avec un visage d'elfe. Il était perpétuellement sur les nerfs et ne cessait de s'humecter les lèvres. Maintenant plus que jamais. Il n'aimait pas parler de ce poison dont il était partiellement responsable.

– Si les braves gens de Faar n'avaient pas trouvé un antidote, je préfère ne pas imaginer ce qui se serait passé.

– Saint Dane aurait détruit Cloral, voilà ce qui se serait passé, marmonna Courtney entre ses dents.

– Pardon ? demanda Mano.

– Rien, répondit-elle.

Manoo finit sa préparation et glissa la plaquette transparente sous l'objectif du microscope. Celui-ci ne ressemblait en rien à ceux de Seconde Terre. L'appareil était argenté, luisant et rond comme un ballon de basket. La base était plate et il y avait un objectif au sommet pour examiner les échantillons. Manoo étudia soigneusement les poils de fourrure en faisant lentement tourner la sphère.

– Nous perdons notre temps, dit-il. Toute trace du poison a été éradiquée après…

Manoo ne termina pas sa phrase. Mark crut le voir devenir pâle comme la mort.

– Qu'y a-t-il ? demanda Spader.

– Où avez-vous trouvé ça ? répondit Manoo d'une voix blanche.

– Peu emporte, s'empressa de dire Spader. C'est bien cet engrais empoisonné ?

– M-m-mais… c'est impossible, balbutia le scientifique.

– Mais c'est bien ça ? insista Courtney.

Manoo les regarda, à la fois décontenancé et effrayé.

– Dites quelque chose, dit fermement Spader.

– On a eu un problème…, répondit-il, penaud.

– Un *problème* ? explosa Spader. Je n'ai jamais entendu parler d'un problème quelconque !

– Il n'y a rien de sûr, répondit rapidement Manoo. Tout l'engrais a été détruit. Jusqu'au dernier sac. Mais il y a eu… une négligence. Une erreur…

– Quel genre d'erreur ? demanda Spader, qui perdait patience.

– Une simple broutille bureaucratique, rien de plus.

– Hobie, Manoo ! Lâche le morceau !

– Quand on a fait l'inventaire, les chiffres ne correspondaient pas, fit Manoo nerveusement. Il manquait dix bidons de ce poison. On en a conclu que quelqu'un avait fait une erreur dans le décompte.

Manoo se tut. Tout le monde absorba la terrible réalité. Il n'y avait pas eu d'erreur.

– Vous êtes sûrs que c'était bien le même poison ? demanda Spader.

– Je le reconnaîtrais au premier coup d'œil, répondit Manoo en se léchant frénétiquement les lèvres.

Ils n'avaient pas besoin d'une autre confirmation. Le fléau de Cloral était bel et bien passé sur Eelong. Manoo retira la plaquette de sous le microscope et la jeta sur son bureau comme si elle était contagieuse, ce qui était peut-être la cas.

– Spader, si ce n'était pas une erreur et si ces bidons sont sur Cloral, il faut…

– Non, rétorqua sèchement Spader, ils n'y sont pas. Le dernier échantillon est entre vos mains. Brûlez-le. La fourrure, le papier, même le sac. (Spader fourra le sachet de plastique entre les mains poisseuses de Manoo.) Brûlez tout.

– Et les bidons manquants ?

– Ils le resteront, rétorqua Spader. Et l'antidote ? Il a aussi été détruit ?

– Bien sûr que non, répondit Manoo. Chaque habitat en a en réserve, au cas où… eh bien, au cas où il y aurait une résurgence. Je n'arrive pas à y croire ! Que devons-nous faire ?

– Rien, répondit Spader. Je m'occupe d'aller tout expliquer à Yenza. N'en parlez à personne, surtout ! Inutile de déclencher une panique générale.

– Si vous le dites, gémit Manoo. Mais je vous en prie, allez voir Wu Yenza.

Spader quitta le laboratoire, Mark et Courtney sur ses talons. Une fois dehors, il poursuivit son chemin, passant devant une partie de la ferme où poussaient de luxuriants fruits, striés de jaune et de violet, de la taille d'un pamplemousse. Mark et

Courtney n'avaient jamais rien vu de tel, mais ils ne s'arrêtèrent pas. Il n'était plus temps de s'émerveiller.

– Est-ce qu'on a assez de preuves maintenant ? demanda Courtney d'un ton crâneur, comme si elle n'en avait jamais douté.

Spader ne répondit pas.

– Où allons-nous ? demanda Mark.

– Je vais tout dire à Yenza, répondit Spader.

– L'aquanière en chef, ajouta Mark d'un air entendu. Ton Acolyte.

– À quoi bon ? intervint Courtney. Cloral n'est plus concernée.

Spader s'arrêta et fit face aux deux autres. Il avait l'air furieux. Mark le lut dans ses yeux.

– Ça ne devait pas se passer comme ça, dit-il. Pendragon devait venir me trouver lorsqu'il aurait besoin d'aide. Et je lui avais promis que je serais là.

– Quelle différence ? reprit Courtney. Il a besoin de toi maintenant. Et tu ne va pas lui faire faux bond, non ?

– La différence, c'est que ça reviendrait à faire précisément ce qu'il nous a déconseillé de faire. Peut-être que les règles ont changé, mais Pendragon reste le Voyageur en chef, et j'ai confiance en lui.

– Comme nous tous, acquiesça Courtney.

– Dans ce cas, aboya Spader, s'il avait raison ? Et si on faisait précisément ce qu'il ne faut pas ?

C'était une déclaration plus qu'une question. Mais personne ne répondit, puisque personne ne pouvait dire avec certitude ce qui se passerait si les territoires se mélangeaient ou si les Acolytes empruntaient les flumes.

– Je ne sais pas, reprit calmement Courtney, mais je peux vous dire une bonne chose : Saint Dane ignore les règles. C'est ce qui fait sa force. C'est vrai, les méchants sont rarement réglos, mais il est sur le point de détruire son second territoire. Il a bien dit à Bobby qu'une fois qu'il aurait fait tomber le premier, tout serait beaucoup plus facile. Alors, il nous reste deux solutions. Primo : tu peux rester ici, Mark, et je retourne en Seconde Terre. On n'aura plus qu'à prier pour que Bobby trouve un moyen d'empêcher ce poison de détruire Eelong.

– Ce qui est peu probable, reprit Mark. D'après ce que j'ai lu, je doute qu'ils aient la technologie nécessaire pour créer un antidote comme l'ont fait les gens de Faar.

– D'où la seconde possibilité, reprit Courtney sans sourciller. On emmène l'antidote sur Eelong, en espérant qu'il soit encore temps. On aura violé les règles et mélangé les territoires, mais c'est le meilleur moyen de contrer Saint Dane. Ou plutôt le seul. Mais la vraie question est : quel est le pire ? Que des Acolytes empruntent les flumes et mélangent les territoires ou que Saint Dane remporte son second territoire ?

Tous trois sont restés silencieux un long moment. Puis Mark a dit d'une voix grave :

– Tu veux qu'on emporte l'antidote sur Eelong ?

Wu Yenza se tenait sur le pont d'un grand hors-bord flottant paisiblement sur l'océan. Elle vérifiait l'équipement étalé devant elle. Yenza était l'aquanière en chef de Grallion et avait toute l'assurance nécessaire à son poste. Elle était âgée d'une trentaine d'années et, visiblement, prenait soin de sa forme physique. Elle avait des cheveux noirs coupés court et portait une combinaison noire d'aquanier semblable à celle de Spader, mais avec des manches longues arborant à hauteur du poignet les trois galons jaunes témoignant de son rang. Yenza était au courant de tout ce qui concernait les Voyageurs. Après qu'elle et ses aquaniers avaient remporté la bataille de Faar et défait Saint Dane, Spader lui avait tout révélé. Réalisant pleinement l'importance de leur mission, elle avait aussitôt accepté de devenir l'Acolyte de Spader. Et à présent, elle inspectait trois cylindres ressemblant à des bidons de plongée. Sauf que ce n'était pas de l'oxygène qu'ils contenaient, mais l'antidote liquide au poison qui menaçait Eelong.

– Chacun de ces bidons comporte un embout, expliqua-t-elle à Mark et Courtney, qui la regardaient attentivement. Le liquide qu'ils contiennent est sous pression. Il suffit d'actionner le levier pour obtenir un jet diffus, comme un brumisateur. Une petite quantité suffit à neutraliser le poison.

– Compris, dit Courtney.

Spader émergea des plats-bords, muni de trois sac à dos.

– Chacun de nous en portera un, expliqua-t-il.

Il enfila un des sacs, et Yenza y glissa l'un des cylindres. Spader resserra les lanières, ramenant le conteneur contre son dos.

– Et voilà, le tour est joué ! Fastoche !

Spader et Yenza aidèrent Mark et Courtney à harnacher leurs propres sacs, puis y déposèrent les cylindres. Ceux-ci étaient plutôt légers, leur permettant de se mouvoir sans la moindre gêne.

– On dirait une plongeuse sous-marine, dit Mark à Courtney.

Yenza brandit un pistolet argenté. Mark et Courtney reconnurent l'arme que Bobby avait décrite dans ses journaux. C'était ce gadget capable de lancer une décharge d'eau assez puissante pour traverser un mur.

– Il y en a un pour chacun d'entre vous, dit Yenza. Et des holsters. Ces tangs d'Eelong sont peut-être des durs, mais une décharge de cet engin devrait en venir à bout !

– Non, fit Spader. On ne prend pas d'armes.

– Pourquoi pas ? demanda Courtney. Eelong a l'air plutôt dangereux.

– En effet, mais si on s'y rend, c'est pour débarrasser ce monde d'un poison qui n'aurait jamais dû y être introduit. C'est tout. On ne va pas pour autant faire circuler tout et n'importe quoi d'un territoire à l'autre.

– Je te c-c-comprends, renchérit nerveusement Mark. Mais ce sera d-d-dangereux. Il est possible qu'on ne p-p-puisse même pas sortir de cet arbre.

– Dans ce cas, répondit Spader, ce sera tel que c'était écrit. Il va falloir courir ce risque. Vous voulez toujours venir ?

Mark se tourna vers Courtney. Il n'avait cessé de se poser des questions sur la pertinence de ce voyage. Maintenant plus que jamais.

– Tout à fait, affirma Courtney.

– Mark ? demanda Spader.

L'interpellé inspira profondément.

– Oui.

Spader se tourna vers Yenza :

– Tu veux bien envoyer un message à Yorn, l'Acolyte d'Eelong, via ton anneau ? Dis-lui que Saint Dane a introduit en Eelong un poison venu de Cloral et que nous apportons l'antidote. Il doit aller le dire à Pendragon afin qu'on puisse le rejoindre.

– Compris, acquiesça Yenza. Tu es sûr que tu ne veux pas que je vous accompagne ?

– Je ne suis sûr de rien. Mais on a déjà deux Acolytes en goguette. Si cette mission se révèle être une erreur, je ne veux pas en impliquer un troisième.

– Ce n'est pas une erreur, intervint Courtney, sur la défensive.

En guise de réponse, Spader prit son traîneau.

– On ne va pas tarder à le savoir. Vous êtes prêts ?

Tous enfilèrent leurs globes respiratoires.

– Bonne chance ! leur lança Wu Yenza alors que Spader et Courtney se jetaient à l'eau.

– Merci, répondit Mark.

Il s'assit sur la rambarde du hors-bord, passa les jambes par-dessus, puis se laissa glisser doucement dans l'océan recouvrant Cloral. Tous trois flottèrent à côté du bateau.

– On fait comme la dernière fois, dit Spader. D'accord ?

Il plongea sous la surface, suivi par Mark et Courtney qui s'accrochèrent à sa ceinture. Spader actionna son puissant traîneau, et ils partirent vers l'embouchure du flume. Yenza avait arrêté le hors-bord juste au-dessus de l'avancée rocheuse, et ils ne tardèrent pas à passer dessous. Quelques minutes plus tard, ils émergeaient dans la caverne du flume. Sans un mot, ils se hissèrent sur la corniche et retirèrent leurs globes respiratoires et leurs ceintures de natation.

– Gardons les mêmes vêtements, dit Spader. Nous nous changerons une fois sur Eelong.

– Ça va être difficile d'expliquer aux klees à quoi servent ces bidons, remarqua Mark.

– Dis plutôt que ce sera impossible, répondit Spader. On n'a qu'à espérer ne pas avoir à en passer par là.

Il se glissa dans la mare et cria « *Eelong* ! ». Aussitôt, le flume s'anima. Alors que la musique et les lumières s'amplifiaient, Spader se tourna vers Courtney :

– J'espère vraiment qu'on ne fait pas une énorme bêtise. À bientôt, de l'autre côté.

Les lumières jaillirent pour emporter Spader. Mark et Courtney durent plisser les yeux pour voir la suite, mais ils entrevirent Spader s'élever au-dessus de la mare comme si une main invisible s'emparait de lui. Un peu plus tard, la clarté devint éblouissante. Lorsqu'elle disparut, Spader était parti. Il n'y avait plus que quelques notes qui s'éloignaient dans le flume. Mark et Courtney restèrent là, sur les nerfs, chacun attendant que l'autre passe en premier.

– Tu sais qu'il est possible qu'on ne s'en sorte pas vivants ? dit Mark.

– Ce que j'aime chez toi, c'est que tu vois toujours le bon côté des choses, remarqua Courtney.

– Il n'y a pas de quoi rire. Tu es sûr qu'on est prêts ?

En guise de réponse, Courtney se laissa glisser dans l'eau.

– Oui, dit-elle. Tu ne vas tout de même pas te dégonfler au moment où ça devient vraiment intéressant, non ?

– Intéressant ? répéta Mark en la rejoignant dans la mare. Ce n'est pas vraiment le mot que j'emploierais.

– *Eelong* ! cria Courtney.

Aussitôt, le flume se mit à craquer. Ils entendirent des grondements et des raclements comme s'il était l'objet d'un tremblement de terre. Mark et Courtney levèrent les yeux.

– Il n'a pas fait ça quand Spader y est passé, remarqua Mark.

Deux morceaux de roche tombèrent du flume, rebondirent sur les parois de la grotte et finirent dans l'eau. Mark et Courtney durent s'éloigner pour ne pas les prendre sur la tête.

– Ce n'est pas normal, hoqueta Mark.

– Trop tard pour reculer, cria Courtney alors que les notes musicales se faisaient entendre.

D'autres bouts de roches s'abattirent dans l'eau. Les lumières les encerclèrent, et ils se sentirent entraînés. Un peu plus tard, le flume les avalait et ils étaient partis pour Eelong.

En route, ils oublièrent les manifestations inhabituelles qui avaient accompagné l'ouverture du flume. Ils brûlaient d'impatience. Qu'est-ce qui les attendait à l'autre bout ? C'était excitant et effrayant en même temps. Comme lors de leur premier voyage, ils virent d'étranges visions au milieu du champ d'étoiles entourant le tunnel entre les mondes. Là, un château géant semblait bâti à flanc de montagne ; et là, un cigare aérien argenté qui pouvait être le *Hindenburg*, et ce qui ressemblait à des légions de soldats marchant en formation vers une guerre quelconque. Mark et Courtney n'avaient pas la moindre idée de ce que cela pouvait signifier. Et ils n'eurent pas le temps d'en discuter, car le retour soudain de la gravité leur annonça qu'ils arrivaient sur Eelong. Quelques secondes plus tard, ils se retrouvaient sur leurs pieds... et au milieu d'un entrelacs de lianes. Chacun partit dans une direction opposée, et ils se perdirent dans ce fatras.

– Ahhh ! cria Mark, terrifié, en se débattant. Courtney !

– Mark ! lui répondit-elle depuis un point indéterminé. Ne t'en fais pas. Ce sont des lianes. Bobby en a parlé, tu te souviens ?

– Ah, oui, répondit Mark, gêné, en cessant de se débattre.

Une main puissante se referma sur son bras. Il se détendit aussitôt. Il n'était pas seul.

– Comment va-t-on sortir de...

Lorsque la végétation s'ouvrit, il constata avec horreur que la main n'était pas celle de Courtney. C'était celle d'un quig semi-humain, aux dents acérées et aux yeux jaunes, qui se cramponnait à son poignet. Tous deux se sont regardés, chacun guettant la réaction de l'autre. Mark fut le plus rapide.

– Un quig ! cria-t-il.

Il tenta de reculer, mais la créature le tenait fermement. Mark retomba au milieu des lianes, et le quig se jeta sur lui. La bête découvrit ses crocs en un sourire hideux avant de lui sauter à la gorge. Mark leva les mains pour tenter de se protéger : le quig lui mordit l'avant-bras. Il poussa un grand cri. Mark n'était certainement pas un combattant, mais la douleur le poussa à agir. De sa main libre, il martela la tête du quig, forçant la créature à lâcher prise. Mais pas pour longtemps. Le quig se remit sur les genoux, prêt à attaquer de nouveau. Mark s'en éloigna le plus possible.

– Courtney ! cria-t-il. À l'aide !

Avant que le quig n'atteigne Mark, une liane s'enroula autour de son cou, l'empêchant d'atteindre sa proie. Surpris, le quig émit un cri étranglé et griffa le nœud coulant. Tout d'abord, Mark crut que la racine avait agi de son propre chef, mais il changea d'avis en voyant que Spader tenait ses deux extrémités, gardant la bête à distance.

– Sale petite bestiole, dit Spader avec un calme contrastant avec la gravité de la situation. Tu devrais faire tes excuses à mon pote.

Le quig trancha le lien végétal. Ainsi libéré, il rompit le rideau de racines et disparut. Un peu plus tard, derrière Mark, ces mêmes lianes émirent un bruissement.

– En voilà d'autres ! cria Mark en battant en retraite vers Spader.

Mais ce n'était que… Courtney.

– Que s'est-il passé ? demanda-t-elle. Ça va ?

– Non ! cria Mark.

Spader inspecta le bras de Mark.

– Ce n'est rien. Quelques égratignures, tout au plus.

– Ouais, ben, c'est facile à dire ! rétorqua Mark. J'espère que ce monstre n'a pas la rage !

– Pourrait-on sortir de cette jungle, si ce n'est pas trop demander ? fit Courtney.

Tous trois restèrent groupés le temps de se frayer un chemin vers la caverne que Bobby avait décrite dans son journal. Courtney fut la première à émerger. Elle jeta un coup d'œil autour d'elle et déclara :

– Oh, bon sang !

Mark et Spader la suivaient de près. Mark eut la même réaction :

– Oh, bon sang !

– Hobie, fit Spader, il faut croire que c'est vrai.

Là, à quatre pattes près de la pierre plate au centre de la caverne, se tenait un grand félin à la fourrure brune.

– Tout va bien ? a-t-il demandé. Je suis désolé, je ne savais pas que ce quig était là. Ce n'est pas une façon de vous souhaiter la bienvenue sur Eelong.

Tous trois ont regardé le fauve, interdits. Mark et Courtney avaient certes déjà rencontré Seegen, mais le fait d'entendre un fauve leur adresser la parole restait étrange. Et Spader n'avait encore jamais rien connu de tel.

– Vous êtes Mark et Courtney ? fit le félin. Et Spader ?

Courtney fut la première à reprendre ses esprits.

– Oui. C'est toi, Boon ?

– En effet.

Il se dressa sur ses pattes de derrière et leur tendit une feuille de papier verte à l'apparence végétale. Cela ressemblait à ce sur quoi Bobby rédigeait ses journaux de Cloral.

– Ce sont vraiment de mauvaises nouvelles, dit le klee brun. Saint Dane irait-il vraiment jusqu'à importer un poison d'un autre territoire ?

– Je ne comprends pas, dit Spader.

– Tout va bien, affirma Mark. Ici, sur Eelong, les klees sont la race dominante.

– Non, je parle de ce message, répondit Spader. J'ai demandé à Yenza de l'envoyer à Yorn, l'Acolyte de ce monde.

– Elle l'a fait, répondit Boon. Yorn me l'a donné juste avant de partir pour la Cité de l'Eau noire – et c'est pour ça que je suis venu vous accueillir. Alors, cette histoire de poison venu d'un autre monde est vraie ?

– Oui, affirma Spader. Pourquoi ne nous ont-ils pas attendu ?

– Il y a autre chose qui m'intrigue, intervint Mark. Comment pouvons-nous comprendre tout ce que vous dites, Boon ? Je veux dire, vous n'êtes pas un Voyageur. Nous non plus, et je doute que vous parliez notre langue. À la réflexion, c'est aussi valable pour Ty Manoo, de Cloral.

– Bobby a dit que tout avait changé, intervint Courtney. Peut-être que c'est aussi valable pour nous, maintenant qu'on peut emprunter les flumes.

– Ouh là ! fit Mark.

– Quoi encore ? demanda Spader.

Mark leva la main. La pierre de son anneau luisait. Il le retira et le déposa sur le sol. Ce qui suivit ne leur était que trop familier. La musique, les lumières… et l'arrivée d'un rouleau de parchemin. Mark ramassa le nouveau journal de Bobby Pendragon.

– Peut-être qu'on vient de recevoir la réponse à toutes nos questions, remarqua Spader.

Journal n° 18

EELONG

Comment peut-il savoir ?

C'est une question qui n'a pas arrêté de me turlupiner et qui, maintenant, me tape sur les nerfs. Depuis que je suis parti de chez moi en compagnie de l'oncle Press, j'ai bien été forcé d'accepter toutes sortes de choses qui me semblaient illogiques. Bien sûr, au sommet de la liste, il reste *la* grande question : pourquoi ai-je été choisi pour devenir Voyageur ? Mais il en reste encore un millier d'autres telles que : qui a créé les flumes ? Comment peuvent-ils nous faire traverser l'espace *et* le temps ? Qui tire les ficelles de tout ça ? D'où viennent les anneaux ? Je pourrais continuer comme ça jusqu'à la saint-glinglin, mais en ce moment, une question en particulier tourne et retourne dans ma tête.

Comment peut-il savoir ?

Je parle de Saint Dane, bien sûr. Ça fait plusieurs fois qu'il anticipe le moment idéal pour s'introduire dans un territoire et comploter sa perte. Comment est-ce possible ? Est-il capable de prédire l'avenir ? A-t-il une boule de cristal qui lui permette de voir toute l'histoire d'une civilisation et sélectionner le moment où il pourra faire le plus de dégâts ? Je crois que si j'arrive à répondre à cette question, je tiendrai la clé de tous ces mystères. Peut-être même que, si je découvre le pourquoi du comment, je pourrai enfin abandonner cette histoire de fous et rentrer chez moi.

Si je me triture ainsi la cervelle, ce doit être parce que je suis furax. Surtout contre moi-même, qui n'ai encore pas assuré une cacahouète. On arrive au point critique de l'histoire d'Eelong, et

Saint Dane influe à nouveau sur les événements. Mais le pire, c'est que j'ai eu l'occasion de l'arrêter et que je ne l'ai pas fait. La solution était là, sous mes yeux, et je ne l'ai pas vue. Saint Dane a commis une faute grave, mais le temps que je m'en aperçoive, il était déjà trop tard. Maintenant, Eelong court à la catastrophe, et je ne sais pas comment empêcher le pire. Je suis totalement impuissant. Tout ce que je peux faire, c'est raconter ce qui s'est passé depuis la fin de mon dernier journal. Au moins, il restera une trace écrite de mon erreur. Lorsqu'on rédigera l'histoire de Halla, dans le chapitre traitant d'Eelong, on saura qui est responsable de tout.

En l'occurrence moi.

J'en étais resté au moment où on avait trouvé la carte de Seegen qui nous mènerait à l'Eau noire. On avait prévu de laisser Boon à Lyandra pour qu'il surveille Timber et le Conseil des klees pendant que Kasha, Yorn et moi suivions la carte jusqu'à l'Eau noire. D'abord, j'ai cru que Kasha et moi partirions seuls, vu que Yorn était, hem... vieux. Je n'ai rien contre les personnes âgées, bien sûr, mais ce voyage serait probablement dangereux, et je ne savais pas s'il tiendrait le coup. Mais Yorn m'a dit qu'il voulait s'assurer que les dernières volontés de Seegen seraient respectées. Si vous voulez mon avis, c'était plutôt parce qu'il se méfiait de Kasha. Et à vrai dire, moi aussi. Mais elle pouvait déchiffrer la carte de Seegen et pas moi. À mes yeux, ce n'était qu'une série de cercles avec des chiffres épars et des flèches représentant... Dieu sait quoi. Sauf que Yorn aussi pouvait la décrypter. Si Kasha nous laissait tomber, il pourrait la remplacer. Et puis j'étais content d'avoir avec moi quelqu'un qui, contrairement à Kasha, était là de son plein gré. C'est ainsi que s'est formée notre compagnie.

D'après Kasha, il nous faudrait bien une journée de voyage en zenzen pour arriver à destination. On a décidé de passer une bonne nuit de repos et de partir à l'aube. Ce qui me convenait parfaitement : j'étais à bout de forces. Pendant que Boon et Yorn allaient préparer les zenzens et rassembler des provisions, Kasha et moi sommes retournés chez elle. Au moins, ça me donnerait une occasion de lui parler seul à seul. Qu'elle le veuille ou non, elle était désormais la Voyageuse d'Eelong. Je savais ce qu'elle ressentait et le déplorait, mais l'enjeu était plus important que ses états d'âme. Il fallait que je la mette au parfum, et le plus tôt serait le mieux. Une fois chez elle, je suis passé à l'attaque. J'ai choisi d'entamer la conversation de la façon la plus innocente possible :

– Comment te sens-tu ?

– À quel propos ? a-t-elle rétorqué.

Je ne voulais pas insister. J'avais vu qu'elle se mettait facilement en colère. Je n'avais pas envie qu'elle en conclue que j'étais la source de tous ces problèmes et, en bonne klee, me mette en pièces. J'ai donc tenté d'arrondir les angles :

– Il s'est passé bien des choses. Je me souviens à quel point j'en ai bavé quand j'ai découvert que j'étais un Voyageur et...

– Arrête ! a-t-elle rugi. Je ne suis *pas* Voyageur !

– Mais tu as vu de tes yeux ce que Saint Dane a fait à ce gar...

– Ce n'était qu'un gar, a-t-elle rétorqué. Ce n'est pas comme s'il torturait un klee.

– Tu ne le penses pas vraiment.

– Peu m'importe ce que tu crois, a-t-elle craché. Mon père est mort à cause de vous, les Voyageurs. Je ne commettrai pas la même erreur.

Elle est partie pour sortir de la pièce, mais je me suis interposé :

– Je t'ai vu risquer ta vie pour celle d'un gar, ai-je contré. Et tu as plus d'une fois fait de même pour moi. Si tu n'en avais vraiment rien à battre, tu n'aurais pas fait ça.

– Écoute, a-t-elle feulé, je t'ai dit que je te conduirais là où nous emmènera cette carte. Mais je le fais pour mon père, pas parce que je suis une Voyageuse.

J'en avais marre de me bagarrer avec elle.

– Bon, si tu veux. Mais je dois voir les journaux de ton père.

– Impossible. Ils ont brûlé en même temps que son cadavre.

– Tu n'as quand même pas fait ça ! ai-je crié.

– Si. Absolument.

– Pourquoi ?

– Je ne veux pas me souvenir de la façon dont il a gaspillé la fin de sa vie. Je te mènerai à ton but, Pendragon, mais n'en demande pas plus.

Et elle est passée devant moi. J'ai tenu bon :

– Mais Eelong est en danger…

Kasha s'est retournée d'un bond.

– Je t'ai déjà dit que s'il arrivait quelque chose à mon père à cause de vous autres Voyageurs, je te mettrais en pièces. Et j'étais sérieuse. Je te mènerai à l'Eau noire, mais ensuite, si tu croises à nouveau ma route, je te tuerai.

Et elle est sortie de la pièce à grandes enjambées furieuses, me laissant un peu groggy. Non seulement je n'avais pas réussi à rentrer dans ses bonnes grâces, mais elle m'avait à nouveau menacé de mort. Bien joué, Bobby. Belle leçon de diplomatie. Tout ce que je pouvais espérer, c'est qu'elle tienne parole. Enfin, lorsqu'elle parlait de me mener à l'Eau noire. Je préférais qu'elle oublie le reste. C'est le cœur lourd que je me suis allongé et me suis concentré sur ce qui nous attendait.

L'Eau noire. Qu'était-ce donc exactement ? Un lieu-dit ? Un état d'esprit ? Une autre dimension ? Une cité submergée, comme Faar ? C'était forcément quelque chose de réel et de tangible, puisque Seegen y était allé et en avait dessiné la carte. Et Gunny s'y trouvait aussi. C'était assez important pour que les gars préfèrent mourir plutôt que de révéler son secret. Et quel rapport avec ces petits cubes d'ambre ? J'espérais trouver des indices dans les journaux de Seegen, mais ils étaient littéralement partis en fumée. Malgré toutes ces incertitudes et déconvenues, je restais certain que l'Eau noire était la clé du plan de Saint Dane. Il fallait que je me rende là-bas.

J'ai eu du mal à trouver le sommeil. Mon cerveau cavalait dans toutes les directions. Heureusement, mon corps a pris le dessus et je me suis assoupi. Le sommeil est vraiment une merveille de la nature. Il guérit le corps et aussi l'esprit. Et j'avais bien besoin de trouver la paix. J'ai même fait un rêve. Boon était coiffé d'un grand chapeau à rayures blanches et rouges et sautait dans tous les coins en balançant des rimes absurdes du genre : « Où est Gunny ? Il est tout décati. Je n'aime pas les œufs et les spaghettis. »

Oui, je sais, ce n'était qu'un drôle de rêve. Mais Eelong est un endroit bizarre. Soudain, quelqu'un m'a secoué pour me réveiller.

– Pendragon, a murmuré une voix. C'est l'heure.

J'ai ouvert les yeux. C'était Boon. À moitié dans les vapes, j'ai marmonné :

– Trop fort, tu as perdu ton chapeau !

– Hein ? a-t-il répondu, surpris.

Je n'ai pas pris la peine de lui expliquer mon rêve digne d'*Alice au pays des merveilles*.

– Où est Kasha ? ai-je demandé en me frottant les yeux.

– Avec les zenzens, a-t-il répondu. Elle veut qu'on quitte Lyandra le plus tôt possible avant qu'on puisse nous demander où nous allons.

Je me suis extirpé du canapé et ai inspiré profondément. J'avais mal partout : j'étais couvert de bleus, souvenirs de mon séjour dans cette cellule et de ces nuits à même le sol crasseux. Même mes cheveux étaient douloureux.

– J'aurais bien voulu venir avec vous, a dit Boon comme un enfant déçu qui n'a pas reçu le poney qu'il voulait comme cadeau d'anniversaire.

– Je sais, ai-je répondu. Mais s'il nous arrive quoi que ce soit, tu es le seul qui sache ce qui se passe. Tu devras arrêter Saint Dane seul.

Il m'a jeté un long regard soucieux.

– Alors là, je voudrais *vraiment* pouvoir venir avec vous.

J'ai éclaté de rire.

– Surveille de près le Conseil des klees, mais qu'il ne s'en aperçoive pas. Saint Dane ne te connaît pas, et c'est très bien comme ça. À notre retour, tu nous diras où ils en sont sur l'édit quarante-six.

– Compris. Bonne chance, Pendragon.

Et Boon m'a serré dans ses bras. Ou ses pattes. C'était un peu effrayant, mais sincère, si bien que je lui ai rendu son étreinte. J'aimais bien Boon. Et Yorn aussi. Ce n'est qu'avec Kasha que j'avais du mal. J'ai pris l'ascenseur menant au sol, laissant Boon sur la plate-forme. Trois zenzens nous y attendaient. Kasha et

Yorn étaient déjà en selle. Le troisième était chargé de fournitures. Parfait.

– Je suppose que les gars vont à pied, ai-je dit d'un ton hautain.

– Jusqu'à ce qu'on ait quitté Lyandra, a affirmé Yorn. Un gar ne peut monter seul. C'est contraire à la loi.

– Ben voyons, ai-je rétorqué, sarcastique. Vous devriez peut-être charger les fournitures sur mon dos pour éviter que les zenzens se fatiguent. Ou mieux encore, je n'ai qu'à porter les zenzens.

– Tu veux venir, oui ou non ? a fait Kasha sèchement.

– Tout à fait. Cette ville commence à me sortir par les yeux.

J'étais désagréable au possible, mais j'étais d'une humeur de dogue. On m'avait réveillé bien trop tôt, j'avais découvert que tout mon corps était bleu schtroumpf (et l'étreinte de Boon n'avait rien arrangé) et, en plus, j'étais le seul qui devait marcher à pied. Voilà une journée qui commençait mal.

Notre petite caravane a cheminé sur le sol de la jungle, en route vers les immenses portes de Lyandra. En regardant les zenzens, j'ai remarqué toutes sortes d'armes peu engageantes accrochées à leurs flancs. Deux épieux, quelques courtes matraques de bois, des cordes pourvues de trois boules et même un arc et des flèches. Ça me convenait. À un moment donné, nous aurions certainement besoin de puissance de feu. Pour repousser un assaut des tangs, par exemple. La cité elle-même était bien calme. On n'avait pas encore vu un seul klee, et j'allais demander si je pouvais monter à cheval lorsqu'une ombre a jailli des arbres pour atterrir droit devant Kasha. Son zenzen s'est cabré, et elle a dû lutter pour le maîtriser. D'abord, j'ai cru à un tang et je m'apprêtais à m'emparer d'une arme, mais, avant que j'aie pu faire un geste, l'ombre a pris la parole.

– Ce gar est à moi, a déclaré Durgen.

Zut. Que faisait-il, debout de si bon matin ?

– Tu n'avais pas le droit de me le prendre, a répondu Kasha.

– Tu as une dette envers moi, a-t-il craché.

– Et tu en as tiré un bon prix, a-t-elle feulé en retour. Écarte-toi, Durgen.

Il n'a pas bougé. Ça risquait de mal finir. Pour moi. J'ai lentement reculé vers un zenzen et cherché à attraper une des matraques. Face à Durgen, je n'avais pas l'ombre d'une chance, mais que pouvais-je faire d'autre ?

– Voyons, Durgen, a dit calmement Yorn. Vous êtes de vieux amis, tous les deux. Soyez un peu raisonnables.

Entre ses dents serrées, Durgen a dit :

– Le klee qui s'est fait tuer à la ferme était mon ami, lui aussi. Kasha, tu es devenue un danger public. Pour toi, fini les incursions. Je t'ai fait radier.

– Quoi ? a explosé Kasha, stupéfaite. Tu ne peux pas faire ça !

– Si, puisque je l'ai fait ! Et si tu persistes dans ton comportement subversif, tu seras bannie de Lyandra. Maintenant, donne-moi ce gar !

Durgen a dépassé le zenzen de Kasha, venant droit sur moi. C'est alors que tous les souvenirs que j'avais de cette horrible prison me sont revenus d'un bloc. Ils ont provoqué en moi une décharge d'adrénaline telle que je n'en avais jamais connu. Je suis passé en mode survie. J'ai arraché la matraque de ses attaches. J'avais pris ma décision. Passer à l'attaque. Si je prenais Durgen par surprise, je pouvais avoir un coup de chance. Ou sinon, il me tuerait. Mais quoi qu'il arrive, je ne retournerais pas dans cette prison. Jamais. J'ai bondi de derrière le zenzen en brandissant la matraque. Durgen ne s'y attendait pas. Il m'a décoché un coup de griffe, que j'ai évité. Mais sa patte est passée si près de ma tête que je l'ai entendue siffler dans l'air. Cette fois-ci, il ne cherchait pas à me capturer, mais à me tuer.

J'ai abattu la matraque, frappant violemment les côtes du klee. Il a émis un petit cri de douleur. Avais-je réussi à lui casser quelque chose ? Mais ça ne l'a pas arrêté. Au contraire, il semblait plus furax que jamais. Il m'a attaqué en battant des bras comme si j'étais un punching-ball. J'ai reculé tout en maniant mon arme pour intercepter son attaque. Il a sifflé de colère. Ses oreilles étaient rabattues sur sa nuque. J'étais largement surclassé. Je savais que je ne pourrais pas le tenir à distance bien longtemps. J'ai fait un autre pas en arrière… et suis tombé sur les fesses. Vous parlez d'un combattant ! Durgen s'est mis à quatre pattes et s'est recroquevillé pour bondir, tel un grand fauve qui a acculé sa proie.

Soudain, il a poussé un cri et s'est redressé, les yeux écarquillés, le dos arqué, comme si on l'avait frappé par derrière. Il a feulé et m'a tourné le dos. Un petit disque poli de la taille d'un CD était planté dans son épaule. Sauf que le CD était muni de petites dents comme la lame d'une scie circulaire. Le félin a piaillé de douleur. Il a tenté d'arracher le disque, mais n'a pas pu l'atteindre.

– Kasha ! a-t-il hurlé.

Puis une nouvelle secousse l'a traversé et il s'est retourné d'un bond. Vers moi. Un autre disque s'était enfoncé tout en haut de son autre bras. Un flot de sang a jailli, imprégnant sa tunique. Les lampadaires faisaient luire la tache sombre. Durgen s'est abattu au sol en grognant de douleur, le souffle court.

Kasha a marché vers lui, très calme, prête à lâcher un autre de ses disques mortels.

– Tu ferais mieux de me tuer, a dit Durgen entre ses dents serrées. De toute façon, tu es comme morte. Tu as attaqué un maître d'incursion dans l'enceinte de la ville. Un *klee* ! Et tu sais quelle peine tu encours.

– La mort, a répondu Kasha, remettant son disque dans une sacoche passée à sa ceinture. Tu es quelqu'un de bien, Durgen. Tu feras ce que tu jugeras bon.

Durgen ne pouvait plus bouger. Ou peut-être préférait-il s'en abstenir. Il devait savoir qu'avec ses blessures, il ne pouvait attaquer Kasha sous peine d'y passer. Kasha s'est dirigée vers le dernier zenzen et a retiré les sacoches cavalières, révélant la selle. Elle a jeté les bagages à Yorn, qui restait là, stupéfait, les yeux écarquillés.

– Porte-les, a-t-elle ordonné.

Yorn a pris les sacoches et les a fixées à sa propre selle. Kasha m'a alors regardé.

– Allez, monte.

J'étais trop stupéfait pour réagir. Kasha m'a toisé.

– Tu es blessé ?

– Non.

– Tu sais monter à cheval ?

– Oui.

– Alors grimpe sur ce zenzen, Pendragon, a-t-elle répondu avec fermeté.

Je n'allais pas discuter. Je me suis relevé et ai couru vers ce drôle de cheval. J'ai réussi à monter dessus – pas de façon très élégante, mais j'y suis arrivé – et à passer mes pieds dans les étriers.

– Qu'est-ce qui te prend, Kasha ? a hurlé Durgen. Tu comprends ce que tu as fait ? Et pour qui ? Pour un... un... *gar ?*

Kasha s'est dirigée vers Durgen d'un pas délibéré et l'a toisé :

– Ce que vous faites à ces malheureuses créatures, toi et tes dresseurs, est un acte criminel. C'est sanguinaire et, plus simplement, c'est mal. (Elle a tiré sur l'un des disques, lui arrachant un cri de douleur.) Désolé, mais je peux en avoir besoin.

Elle a remis l'arme dans sa sacoche, puis s'est reculée pour sauter sur son zenzen. Tout en l'éperonnant, elle a crié :

– Ne vous arrêtez sous aucun prétexte ! C'est notre seule chance de sortir d'ici.

Sa bête s'est cabrée avant de partir au triple galop. À son tour, Yorn a lâché sa monture en criant « Yaaa ! », puis a rejoint Kasha. J'étais déjà monté sur le zenzen de Boon à mon arrivée sur Eelong, mais je n'avais pas chevauché depuis mon aventure imaginaire sur Veelox. Par contre, je savais comment m'y prendre. Pourvu que monter un cheval avec une paire d'articulations supplémentaires soit comme de monter un étalon de Seconde Terre !

– Yaaa ! ai-je crié à mon tour en éperonnant la bête.

Et je suis parti derrière les autres, laissant Durgen dans un nuage de poussière. En fait, ç'a été plus facile que je ne l'aurais cru, comme si les articulations supplémentaires gommaient les aspérités du terrain. Ne me demandez pas comment. En tout cas, j'ai galopé à la suite des autres qui filaient vers les portes de Lyandra. On a cavalé sous les yeux de klees surpris qui commençaient à peine leur journée. Ils ne s'attendaient pas à voir passer trois zenzens fonçant comme des dératés... avec un gar fermant la marche. On n'a pas tardé à être en vue des portes de la ville. Elles étaient ouvertes pour laisser entrer un wagon revenant d'incursion. La chance était avec nous.

C'est alors que le signal d'alarme a retenti.

C'était une sorte de corne aussi agréable à l'oreille que des ongles crissant sur un tableau noir. J'ai jeté un coup d'œil en arrière et ai aussitôt compris pourquoi Kasha ne voulait pas qu'on s'arrête. Plusieurs klees couraient vers les portes afin de les refermer. J'ignore si c'est Durgen qui avait donné le signal, ou si c'était parce qu'un gar chevauchait un zenzen, ou les deux. En tout cas, le fait était là.

– Continuez ! a crié Kasha.

Cette fois, soit on réussissait à passer, soit on s'écrasait contre les portes.

Journal n° 18
(suite)

EELONG

Les sentinelles klees ont couru pour fermer les grandes portes. Nous étions trop loin : nous ne pourrions les atteindre à temps. Mais une surprise nous attendait. Les klees ont jeté un coup d'œil par-dessus leurs épaules, nous ont vu charger et ont cessé de pousser les battants. Je ne sais pas si c'est l'étonnement de nous voir galoper comme des perdus, quitte à nous écraser contre la porte, ou de constater que l'un des cavaliers kamikazes était un gar. Peu importe. L'essentiel, c'est que plusieurs ont abandonné leur poste, nous offrant les quelques secondes qui nous manquaient. Lorsqu'ils ont retrouvé leurs esprits, on avait déjà passé la porte à fond de train. De justesse, mais on était passés.

On n'a pas ralenti pour autant. Je crois que Kasha voulait mettre le plus de distance possible entre nous et Lyandra au cas où on se lancerait à notre poursuite. On a foncé sur le sentier comme en terrain découvert. J'ai dû me baisser au maximum tel un jockey pour éviter de me faire fouetter par les branches basses. Kasha a viré abruptement pour emprunter une voie adjacente. Heureusement que je ne la quittais pas des yeux ou j'aurais continué tout droit. En fait, j'ai effectué un virage à la corde. Et nous avons continué sans ralentir, ignorant les branches qui nous griffaient les bras.

Heureusement, nous avons émergé dans une grande prairie verdoyante. Cet espace soudain m'a coupé le souffle. La bande solaire apparaissait à l'horizon, brûlant la rosée luisant sur les kilomètres d'herbes épaisses. Comme le chemin s'arrêtait là, on a continué tout droit, montant une légère colline pour redescendre de l'autre côté. Devant nous s'étendait une immense prairie. On ne s'est pas arrêtés pour admirer le paysage. Kasha a poussé son zenzen à galoper encore plus vite. Ses sabots s'enfonçaient dans la couche d'herbe, nous envoyant des morceaux de terre, à Yorn et à moi.

Enfin, Yorn s'est mis à sa hauteur et a crié :

– Ralentis, Kasha ! Il n'y a plus rien à craindre !

Lorsqu'elle a regardé en arrière, j'ai compris que cette cavalcade démentielle ne visait pas qu'à nous éloigner de Lyandra. Je l'ai lu dans ses yeux. Kasha avait disjoncté. Elle a tiré sur les rênes pour ralentir sa monture. Yorn et moi avons fait de même jusqu'à l'arrêt complet. Kasha a aussitôt sauté de selle, s'est mise à quatre pattes et a tourné comme un lion en… Enfin, vous me comprenez.

J'ai regardé Yorn, guettant sa réaction. Il était trop essoufflé pour parler. Toute cette agitation n'était plus de son âge. Mais je ne valais pas mieux : j'étais hors d'haleine et mon cœur battait la chamade. Même les zenzens étaient épuisés et dégoulinants de sueur. Il fallait faire une pause. Mais Kasha était loin d'être calmée. Elle a continué son manège, puis s'est dressée sur les pattes de derrière et m'a crié d'un ton rageur :

– Alors c'est ça, être un Voyageur ? Tout se déroule-t-il de la façon dont c'était écrit ? Mon père est mort, je suis en fuite, et maintenant, nous sommes à la merci des tangs.

Il n'y avait rien à répondre à ça. Je me suis donc abstenu.

– Yorn, dis quelque chose ! a-t-elle demandé. C'est ça, la grande bataille contre le mal dont tu me rebats les oreilles ? Tu es content maintenant ?

– K-K-Kasha…, a-t-il balbutié.

– Ne prends pas cette peine, a-t-elle feulé. Je n'ai aucune envie d'entendre tes excuses.

Elle est retombée à quatre pattes et a repris son manège.

– Je suis morte, a-t-elle dit aux quatre vents. Si je rentre à Lyandra, Durgen me fera arrêter et exécuter. Tout ce que j'ai connu, toute ma vie, évaporée.

On se trouvait à la croisée des chemins. Et c'était plutôt difficile à négocier. Je ne savais pas quoi dire pour la calmer. Yorn et moi n'avons cessé d'échanger des regards dans l'espoir que l'autre prenne la parole, mais ni l'un, ni l'autre n'a osé ouvrir la bouche. Kasha a continué de tourner, puis, sans crier gare, elle a sauté sur son zenzen et s'est remise en selle.

– Le chemin sera long, a-t-elle dit d'un ton plus mesuré. Autant avancer le plus possible avant la nuit.

Et voilà. La crise était finie, du moins pour le moment. Kasha a fait partir son zenzen au petit trot et a continué son chemin vers la vallée.

– Je suis trop vieux pour ce genre d'aventure, a admis Yorn.

– Moi aussi, ai-je répondu, et je ne suis encore qu'un gamin.

– On ne peut pas lui en vouloir. Toute sa vie a été chamboulée.

– En effet. Mais si on échoue, elle le sera encore davantage.

Et j'ai éperonné mon zenzen, avec Yorn sur mes talons. On a continué comme ça pendant une bonne partie de la journée, Kasha ouvrant la marche, moi au milieu, Yorn en arrière. Kasha vérifiait constamment la carte et modifiait sans arrêt notre direction. Pour ma part, j'étais à l'affût des tangs. Je craignais qu'on ne tombe dans une embuscade. À plusieurs reprises, j'ai cru entrevoir une queue verte ondulant dans les buissons, mais quand j'y regardais de plus près, elle n'était plus là. Soit ces sales bêtes constataient qu'on était armés et avaient peur de nous attaquer, soit c'est moi qui hallucinais. L'un et l'autre me convenaient, du moment que nul ne venait nous chercher des poux dans la tête.

Tout en maintenant une surveillance inquiète, j'ai tenté de profiter du paysage. Eelong était vraiment magnifique. On a traversé des jungles tropicales denses, des ruisseaux paresseux, et escaladé des pistes escarpées débouchant sur des falaises qui offraient une vue imprenable sur la jungle en contrebas. On a même franchi un lac d'eau chaude sans quitter le dos de nos montures. L'essentiel du territoire semblait inhabité, mais de temps en temps on s'approchait d'un village bâti en hauteur, comme Lyandra. Ces petites agglomérations étaient cependant loin d'être aussi grandes. C'étaient des communautés agricoles qui cultivaient des hectares de champs s'étendant sous leurs demeures. Mais après quelques heures de voyage, les villages se sont raréfiés. Quand la bande solaire a été à son zénith, toute trace de civilisation a disparu pour de bon. On entrait en territoire inconnu.

Et il y avait aussi de la faune ! Je suis heureux de préciser que, sur Eelong, j'ai vu de nombreuses créatures et, pour changer, aucune n'a fait mine de vouloir me manger. Il y avait de superbes animaux évoquant des cerfs dont les cornes puissantes devaient leur servir à repousser les tangs. J'ai aussi repéré bon nombre de ces drôles de singes verts ainsi que des oiseaux multicolores babillant dans les arbres. Quand on arrivait à leur hauteur, ils s'égaillaient dans tous les sens, formant des arcs-en-ciel multicolores. Sans oublier une multitude d'insectes, terrestres comme aériens. Certains étaient de la taille d'un oiseau-mouche. Je n'aurais pas voulu me faire piquer par une de ces bestioles. On a longé un grand vol d'oiseau piquant l'herbe d'une prairie. Ils étaient assez costauds, de la taille d'une dinde, mais au plumage bleu.

– Qu'est-ce que c'est ? ai-je demandé à Yorn.

– Des rookers. Ils sont délicieux.

J'ai alors compris que c'était les mêmes oiseaux que Kasha m'avait servi rôtis.

Elle semblait avoir une bonne idée de la direction à suivre. Parfois, on traversait un immense champ sans le moindre repère pour déboucher directement sur une autre piste. Une fois, on a dû faire un détour pour contourner un lac vraiment immense. Plusieurs fois, on s'est retrouvé à un carrefour offrant de multiples embranchements et, après un bref coup d'œil à la carte, Kasha semblait toujours savoir lequel prendre. Jamais je n'ai remis en question ses décisions.

Dès le départ, j'avais mal partout. Mais après plusieurs heures de chevauchées, j'étais à bout. Et en plus, je crevais de faim. J'avais besoin d'une pause, mais je n'ai pas osé suggérer un arrêt, de peur de m'aliéner encore davantage notre guide. En outre, Yorn ne disait rien. Mon orgueil m'a poussé à serrer les dents. Finalement, au stade où je ne sentais même plus mes fesses, Kasha s'est arrêtée.

– Il nous reste encore pas mal de chemin à parcourir. Mieux vaut nous reposer et manger un morceau.

Je l'aurais embrassée. Enfin, si elle n'était pas un félin et n'avait pas promis de me tuer. On est descendus de selle et, après avoir marché un peu pour rétablir la circulation dans nos jambes, on s'est assis à la base d'un vieil arbre noueux pour nous restaurer. Yorn avait emmené ce qui ressemblait à de longues bandes brunes séchées. Dieu seul sait de quoi il s'agissait.

– Peu m'importe ce que c'est, ai-je dit, du moment que ce n'est pas du gar.

– Oh non, a répondu Yorn avec un petit rire. C'est un mélange de fruits et de rooker.

– Ces oiseaux bleus ?

– Exact. On mélange le tout, on l'assaisonne, on le fait sécher, puis on l'aplatit, on le découpe en bandes et on le fait sécher une seconde fois. Ce n'est pas vraiment un plat de gourmet, mais c'est très énergétique et ça ne pèse pas bien lourd.

J'ai mordu un bout. C'était dur, mais ça s'est adouci après quelques coups de dents. Et c'était plutôt bon. Même si j'avais si faim que j'aurais dévoré mes propre frusques avec délices.

– On a quelque chose comme ça en Seconde Terre, ai-je dit. On appelle ça du pemmican. Je ne sais pas pourquoi. Peut-être pour le distinguer du pélican ?

J'ai ri tout seul. Au temps pour mon sens de l'humour.

Kasha a mangé sans un mot. Elle nous tournait le dos et fixait une chaîne de montagne dans le lointain. Yorn et moi avons vaguement discuté de ces oiseaux, mais Kasha me préoccupait. Je me suis demandé à quoi elle pensait. C'était la Voyageuse d'Eelong, et on avait besoin d'elle, Eelong aussi. Bon sang, Halla tout entier comptait sur elle. J'aurais voulu pouvoir l'en convaincre. Mais lorsqu'elle a fini par parler, elle a posé une question qui m'a surpris.

– Combien y a-t-il de territoires ?

– Dix en tout, ai-je répondu. Du moins, c'est ce qu'on m'a dit. Ils font tous partie de Halla.

– Explique-moi ce qu'est Halla.

C'était plus un ordre qu'une question. Je ne sais pas d'où lui venait ce soudain regain d'intérêt, mais si elle voulait bien m'écouter, je ne demandais qu'à lui répondre.

– D'après ce qu'on m'a expliqué, Halla est… euh, tout. Chaque époque, chaque endroit, chaque personne qui a jamais existé. Et existe toujours.

– Et tu y comprends quelque chose ? a-t-elle demandé.

– Eh bien, pas entièrement, ai-je avoué.

– Mais tu es prêt à risquer ta vie et celles de ton entourage pour sauver Halla de Saint Dane ?

Bonne question. Je me l'étais déjà posée plus d'une fois.

– Pas au tout début. Loin de là. Je ne voulais rien avoir à faire avec ces histoires de Voyageurs et de flumes, et surtout avec Saint Dane. Mais depuis, j'ai visité quelques territoires et ai vu de mes yeux ce dont est capable cet être maléfique.

– Maléfique ? a raillé Kasha. Tu es un idiot, Pendragon. Un tang est maléfique, lui. Qu'est-ce qu'un gar pourrait bien faire de pire ?

– Je vais te le dire, ai-je contré. Il a tué plus de gens que je ne veux en compter afin de créer le chaos. Il a fomenté une guerre sur Denduron et tenté d'empoisonner tout Cloral. Puis il a bien failli écraser trois territoires d'un coup, ceux de chez moi, sur Terre. Et à chaque fois, les Voyageurs l'en ont empêché. Jusqu'à Veelox. Là, on a échoué. À cause de cela, toute une civilisation va s'écrouler et des millions de gens vont mourir. Et Saint Dane sera là pour ramasser les morceaux. Ou marcher dessus.

– Tout ça est amusant, enfin, pour quelques minutes. Mais comme je l'ai déjà dit, ça n'a rien à voir avec moi. Ça ne m'intéresse pas.

C'est là que j'ai craqué. Bon, c'est vrai, ce n'était pas très malin, mais l'indifférence de Kasha avait fini par me faire sortir de mes gonds. J'ai sauté sur mes pieds en m'écriant :

– Eh bien, tu devrais commencer à t'y intéresser !

– C'est bon, Pendragon, est intervenu Yorn. Calme-toi.

– Me calmer ? ai-je crié, de plus en plus hors de moi. Pourquoi ? Pour ne pas mettre Kasha en colère ? Eh bien, elle *devrait* être en colère. Des gens sont morts en luttant contre Saint Dane. Des gens que j'aimais, des gens qu'*elle* aimait. (Je l'ai regardée droit dans les yeux.) Ça ne t'intéresse pas ? Alors je vais te dire ce qui n'a rien à voir avec *moi*. Je me fiche pas mal de ta petite existence. Désolé, mais c'est vrai. Parce que crois-moi, gros matou, ce n'est rien à côté de ce qui t'attend. Tu veux croire que rien de tout ça ne peut t'affecter ? Très bien. Mais tu te fourres la griffe dans l'œil. Si on échoue, Eelong va s'effondrer, et c'est tout ton petit univers qui y passera. Et que ça te plaise ou non, tu es une Voyageuse. Alors arrête de faire la tête comme une gamine et regarde enfin la vérité en face !

Je me suis tourné vers Yorn. Il ouvrait de grands yeux. Il n'arrivait pas à croire que j'aie pu rentrer dans le lard de Kasha. Mais je ne pouvais pas m'en empêcher. Assez tourné autour du pot. Je me suis à nouveau concentré sur Kasha. Elle fouillait dans la sacoche passée à sa taille. Oh, oh. Elle devait chercher un de ses disques tueurs. Je me suis figé sur place. Elle allait me tuer ! Yorn a surpris son geste et a bondi sur elle.

– Non, Kasha ! a-t-il crié.

Trop tard. Kasha a lancé le disque. Instinctivement, j'ai fermé les yeux et levé les bras pour me protéger la tête. Mais les dents n'ont pas mordu ma chair. J'ai entendu un cri de douleur – mais qui venait de *derrière* moi. Je me suis retourné d'un bond pour voir un tang qui gisait sur le sol et se tortillait dans les spasmes de son agonie. Le disque s'était planté dans son crâne. Kasha venait de me sauver la vie… une fois de plus. Je me suis retourné lentement. Yorn s'était emparé d'elle. Il avait l'air aussi stupéfait que moi.

– Oh, a-t-il dit pour tout commentaire.

– Bien vu, ai-je coassé.

Yorn a laissé retomber ses bras. Kasha s'est relevée.

– Là, a-t-elle dit en montrant du doigt une chaîne de montagnes. Voilà notre destination. Et il faut y arriver avant la nuit.

On est remontés en selle et on a repris notre voyage comme si de rien n'était. Et pourtant, il y avait une étrange tension dans l'air. J'étais gêné de m'être emporté, mais comme Kasha nous guidait toujours, je suppose que ça n'avait pas grande importance. La vraie question était de savoir si elle avait assimilé un seul mot de ce que je lui avais dit.

Plus on se rapprochait des montagnes, plus la végétation se raréfiait. Le sol brun est devenu une terre dure encombrée de rochers pointus. À présent, les arbres n'étaient plus luxuriants, mais noueux et desséchés. Une ou deux fois, mes oreilles se sont bouchées, ce qui voulait dire qu'on gagnait de l'altitude.

Yorn s'est rapproché de moi et a dit :

– Je ne connais personne qui soit allé jusque-là. Ce coin n'est sur aucune carte, sinon celle de Seegen.

Logique : cela faisait des heures qu'on n'avait pas rencontré le moindre chemin digne de ce nom. Mais Kasha semblait toujours aussi sûre d'elle. Elle consultait régulièrement la carte et la bande solaire pour corriger notre trajectoire. Les pics gris nous dominaient de toute leur masse et s'étendaient à gauche comme à droite. Si la Cité de l'Eau noire se trouvait de l'autre côté, l'escalade prendrait des jours. Mais je n'ai pas osé exprimer mes doutes à voix haute. Il me faudrait me fier à la carte et à Kasha, qui pouvait la déchiffrer.

– Là ! s'est-elle finalement écriée en tendant le doigt.

J'ai scruté la pente escarpée et déchiquetée pour voir... rien du tout.

– Oui, je le vois ! s'est exclamé Yorn à son tour.

Je me suis senti un brin handicapé. Je n'avais pas des yeux de chat, moi.

– Je ne vois rien, ai-je admis, plus curieux que gêné.

– Il y a un sentier à travers la montagne, a répondu Yorn.

Kasha a changé légèrement de direction pour gagner cette piste qu'eux seuls pouvaient distinguer. Pour autant que je sache, on se dirigeait vers un cul-de-sac. Mais en se rapprochant, j'ai fini par apercevoir une vague ligne qui zigzaguait à flanc de montagne. Et peu après, on abordait bel et bien l'étroit sentier. C'était la première trace de civilisation qu'on avait rencontrée depuis des heures. Mon cœur s'est mis à battre la chamade. Était-ce le chemin de la Cité de l'Eau noire ? Le sentier a viré abruptement pour devenir très, très escarpé. Nous sommes montés en file indienne jusqu'à ce qu'un autre virage nous fasse partir dans la direction opposée. Et, de zigzag en zigzag, on a continué notre ascension. Ce qui me dérangeait, c'est que notre chemin n'était qu'une étroite corniche creusée à même la montagne. En un rien de temps, on est monté si haut qu'un simple coup d'œil en bas a suffi à me donner le vertige. Je me suis surpris à me pencher vers la montagne au cas où le zenzen perdrait pied.

On a atteint un autre virage. Je m'attendais à ce qu'on continue de monter, mais non : le sentier donnait sur un mince canyon qui semblait couper la montagne en deux. L'ouverture était si étroite qu'elle en était invisible d'en bas, même pour les yeux perçants des klees. On allait continuer *à travers* la montagne ! Kasha s'y est engagée sans hésiter, suivie de Yorn et moi. L'espace était à peine assez large pour que les zenzens puissent s'y glisser. J'ai dû me concentrer pour forcer le mien à marcher droit sous peine de me râper les genoux contre la paroi rocheuse. J'étais heureux de ne plus être sur cette corniche, mais ne voulais pas non plus me faire écorcher vif.

Une ou deux fois, j'ai entendu un bruit de pierres tombant au-dessus de nous. J'ai vite regardé en l'air et, en effet, j'ai vu dégringoler des cailloux. Il m'a suffi de baisser la tête pour les éviter, mais ça m'a laissé un sale goût dans la bouche. Qu'est-ce qui les avait fait tomber ? Simple coïncidence ? Ou quelqu'un rôdait-il là-haut ? Si une meute de tangs nous attaquait, on serait pris au piège. J'ai tenté de ne pas y penser, plutôt à protéger mes pauvres genoux.

Heureusement, on n'a pas tardé à arriver au bout du canyon. En fait, c'était même trop rapide : on ne pouvait pas avoir traversé le chaîne de montagne en si peu de temps. Mais lorsque mon zenzen et moi sommes entrés dans la lumière du soleil, j'ai vite compris.

On était toujours au cœur de la montagne. On se tenait dans une immense corniche face à une grande et superbe vallée entourée de murailles de pierre. J'ai eu l'impression de me retrouver au creux d'un volcan. Contrairement au terrain grisâtre qu'on parcourait depuis des heures, l'intérieur du bassin était couvert de végétation luxuriante. J'ai compté sept cascades chutant depuis les bords de la vallée pour finir dans un grand lac de montagne occupant une bonne partie du fond.

– C'est ça, la Cité de l'Eau noire ? ai-je demandé.

– Non, a répondu Kasha.

Elle a consulté sa carte, puis regardé le ciel.

– Que fais-tu ? a demandé Yorn.

– D'après la carte, a-t-elle répondu, nous arrivons précisément au bon moment.

– Je ne comprends pas.

– Il faut que la bande solaire soit à un certain angle, a-t-elle expliqué.

J'ai regardé autour de moi. Je ne sais trop pourquoi. Je ne vois pas ce que j'aurais pu chercher. Quelques minutes se sont écoulées. Toujours rien. Kasha a continué de scruter le ciel, et moi les alentours, comme un idiot. Encore quelques minutes. La bande solaire a continué de descendre. Bientôt, elle disparaîtrait derrière le bord du cratère, nous laissant dans l'obscurité complète.

– Tu es sûre d'être au bon endroit ? ai-je fini par demander.

Kasha a parcouru des yeux l'intérieur du cratère, puis :

– Là !

Elle a désigné l'autre côté du bassin. Depuis notre arrivée, je n'avais cessé de regarder à droite et à gauche et ne m'attendais pas à voir quoi que ce soit de différent, mais je me trompais. Les cascades avaient changé. L'eau qui jaillissait du rebord pour s'abîmer dans le lac était blanche. Mais maintenant que la bande solaire était juste au bon endroit, quelque chose devait bloquer sa lumière. La deuxième chute sur la droite avait viré au noir. Elle se distinguait nettement des six autres. Il n'y avait qu'une façon de la décrire.

– L'Eau noire, a murmuré Yorn d'une voix vibrante d'admiration.

Journal n° 18
(suite)

EELONG

– Voilà notre destination, a confirmé Kasha.

Nous sommes restés là, juchés sur nos zenzens, à fixer la cascade noire à l'autre bout de la vallée. Yorn a pris la carte de Seegen des mains de Kasha. Il l'a contemplée avec un sourire tout en secouant la tête.

– Parfois, je me sens plus vieux que la terre que je foule, a-t-il dit. En prenant de l'âge, il y a un don que tu chériras par-dessus tout, car il est bien rare.

– Lequel ? ai-je demandé.

– La capacité de surprise, a dit Yorn avec un grand sourire – le premier que je lui voie depuis qu'on se connaissait. Le don de se laisser surprendre. C'est un signe de jeunesse et, en ce moment, je me sens plus jeune que jamais. Yaaa ! s'est-il écrié en éperonnant son zenzen.

Il a descendu au galop la colline verdoyante prolongeant notre corniche, fonçant droit vers la cascade.

– Il me rappelle mon père, a fait Kasha. Même à son âge, il était toujours en quête d'aventure.

– Et tu n'es pas comme ton père ? ai-je demandé.

Kasha a inspiré avant de répondre tristement :

– Pour lui, tout était simple. Il croyait savoir distinguer le bien du mal. Ce qui était juste de ce qui ne l'était pas. C'était un bâtisseur. Mais là où d'autres envoyaient des gars effectuer les tâches les plus dures ou les plus dangereuses, il faisait tout lui-même.

– Il t'a dit pourquoi ? ai-je demandé.

– Selon lui, il n'était pas juste de forcer un gar à faire quelque chose contre sa volonté. Ce n'était qu'un sentiment, mais il n'a jamais dévié de cette règle de conduite.

– Peut-être que tu lui ressembles plus que tu ne le crois, ai-je dit.

Kasha n'a pas répondu.

– C'est là que tu nous quittes ? ai-je demandé.

– On n'est pas encore arrivés au bout de la carte.

Elle a alors éperonné son zenzen. Ensemble, on a chevauché jusqu'au fond de la vallée. J'avais l'impression d'être un cowboy abordant une vallée perdue. La bande solaire baignait la vallée d'une lueur crépusculaire qui la faisait ressembler à un tableau. Durant ces quelques minutes, je peux avouer que je me suis bien amusé. On n'a pas tardé à atteindre un bosquet particulièrement dense qui nous a forcé à ralentir. Yorn avait disparu sous le couvert des arbres.

– J'espère qu'il a pris la bonne direction, ai-je dit.

– S'il suit la cascade noire, il ne peut pas se perdre, a-t-elle répondu.

Il commençait à faire noir. La bande solaire avait dû se cacher derrière les parois du cratère. Plus que quelques minutes de jour. Si la nuit tombait trop vite, on risquait de se perdre ! Pourvu que les klees d'ici puissent voir dans le noir, comme les chats de Seconde Terre.

– Yorn ? a crié Kasha.

En guise de réponse, on n'a entendu que le grondement des chutes d'eau. Pas bon signe. Au mieux, on était séparés et il suffirait de nous retrouver. Au pire… Je préférais ne pas l'envisager.

– Regarde, a dit Kasha.

Une faible brume s'élevait du sol, si bien qu'il était encore plus difficile de distinguer quoi que ce soit. J'allais demander à Kasha ce qu'elle avait vu lorsqu'une silhouette a surgi de sous le couvert des arbres. Elle était trop loin, était trop mal éclairée pour qu'on puisse l'identifier, mais c'était grand, sombre, ça marchait d'un pas lent et ça venait droit sur nous.

– Oh non ! a fait Kasha en un hoquet.

Ce qui avait l'avantage de répondre à une de mes questions. Ces félins avaient effectivement une meilleure vision que moi.

– C'est un tang ? ai-je demandé.

Kasha n'a pas eu à répondre, car à peine avais-je terminé ma phrase que je l'ai reconnu. C'était le zenzen de Yorn… mais sans son cavalier. Kasha a fait avancer sa propre monture vers la bête, a retiré les lances accrochées à son flanc et m'en a jeté une.

– Quoi qu'il ait pu arriver, a-t-elle remarqué, ç'a été rapide. Yorn n'a même pas eu le temps de prendre une arme.

Kasha a brandi sa lance, le bras tendu vers le bas, l'arme pointée à hauteur d'homme, et a fait avancer son zenzen à allure réduite.

– Reste près de moi, a-t-elle ordonné.

J'ai obéi et me suis mis juste à côté d'elle en empoignant aussi ma lance. On a progressé comme ça dans la direction d'où était revenu le zenzen de Yorn. J'avais les nerfs à vif. Le moindre bruit me semblait être le pas d'un tang prêt à nous foncer dessus. Le craquement d'une brindille, un bruissement de feuilles, même le son lointain des cascades me faisaient sursauter. Mais nul n'avait fait mine de nous attaquer. Pour l'instant.

On a atteint l'orée du bosquet pour constater qu'on se retrouvait au bord du lac. Ce qui signifiait qu'on était tout au fond du cratère. Les chutes d'eau nous dominaient de toute leur taille. On était si près que je sentais leur brume rafraîchissante. Tout en haut dans le ciel apparaissaient les premières étoiles. Leur lumière se reflétait sur les eaux paisibles du lac. Si je n'étais pas si nerveux, j'aurais apprécié le spectacle.

– Par là, a fait Kasha.

J'ai suivi son doigt pour voir une percée dans les arbres à l'autre bout du lac. Sans doute le chemin de la cascade sombre. L'Eau noire. Si Yorn était arrivé jusqu'ici, il aurait probablement emprunté cette direction. C'est donc ce qu'on a fait à notre tour. À peine avait-on fait quelque pas que j'ai entendu un bruit qui m'a donné un coup au cœur. J'ai jeté un bref coup d'œil à Kasha. Elle aussi l'avait entendu. Après tout, elle avait des sens de félin. On s'est retournés comme un seul homme…

Le lac n'avait plus rien de paisible. Ses eaux s'étaient mises à bouillonner comme un chaudron. Quelque chose montait de ses profondeurs. Ou plutôt plusieurs choses. Une vingtaine d'ombres ont crevé la surface des flots pour patauger vers le rivage. Vers nous. Pour nous attaquer.

– Fonce ! s'est écrié Kasha.

On a éperonné nos zenzens pour filer vers le sentier qui passait à travers bois. J'ai foncé en premier dans la forêt sans avoir la moindre idée de ce qui m'y attendait. Tout ce que je savais, c'est qu'il me fallait échapper à ces monstres qui s'étaient embusqués sous le lac. Qui nous attendaient.

La forêt était plongée dans une obscurité totale. J'ai suivi le grondement de la chute. J'étais sûr que je finirais par cogner quelque chose. Je n'ai pas été déçu. Soudain, je me suis retrouvé projeté dans les airs. D'abord, j'ai cru avoir percuté une branche basse. Mon dos a frappé le sol assez rudement tandis que je me cramponnais à ma lance. La poignée m'est rentrée dans le flanc. Ouille. J'étais sûr de m'être cassé deux ou trois côtes, mais à ce moment-là, c'était le cadet de mes soucis. J'ai lutté pour reprendre mes esprits et ai regardé ce que j'avais heurté. Ce n'était pas une branche.

Au-dessus de moi, accroché à un arbre, j'ai vu un filet. Ou plutôt un piège, et il s'était déclenché. Car là, au milieu des cordes entrelacées, gisait Yorn.

– Kasha ! ai-je crié. C'est un piège !

Elle est alors arrivée à ma hauteur au triple galop. Je n'ai pas réagi assez vite pour pouvoir l'arrêter à temps. Une seconde plus tard, un nouveau piège se déclenchait. Un filet a jailli entre les arbres, prenant Kasha dans ses rets. Son zenzen a continué sa course alors qu'elle restait coincée à moins d'un mètre de Yorn.

– Fuis, Pendragon ! a crié ce dernier.

En me tournant vers le lac, j'ai vu des dizaines d'ombres noires qui fonçaient sur nous. Les monstres du lac passaient à l'attaque.

– Allez ! a ordonné Kasha.

Je me suis enfui. Il n'y avait rien d'autre à faire, et mes pensées étaient trop confuses pour trouver un truc quelconque pour nous sauver la mise. Je me suis redressé tant bien que mal et suis parti en courant vers la chute d'eau. Curieusement, je me suis dit que si j'y arrivais, je serais sauvé. Drôle d'idée. Mais les gars appelaient l'Eau noire « chez eux ». Peut-être était-ce comme dans ces jeux d'enfants où, lorsqu'on arrive « chez soi », l'autre ne peut plus vous toucher. Je sais, c'était complètement idiot comme raisonnement, mais je n'étais pas au mieux de ma forme. Il faisait si noir que je devais me repérer au bruit de la cascade. J'avais à peine fait quelque pas et m'attendait à percuter un arbre lorsque le sol s'est dérobé sous mes pieds. Quelque chose s'est emparé de moi et m'a soulevé dans les airs, la tête en bas. J'ai vite compris que j'étais tombé dans un autre genre de piège. Et je suis resté là, suspendu entre ciel et terre, impuissant. Nous étions prisonniers tous les trois, à la merci de la première bête en maraude.

J'ai regardé les silhouettes noires converger vers moi – à l'envers, vu ma position. À première vue, ce n'était pas des tangs. Plutôt des ombres sans formes distinctes. Ils ont ignoré Kasha et Yorn pour se précipiter vers moi. Quelle chance. Ils m'ont encerclé et se sont arrêtés à un peu plus d'un mètre. Ils n'ont pas attaqué, ils sont juste restés plantés là. Peut-être n'était-ce pas que des brutes sans cervelle en quête d'un repas ? Je suis resté immobile, osant à peine respirer, dans l'espoir insensé que, si je faisais le mort, ils s'en iraient. Ben voyons.

Le cercle s'est entrouvert et une silhouette plus grande que les autres d'une bonne tête a fait son apparition. Il faisait si noir qu'il m'était difficile de voir à quoi il ressemblait exactement – surtout la tête en bas. L'ombre est venue me regarder de près. Enfin, c'est ce que j'ai imaginé : je ne pouvais pas distinguer ses yeux. Les autres se sont massés derrière lui. Alors qu'ils se rapprochaient, j'ai pu voir que s'ils n'avaient pas de forme définie, c'est parce qu'ils portaient de longues capes noires les recouvrant de la tête aux pieds. Ce n'étaient pas des bêtes sauvages. Ni des ombres spectrales. Ils portaient des vêtements ! Mais qu'étaient-ils, ou plutôt qui étaient-ils ?

Leur chef a tendu les mains vers mon visage. J'ai frémi, m'attendant à ce qu'il fasse quelque chose de douloureux. Mais un drôle de bras est apparu, avec une extrémité arrondie recouverte d'un bout de toile. Ce type était trop grand pour être un klee, et ce n'était certainement pas un tang. Mais quel genre d'animal a des bras arrondis à leur extrémité ? Mon cœur battait la chamade. J'aurais voulu dire quelque chose, mais les mots n'ont pu franchir ma gorge. Cet étrange bras m'a secoué pour voir si j'étais encore conscient. C'est alors que j'ai réalisé qu'il était parfaitement humain. On avait été attaqués par un groupe de gars masqués dirigé par un manchot. Il m'a alors parlé d'une voix grave et douce qui semblait venir d'un rêve – le plus incroyable que j'aie jamais fait.

– Alors, fiston ? On se promenait dans le coin ?

Il a alors retiré son capuchon, dévoilant la vision la plus agréable qui se puisse concevoir. Il m'a fait un sourire plein de chaleur :

– Je commençais à croire que tu n'arriverais jamais jusqu'ici, Bobby.

J'ai passé la main sous mon vêtement pour en tirer les anneaux de Voyageur suspendus à sa lanière. Je lui ai tendu le plus gros :

– Je suis juste passé vous rendre ce qui vous appartient, Gunny.

Journal n° 18
(suite)

EELONG

– On dirait que tu as fait la guerre, fiston, a dit Gunny en me tenant les épaules pour que les gars puissent me détacher.

– Qui, moi ? ai-je répondu. Et votre main ?

– Ah, juste un désagrément mineur, a-t-il fait d'un ton badin, même si je n'en ai pas cru un mot. Où as-tu trouvé mon anneau ?

– Il vaut mieux que tu ne le saches pas.

J'ai regagné le plancher des vaches et me suis retrouvé face à mon ami, le grand Noir qui était le Voyageur de Première Terre, Vincent « Gunny » Van Dyke[1]. Il était en forme pour un type d'une soixantaine d'années. Mais il avait l'air fatigué, et ses cheveux étaient un peu plus gris. Ça n'avait rien d'étonnant. Eelong peut avoir cet effet. Il a passé l'anneau au doigt de sa main droite, puis m'a regardé et a secoué la tête.

– Tu as l'air d'avoir pris de la bouteille depuis la dernière fois que je t'ai vu, a-t-il remarqué.

– Normal : je suis plus âgé. Sacré nom, c'est bon de vous revoir !

Je n'ai pu m'en empêcher : je l'ai serré dans mes bras. Je ne pourrais vous décrire à quel point j'étais soulagé. Gunny était en vie, et je n'étais plus seul. Je n'avais pas envie de le lâcher, mais un feulement furieux m'a fait reprendre pied dans la réalité. J'ai levé les yeux pour voir les gars s'amuser à donner de petits coups à Kasha et Yorn, toujours prisonniers de leur filet.

---

1. Voir Pendragon n° 3, *La guerre qui n'existait pas.*

Un autre gar a couru vers Gunny :

– Autant les tuer tout de suite, tant qu'ils sont encore prisonniers.

Je ne sais pas ce qui m'a le plus choqué : qu'il veuille tuer Yorn et Kasha, ou qu'un gar puisse s'exprimer aussi bien.

– Non ! me suis-je écrié. Ce sont des amis !

– Les klees ne sont pas des amis, a répondu le gar. Ils ne méritent que la mort.

Il a tiré une arme de sous sa cape. On aurait dit une grande flèche, presque une lance, chargée dans un appareil assez simple évoquant un fusil à harpon. Il a levé la pointe, qui m'a paru bien grande et bien acérée. Puis il est parti vers les klees captifs, prêt à les exécuter.

– Gunny ! ai-je crié en dernier recours. Seegen est mort ! Cette klee à la fourrure noire est sa fille, Kasha !

– Aron ! Attends ! a crié Gunny au gar.

Le dénommé Aron s'est arrêté. Gunny s'est tourné vers moi :

– Seegen est mort ? Comment ?

– Je ne sais pas. Mais maintenant, c'est Kasha la Voyageuse d'Eelong.

– Gunny ! a lancé Yorn. C'est moi, Yorn, l'Acolyte de Seegen.

Gunny a marché vers le piège.

– Qu'est-il arrivé à Seegen ? a-t-il demandé à Yorn.

– Il est allé en Seconde Terre et c'est un cadavre qui en est revenu, a rétorqué le vieux klee d'un ton irrité. Maintenant, veux-tu bien ordonner à ces gars de nous détacher avant que je me casse quelque chose ?

– Une seconde. (Gunny s'est tourné vers Kasha.) Je ne te connais pas. Je ne peux pas te libérer, pas avant que tu m'assures que tu ne feras aucun mal à ces gars.

– Gunny ! s'est exclamé Yorn, surpris. C'est la fille de Seegen !

– Mon père m'a demandé de lui amener Pendragon, a-t-elle grondé, et c'est ce que j'ai fait. Ces gars ne m'intéressent pas.

J'en ai profité pour intervenir :

– Elle m'a déjà sauvé la vie, et pas qu'une fois. (J'ai alors couru un gros risque et ai ajouté :) Il n'y a qu'un problème.

– Lequel ? a demandé Gunny.

– Kasha ne veut pas être Voyageuse.

Autant tout déballer ici et maintenant, sous les yeux de Kasha. Après tout, je n'avais rien à perdre.

– Elle prétend se fiche complètement des gars, mais ne rate jamais une occasion de les aider. Elle s'inquiète de l'avenir d'Eelong, mais ne croit pas que Saint Dane puisse le menacer. Elle est la Voyageuse de son territoire, mais pas moyen de lui faire comprendre qu'en nous aidant, c'est Eelong qu'elle sert.

Gunny s'est tourné vers Kasha :

– Tu es dans de sales draps, ma petite chatte. Ces gars te tueraient sans sourciller. Et je les laisserais volontiers faire... à moins que tu fasses ce que je te dis.

– Je t'écoute, a grogné Kasha.

– Viens avec nous à l'Eau noire.

– Non ! a crié le gar nommé Aron. Jamais un klee n'est allé là-bas !

Comme les autres gars, Aron ne faisait guère plus d'un mètre soixante. Il portait des cheveux longs cascadant sur ses épaules et, même s'il semblait plus âgé, n'avait pas l'ombre d'une barbe. Pourtant, je n'avais pas l'impression que ces types se rasaient. On aurait dit des enfants adultes. Mais contrairement aux gars de Lyandra, il y avait un cerveau sous leurs crânes. Ils se tenaient droit et avançaient d'un pas résolu. Une preuve de plus que les gars n'étaient pas que des bêtes bonnes pour l'abattoir.

Gunny s'est adressé à Aron d'un ton paternel :

– Il faut que tu me fasses confiance sur ce coup-là. On ne demande qu'à t'aider, mon copain et moi, mais on ne peut rien faire sans ces klees.

Gunny s'exprimait lentement et de façon convaincante. J'avais l'impression d'entendre notre prof, M. Rogers... ou un Voyageur usant de ses pouvoirs de persuasion. Et si M. Rogers était un Voyageur ? Intéressant.

– Ils ne vous feront aucun mal, je vous le promets, a-t-il ajouté en s'adressant à toute l'assemblée. J'en prends la responsabilité.

Le regard nerveux des gars ne cessait de passer de Gunny aux klees pris au piège. On aurait dit qu'ils ne demandaient qu'à le croire, mais que leur peur atavique des klees était trop forte.

– Mais ils pourraient révéler aux autres le secret de l'Eau noire, a dit Aron d'un air soucieux. On ne peut pas les laisser faire.

– Je n'en doute pas un seul instant, a renchéri Gunny. S'ils essaient de cafter, je vous jure que je les tuerai de mes mains.

Houlà ! Voilà qui ne lui ressemblait guère. Il s'était endurci depuis la dernière fois. Enfin, je suppose que moi aussi. Quand la peur vous tenaille, vous devenez inflexible. J'ai jeté un œil à Kasha. Ses oreilles étaient repliées sur sa nuque.

– Tu as confiance en moi ? a demandé Gunny à Aron.

Le gar a regardé les autres, qui ont tous acquiescé.

– Bien ! s'est exclamé Gunny (Il s'est tourné vers Kasha.) Alors, ma petite chatte, qu'est-ce que vous choisissez ?

Elle couchait toujours les oreilles. Elle n'aimait pas qu'on lui force la main.

– Je n'ai pas vraiment le choix. Je viens avec vous.

– Parfait ! a renchéri Yorn. Maintenant, si vous voulez bien nous faire descendre.

– Coupez les cordes ! a dit Gunny aux gars. Mais allez-y tout doux. Ce sont nos invités !

Les gars se sont servis de petits couteaux pour libérer les deux klees, mais sans s'embarrasser de précautions. Kasha et Yorn sont tombés à terre sans douceur. Comme leurs pattes étaient entortillées dans le filet, ils ne pouvaient même pas retomber dessus, en dignes félins. Les gars se sont massés autour d'eux, prêts à attaquer au moindre geste hostile. Leurs espèces de lance-piques étaient braqués sur les captifs.

– Hé là, tout doux ! a dit Gunny. (Il s'est avancé délibérément au milieu du cercle des gars pour se tenir aux côtés de Kasha et Yorn.) Il est tard. On ferait mieux de rentrer.

Il a fait signe à la petite troupe de le suivre vers la chute d'eau. Je ne pouvais plus la qualifier de noire, puisque maintenant que la bande solaire était couchée, tout était noir. Mais les étoiles brillaient, et on a réussi à y arriver sans percuter un arbre. Gunny, Kasha, Yorn et moi sommes restés groupés tandis que les gars marchaient derrière nous sans nous quitter des yeux.

– Comment as-tu fait pour devenir le gar en chef, Gunny ? ai-je demandé d'un ton moqueur.

– Oh, je ne suis pas le caïd, a-t-il répondu avec un petit rire. Mais ils m'écoutent. Ils ont la frousse et, pour autant que je sache, ils ont de bonnes raisons d'avoir les foies.

Au moins, il parlait toujours son argot suranné.

– Alors ils savent que les klees ont l'intention de les chasser comme des bêtes ?

– Tout à fait, a répondu Gunny. Ils ont envoyé un tas d'éclaireurs à Lyandra. C'est assez effrayant de se voir reléguer au bas de la chaîne alimentaire. Je suis sûr que Saint Dane doit avoir mis ses grosses paluches là-dedans.

– En effet, a répondu Yorn. C'est ce que Seegen a découvert.

– Je ne comprends pas, a dit Kasha. Ces gars sont… euh…

– Intelligents ? a terminé Gunny. C'est le mot que tu cherchais ?

– Oui, a admis Kasha.

– Je crois que tu as beaucoup à apprendre sur les gars, et c'est pour ça que je veux que tu découvres la Cité de l'Eau noire.

On s'approchait du bassin à la base de la cascade. Gunny nous a menés jusqu'à la paroi rocheuse d'à côté et a continué de marcher… sur l'eau ! Mais en y regardant de plus près, j'ai vu qu'en fait il progressait sur des pierres affleurant à peine à la surface. Gunny s'est alors dirigé vers la cascade, puis s'est glissé *sous* le rideau aquatique. Incroyable ! Je passais en second. J'ai sauté d'un rocher à l'autre en essayant de ne pas trop me mouiller. En restant bien concentré, je suis arrivé de l'autre côté de la chute en un rien de temps.

– Viens par ici, fiston ! a crié Gunny.

Il se trouvait à sec, à l'embouchure d'une caverne qui s'enfonçait au plus profond de la montagne. Je l'ai rejoint, puis me suis retourné pour voir y entrer Kasha, Yorn, enfin Aron et les autres gars. Gunny a alors ramassé quelque chose qui ressemblait à un tube noir d'une trentaine de centimètres de long. Il l'a cassé en deux et aussitôt les deux extrémités ont émis une lueur jaune.

– Ces machins sont phosphorescents, a-t-il expliqué.

La lumière a fait étinceler la cascade. J'ai vu que le plafond était très haut et que la caverne s'enfonçait profondément dans la montagne. Et aussi qu'on n'y était pas seuls. J'ai eu en sursaut en découvrant plusieurs autres gars un peu plus loin dans la caverne, rassemblés en silence comme un vol de chauves-souris. Ils tenaient leurs lances devant eux, prêts à tout.

– Ils gardent l'entrée, a expliqué Gunny. Je ne voudrais pas devoir me les colleter. (Il s'est avancé vers la petite troupe.) Tout va bien. Ces klees sont avec nous.

Ils n'ont pas bougé d'un poil. Aron a pris la parole :

– Ces klees ont notre autorisation d'accéder à la Cité de l'Eau noire. Mais ne les laissez pas sortir sans mon aval.

Les sentinelles étaient une assurance. Si les klees cherchaient à s'échapper, ils tomberaient sur cette troupe de lutins mortels. Gunny a jeté le second bâton de lumière à Aron et on a continué de progresser dans la grotte. Les gardes se sont écartés pour nous laisser passer. Plutôt angoissant. Le passage était étroit et sinueux. Gunny et moi avons dû nous pencher légèrement pour ne pas nous cogner le crâne. Les gars n'avaient pas ce souci et les klees marchaient à quatre pattes. Content pour eux.

– Les gars de Lyandra ont appelé l'Eau noire « chez eux », ai-je dit. Qu'est-ce qu'ils veulent dire par là ?

– Tu vas bien voir, a répondu Gunny.

Après avoir suivi le tunnel et ses nombreux tournants pendant quelques minutes, j'ai senti un courant d'air frais. Devant nous, j'ai entrevu un bout de ciel étoilé. Gunny nous a guidés vers l'embouchure du tunnel. Je me suis arrêté, époustouflé. Là, devant nous, s'étendait ce qu'il avait appelé la Cité de l'Eau noire.

– Oubliez tout ce que vous croyiez savoir à propos des gars, a dit Gunny.

Stupéfaits, Boon et Kasha ont ouvert de grands yeux.

– Ce que vous voyez maintenant est la vérité, a-t-il ajouté. Et si Saint Dane la découvre, Eelong est fichue.

Journal n° 18
(suite)

EELONG

On se trouvait au sommet d'une colline escarpée, et devant nous s'étendait une véritable cité bourdonnante d'activité. Il y avait un grand bâtiment central entouré de centaines de petites huttes bâties en parallèle, comme les moyeux d'une roue. Les rues décrivaient des cercles de plus en plus larges au fur et à mesure qu'on s'éloignait du centre. Les habitations étaient toutes semblables, avec des toits de chaume. Bien qu'il fasse nuit, je pouvais voir jusqu'au moindre détail : la pleine lune éclairait la scène comme en plein jour et il y avait des réverbères à chaque intersection. Il y avait aussi de la lumière dans les huttes, ce qui les rendait accueillantes.

Il est difficile d'estimer avec précision la taille de cette ville, mais je dirais qu'elle s'étendait sur plusieurs kilomètres carrés. Elle était blottie dans une vallée entourée de falaises rocheuses escarpées. Tout au bout de la vallée, une chute d'eau alimentait une rivière qui passait au centre de la ville pour continuer son chemin. Je n'en étais pas sûr, mais il m'a semblé voir des champs et des plantations en bordure des huttes.

La cité elle-même était une drôle d'oasis coincée au milieu des montagnes. Il ne manquait plus que de la neige et un bonhomme en costume rouge et blanc conduisant un traîneau. Les rues étaient peuplées de gars affairés comme… eh bien, comme des humains. Certains pilotaient des sortes de bicyclettes, d'autres des chariots tirés par des zenzens. Leurs vêtements semblaient propres et résistants, contrairement aux habituels haillons. J'ai vu des femmes, des enfants et même des personnes âgées, ce qui était étonnant, puisque les gars de Lyandra ne faisaient pas de vieux os.

– Je n'y comprends rien, ai-je balbutié. Je croyais que les gars étaient…

– Des animaux ? a terminé Gunny. Ils le sont. Partout, sauf ici.

J'ai remarqué que Kasha et Yorn, toujours à quatre pattes, restaient côte à côte. Ils avaient l'air stupéfaits. Tout d'un coup, c'était eux qui évoquaient des animaux, bien plus qu'au début de notre odyssée. Les rôles étaient soudain inversés.

Aron s'est approché de Gunny.

– On devrait descendre en ville, a-t-il dit.

– J'aimerais emmener mon ami et les klees à ma hutte, a répondu Gunny. Ils ont fait un long voyage ; ils ont besoin de se restaurer et de se reposer.

Aron a jeté un regard nerveux aux klees.

– Et s'ils cherchent à s'échapper ?

– Je suis sûr que les gardes les en empêcheront.

De toute évidence, Aron n'aimait pas l'idée de voir des klees entrer dans la Cité de l'Eau noire.

– Puisque tu le dis. Mais je t'en prie, emmène quelques gardes. Maintenant que la Transhumance est proche, il ne doit rien se produire de fâcheux.

– Merci, a répondu Gunny.

Aron est retourné voir le groupe de gars pour leur donner ses ordres.

– C'est quoi, cette Transhumance, Gunny ? ai-je demandé. Les gars de l'extérieur en parlent aussi.

– Pas maintenant, a-t-il fait à voix basse. Attends qu'on soit seuls.

Le groupe de gars s'est dispersé, partant en direction du village. Deux d'entre eux sont restés avec nous pour garder un œil sur les klees. Ils gardaient leurs lances braquées sur les félins. Au moins, ils ne les mettaient pas en laisse. En termes d'hospitalité, ils gagnaient un point.

– Qui a faim ? s'est écrié gaiement Gunny.

– J'ai l'estomac dans les talons, a répondu Yorn.

– Je mangerais bien un morceau, moi aussi, ai-je ajouté.

Kasha n'a rien dit.

– Bien, a conclu Gunny. Allons donc chez moi. On trouvera bien quelque chose.

Nous avons descendu la pente escarpée vers le début d'un sentier sinueux menant à la Cité de l'Eau noire, suivis de près par les deux gardes.

– J'ai entendu parler de cet endroit, a dit Yorn, mais je croyais que c'était une légende.

– Ici, l'évolution a pris un autre tour, a expliqué Gunny. D'après ce qu'on m'a dit, il y a plusieurs générations, un gar a volé de la nourriture à un klee. Pour le punir, le klee lui a cassé la figure. Le gar allait être exécuté, mais il a réussi à s'échapper avec quelques congénères. Ils ont fini par tomber sur cette vallée ignorée de tous, s'y sont installés, ont eu des enfants et ont appris à se débrouiller par eux-mêmes.

– Alors ils ont créé toute une civilisation alternative ? ai-je demandé.

– Exactement, a répondu Gunny. Une fois débarrassés du joug des klees, ils ont évolué et sont devenus intelligents.

– C'est donc une société fondée par des voleurs et des criminels, a déclaré Kasha avec mépris.

– On peut le considérer comme ça, a répondu Gunny. Ou on peut y voir un exemple de ce qui arrive lorsqu'on donne à des individus une occasion de s'épanouir librement.

J'ai aussitôt pensé à cette horrible cellule. L'idée que les klees traitaient les gars comme des animaux alors qu'ils étaient capables de fonder leur propre société me mettait en rogne. Je ne voulais pas haïr les klees, mais après avoir vu cette cité, c'était bien difficile.

On a atteint la première rue du village et continué le long d'une route couverte d'herbe rase. En fait, toutes les rues étaient pavées d'une sorte de gazon ferme qui semblait artificiel. Elles étaient flanquées de huttes de chaque côté. Certaines émettaient de délicieuses odeurs de cuisine, ainsi que de la musique qui ressemblait à un air de flûte. Chacune était la copie à peu près conforme de la précédente, excepté les parterres de fleurs soigneusement entretenus à l'avant. Certaines étaient complexes et multicolores, d'autres comportaient des haies bien taillées. Toute cette verdure donnait l'impression que la ville elle-même était un être vivant.

Je commençais à m'habituer à ce village pacifique lorsque le calme a été rompu par un drôle de sifflement qui n'a cessé de se rapprocher. On s'est arrêtés tous les quatre, prêts à tout.

– Qu'est-ce qui se passe ? a demandé Kasha, nerveuse.

– Ne vous inquiétez pas, a répondu Gunny. C'est l'heure de l'arrosage.

En effet, une brume humide a imprégné l'air. J'ai vu que les réverbères servaient aussi de vaporisateurs. Une fine brume aquatique a jailli juste en dessous des lampes, imprégnant l'air de son humidité. Un simple coup d'œil aux rues démontrait l'efficacité du système.

– Chaque centimètre de la ville est traité, a dit Gunny. C'est assez impressionnant.

Rien à voir avec de la pluie : le système émettait plutôt un épais brouillard. Tout ce qu'il fallait pour nourrir les fleurs et les haies.

– Incroyable, a murmuré Kasha, admirative.

En cours de route, on a dépassé plus d'un gar. Et lorsqu'ils voyaient des klees, tous avaient la même réaction : la peur. Ils s'empressaient de changer de trottoir. Certains rassemblaient leurs enfants pour les protéger ou claquaient les portes de leurs huttes. J'ai senti des regards nerveux peser sur nous. Personne n'était content de voir deux klees arpenter les rues de leur cité.

– Aïe ! s'est écrié Yorn.

Quelqu'un lui avait jeté une pierre avant de prendre la fuite. Kasha a feulé de colère, mais Gunny s'est vite interposé.

– Pas de panique, ma petite chatte. N'oublie pas que tu n'as pas un seul allié ici. Si tu cherches la bagarre, tu auras toute la ville sur le paletot.

– Ça va, Kasha, a repris Yorn.

Kasha couchait toujours ses oreilles sous l'effet de la colère, mais elle a laissé tomber.

– Voilà ma hutte, a ajouté Gunny. Rentrons et détendons nous un peu.

Les deux gardes sont restés dehors, l'un près de la porte, l'autre devant l'unique fenêtre. L'intérieur de la hutte était très simple. Il n'y avait qu'une seule pièce aux meubles en bois. Gunny s'est dirigé vers le coin cuisine et a ouvert un placard rempli de fruits et de légumes frais.

– Faites comme chez vous, a-t-il dit. J'espère que vous avez autant faim que moi.

On s'est assis devant une table basse, où Gunny a déposé du pain et des fruits. On s'est mis à rompre de grands bouts de pain et à engouffrer des morceaux de ces fruits succulents, aussi juteux et doux que tout ce qu'on pouvait trouver chez nous. Du moins Gunny et moi. Kasha et Yorn n'ont pas fait un geste.

– Je vous en prie, servez-vous, a dit Gunny. On est entre amis.

– Je croyais qu'on n'avait pas un seul allié dans la place, a répondu Kasha d'un ton hautain.

– Pas en dehors de cette hutte. Mais ici, nous sommes tous du même bord.

– Dans ce cas, a dit Yorn, pourquoi se priver.

Et il a pris un fruit.

À contrecœur, Kasha s'est saisie d'une pomme bleue et l'a grignotée. Tout en ripaillant, j'ai raconté à Gunny ce qui s'était passé sur Veelox. Il devait savoir que Saint Dane avait remporté sa première victoire, ce qui rendait encore plus importante notre tâche ici, sur Eelong. J'ai expliqué en détail l'histoire d'Utopias et du virus Réalité détournée, et comment Saint Dane avait failli provoquer la mort de millions d'individus[1].

À son tour, Gunny nous a raconté ce qui lui était arrivé sur Eelong.

– Quand je suis sorti de cet arbre géant, a-t-il commencé, j'en suis resté baba. Je n'avais jamais rien vu d'aussi beau qu'Eelong. Mais j'ai eu tort de m'émerveiller, parce que du coup j'ai relâché mon attention. Je suis allé à la recherche des gens du coin et suis tombé sur une bande de gars. Enfin, à ce moment-là, je ne savais pas qu'on les appelait comme ça. Deux d'entre eux cueillaient des baies pendant que les autres montaient la garde. Ils n'arrêtaient pas de regarder autour d'eux comme s'ils faisaient quelque chose de mal ou s'attendaient qu'il se passe quelque chose. Voilà

1. Voir Pendragon n° 4, *Cauchemar virtuel*.

qui aurait dû me mettre la puce à l'oreille : Eelong n'était peut-être pas si paradisiaque que ça. Mais au moment même où j'allais les aborder, on m'a attaqué. Cette bestiole a été si rapide que je n'ai même pas eu le temps de me défendre.

– C'était un tang ou un quig ? ai-je demandé.

– Un de ces maudits lézards. Et il ne m'a pas raté. J'y ai même laissé un bout de viande, a-t-il ajouté en levant son bras mutilé. Mais ç'aurait pu être pire. Sans les gars, je ne serais même pas là. Ils sont venus me tirer de ses griffes, et quand j'ai repris mes esprits, j'étais là, à la Cité de l'Eau noire. (Gunny a eu un petit rire.) Vu que j'étais grand et noir, ils m'ont pris pour le roi d'un pays lointain. Et je ne les ai pas détrompés. Ils se sont occupés de moi et ont soigné mon bras. (Il a jeté un regard triste à son moignon.) C'est bizarre. Parfois, j'ai l'impression qu'elle est toujours là, mais quand j'essaie de prendre quelque chose…

Il n'a pas fini sa phrase. Je ne pouvais même pas concevoir ce qu'était de perdre une main. J'en avais mal pour lui.

– Les gars m'ont expliqué que les klees étaient les caïds. J'ai mis un bout de temps à admettre que des gros matous puissent être aussi intelligents. Sans vouloir vous offenser.

– Pas de problème, a dit Yorn.

– Comment as-tu rencontré mon père ? a demandé Kasha.

– C'est là que j'entre en scène, a répondu Yorn. Gunny est retourné au flume. Je l'y ai retrouvé et l'ai emmené voir Seegen.

– Donc, tu savais déjà que l'Eau noire existait bel et bien ? a demandé Kasha.

– Non, a répondu Yorn.

– Je n'en ai parlé qu'à Seegen, le Voyageur, a repris Gunny. Mais c'est là que l'histoire devient intéressante.

– Elle l'est déjà, ai-je remarqué.

– J'ai quelque chose à vous montrer, a repris Gunny. Si vous avez fini de becqueter, on repart en balade.

On a quitté la hutte, et Gunny nous a menés au centre du village. Les gardes nous ont suivis, surveillant de près Kasha et Yorn. On est arrivés devant un bâtiment de quatre étages qui ressemblait aux autres huttes – mais en beaucoup plus grand. Difficile d'évaluer sa taille, mais il devait bien couvrir deux hectares.

– On l'appelle le Centre, a expliqué Gunny. C'est là que se réunissent les dirigeants du village. Dans une des sections, on fabrique des vêtements et des outils. Une autre zone est consacrée aux activités récréatives, des concerts et des trucs comme ça. Et ces braves gens sont plutôt doués. (Il s'est tourné vers les gardes.) S'il vous plaît, attendez-nous ici.

Ce qui n'a pas eu l'air de leur plaire.

– Mais…

– J'ai dit : attendez-nous ici.

Gunny était très persuasif. Je suppose qu'il avait appris à se servir de ses pouvoirs de suggestion de Voyageur. Je n'étais pas très doué pour, mais Gunny, lui, devait les maîtriser à fond. Les gars ont reculé et on est entrés dans le bâtiment. On a parcouru un interminable couloir bordé de nombreuses portes et qui se terminait sur une dernière, un grand panneau noir pas très engageant. Gunny s'est arrêté devant et s'est tourné vers nous :

– Derrière cette porte se trouve l'avenir des gars et, peut-être, celui d'Eelong tout entier.

– Tu m'intrigues, a dit Yorn.

Gunny a ouvert la porte. On est entrés dans une vaste pièce évoquant une immense serre. En levant les yeux, j'ai vu que le plafond était en verre. Les étoiles scintillaient dans le ciel. Au sol s'étendaient de longues rangées de plantes de différentes tailles chargées de fruits et de légumes incroyables, pétants de santé. Il y avait des vignes portant des fruits jaunes en forme de longs tubes ; des buissons chargés de baies de la taille d'oranges ; des tiges d'où jaillissaient ces pommes bleues désormais familières, mais deux fois plus grosses que celles que j'avais cueillies ; et des arbres aux branches croulant sous de longs fruits rouges et noueux. Gunny a ramassé l'un de ces fruits et l'a découpé en plusieurs morceaux pour nous les proposer. J'ai mordu dedans pour constater qu'il avait la texture d'une pomme, mais que son goût évoquait plutôt un citron. On avait l'impression de mâcher de la limonade.

– On peut appeler cet endroit un laboratoire, a dit Gunny. Les gars ont trouvé un moyen de faire pousser des plantes dans l'air.

– Dans l'air ? ai-je répété. Sans terre ?

– Et sans eau, a-t-il ajouté.

Gunny a repoussé une plante pour dévoiler une structure noire et lourde qui m'a fait penser au treillis sur lequel mon grand-père faisait pousser ses roses. Là, les carrés faisaient dans les dix centimètres. En passant en revue la salle, j'ai constaté que toutes les plantes poussaient sur ce treillis noir. Certaines parties étaient étalées à même le sol, d'autres plaquées contre les murs pour les plantes grimpantes.

– Tout dépend de ce nouveau matériau qu'ils ont inventé, a expliqué Gunny. Ils l'appellent « virloam ». J'ignore de quoi il est fait, mais il aspire l'humidité et les éléments nutritifs de l'air. Ne me demande pas comment ça marche, c'est comme ça. Les plantes adorent ça. Elles poussent à toute allure. Regarde la taille de ces fruits !

– Tu veux dire qu'elles se passent d'eau ? a demandé Kasha, incrédule.

– Non, elles se nourrissent de l'humidité que le virloam extrait de l'atmosphère. Et pas besoin d'engrais non plus. C'est une sacrée découverte. Les gars ont plus de provisions qu'ils n'en ont besoin !

– Alors ça veut dire qu'ils pourraient nourrir tout Eelong ! s'est exclamée Kasha.

– Oui, a répondu Gunny, mais non.

– Pourquoi pas ?

– Vous n'avez pas encore tout vu, a répondu Gunny. Venez.

On a traversé la serre, passant devant des centaines de plantes portant les fruits et légumes les plus appétissants que j'aie jamais vu. Kasha avait raison. Cette avancée technologique pouvait sauver Eelong.

– Je ne comprends pas, ai-je dit à Gunny. Si ce problème d'approvisionnement est résolu, les klees n'auront pas à révoquer l'édit quarante-six, ni à chasser les gars.

– C'est vrai. Mais les gars eux-mêmes ont d'autres desseins.

On était arrivés à l'autre extrémité de la serre pour se retrouver devant une autre grande porte noire. Gunny s'est tourné vers moi :

– Tu me demandais pourquoi les gars appelaient l'Eau noire « chez eux » ? Eh bien, la réponse se trouve là derrière.

Journal n° 18
(suite)

EELONG

Gunny a ouvert la porte. On est entrés dans une salle gigantesque remplie de petits lits bien proprets, comme dans une chambrée d'internat. Il y en avait des milliers soigneusement alignés, rangée après rangée. Ils avaient l'air neufs. Et ils étaient vides.

– Il y a encore quatre autres dortoirs comme celui-ci, a dit Gunny.

– Pour quoi faire ? a demandé Yorn.

– Ça fait un bon bout de temps que les gars préparent leur coup, a répondu Gunny. Oh, ils n'ont pas abandonné leurs frères qui vivent en dehors de la cité. Au contraire, ils veulent les sauver.

– Vous voulez rire ? ai-je demandé.

– Certainement pas. C'est ce que les gars appellent la Transhumance. Ils veulent rassembler tous les gars d'Eelong pour les amener ici. Il y a bien assez de place et de nourriture pour tout le monde. Ils ont déjà mis sur pied des écoles pour éduquer et civiliser les gosses comme les adultes. Ils ont fait du bon boulot. Il s'agit de sauver, nourrir et instruire toute une race. Eelong ne sera plus jamais la même.

– Mais les klees ne les laisseront jamais faire ! s'est écrié Yorn. Ils ont besoin des gars pour assurer leur propre survie !

– Ils n'ont pas le choix, a répondu Gunny. La Cité de l'Eau noire est protégée par ces montagnes. Pas un seul klee ne peut y accéder… à part vous autres, bien sûr.

– Ainsi, tu as quitté cet endroit pour prévenir Seegen de ce qui allait se passer ? ai-je demandé.

– Il le fallait ! Seegen est un klee, mais c'est aussi le Voyageur local. Eelong aborde un tournant crucial de son histoire, et Saint Dane rôde dans le coin. C'est pour ça que je suis retourné au flume. Je suis tombé sur Yorn, qui m'a mené à Seegen, que j'ai amené ici. Mais il s'est arrêté à cette chute d'Eau noire. Il n'est jamais entré en ville. Vous deux êtes les premiers klees à poser une patte à la Cité de l'Eau noire, et mon petit doigt me dit que vous serez les derniers.

– Mais comment est-ce possible ? a demandé Kasha stupéfaite. Comment vont-ils réaliser ce… cette Transhumance ? Et comment vont-ils attirer les gars ? Tous, jusqu'au dernier ?

– Ça, c'est ma dernière surprise, a répondu Gunny avec un sourire rusé.

Il a tiré quelque chose de sa poche et l'a tenu dans sa paume. C'était un de ces mystérieux cubes d'ambre.

– Qu'est-ce que c'est que *ça* ? a demandé Kasha.

– C'est ce que Saint Dane voudrait bien savoir, lui aussi, ai-je ajouté.

Gunny nous a fait revenir sur nos pas, à travers la serre. On a repris le grand couloir de l'entrée, mais cette fois-ci en empruntant une des portes sur le côté. On est entrés dans une pièce plus petite et plongée dans une obscurité presque totale où trônait un drôle d'appareillage. Six énormes cristaux couleur d'ambre remplissaient toute la hauteur de la salle. Ils avaient la forme de tubes d'un mètre de diamètre. Chacun émettait une douce lueur et un infime bourdonnement électrique. Devant les cristaux, il y avait une table de bois poli où trois rangées de gemmes étaient serties dans le plateau, comme des boutons. Elles étaient toutes de taille et de couleur différentes et, comme les tubes ambrés, semblaient éclairées de l'intérieur.

– C'est joli, ai-je dit, mais… qu'est-ce que c'est ?

– Ils appellent ça un « lien », a répondu Gunny. Mais chez nous, en Seconde Terre, on appelle ça une « radio ».

– Une radio ? me suis-je écrié.

– Exact. Les gars ont maîtrisé la technologie des klees et sont passés au niveau supérieur. Voilà le premier studio d'Eelong. En gros, c'est un émetteur plutôt balèze.

– Et ces cubes d'ambre sont les récepteurs ! me suis-je exclamé.

– Des radios ? des récepteurs ? a répété Kasha. Je n'y comprends rien.

Gunny a pris la main de Kasha et l'a ouverte pour y poser le cube, le côté noir face à elle. Il s'est dirigé vers le tableau de contrôle, a appuyé sur un cristal et a dit :

– Salut, Kasha.

Le cube s'est allumé et la voix de Gunny s'en est élevée, comme d'une radio.

– Yaaaaaah ! a hurlé Kasha en laissant tomber le cube. C'est de la magie !

– Mais non, a répondu Gunny, c'est une radio. Voilà le point culminant d'Eelong. La première transmission par radio. Grâce à cet engin, les gars peuvent communiquer entre eux. Ils peuvent coordonner leurs actions et échapper aux klees, même s'ils sont des milliers. C'est cette radio qui va rendre possible la Transhumance. Si les gars partent tous en même temps, les klees ne pourront jamais les en empêcher. Il suffit à ceux de la cité de donner le signal et les gars rentreront chez eux.

– Eh bien ! a fait Yorg en riant. Il en faut pour m'étonner, mais là, c'est réussi ! C'est encore mieux que je ne l'espérais.

– Tu trouves ça drôle ? a tranché Kasha. Les gars ont la capacité technologique de sauver Eelong, mais ne vont s'en servir qu'au bénéfice des autres gars !

– Peux-tu vraiment le leur reprocher ? a répondu Yorn. Ça fait des générations qu'on les traite comme des moins que rien. Et tu penses vraiment qu'ils vont tourner casaque et aider leurs bourreaux ?

– Tu as peut-être raison, a-t-elle convenu. Mais tout de même, il n'y a pas de quoi rire.

– Oh, ce n'est pas ça. Je ris de soulagement.

– À propos de quoi ? a demandé Gunny.

– De toi, Pendragon, a continué Yorn.

– Hein ?

Pas brillant, mais c'est tout ce que j'ai pu sortir.

– J'ai commis une grossière erreur, a repris Yorn. Je craignais que tu ne comprennes tout, mais en fait, tu es moins observateur que je ne le croyais. Je me suis inquiété pour rien.

Oh, oh. Je n'aimais pas le ton que prenait la conversation. Les poils de ma nuque se sont hérissés. Une sensation qui commençait à devenir familière.

– De quoi parles-tu ? ai-je demandé.

– Réfléchis un peu ! Pense à la main de Gunny. Quand on a ramené le cadavre de Gunny sur Lyandra, j'ai fait la bêtise de te dire qu'on a eu de la chance que les tangs ne l'aient pas dévoré. Comment aurais-je pu…

La vérité m'est apparue avec la force d'un coup de poing.

– Comment aurais-tu pu savoir ça ? À moins… à moins que ce soit toi qui l'aies trouvée et donnée à Saint Dane.

– Quelque chose comme ça, a répondu Yorn avec un petit rire. Quand j'ai commis cette bourde, j'ai cru que la partie était terminée, mais non, loin de là !

– Qu'est-ce que ma main vient faire là-dedans ? a demandé Gunny, étonné.

– C'est comme ça que j'ai retrouvé votre anneau, ai-je répondu froidement. Il était encore passé à votre doigt. Saint Dane a emporté la main en Seconde Terre pour la donner à Mark et Courtney. Et ils me l'ont repassée. Mais je ne me suis jamais posé la question…

– Comment Saint Dane avait pu la récupérer ? s'est exclamé Yorn. C'était un coup de chance, je peux bien l'admettre. Elle était restée là où Gunny avait été attaqué. Je crois que les tangs n'y ont pas touché par peur de l'anneau.

– Je n'y comprends plus rien, a déclaré Kasha.

– Tu n'as encore rien vu, lui a dit Gunny.

Lui aussi commençait à entrevoir l'horrible vérité.

– Yorn ! a crié Kasha. Qu'est-ce que tu racontes ?

– Yorn est mort, pauvre idiote ! a-t-il répondu. (Il a arraché le collier retenant l'anneau de Yorn.) C'était un coup audacieux, si je peux me permettre. Je n'avais encore jamais pris la place d'un Acolyte. Je m'en suis plutôt bien tiré.

Et il a jeté l'anneau à Kasha, qui l'a rattrapé maladroitement. Elle ne comprenait toujours rien à ce qui se passait. Moi si.

– Au lieu de parler, montre-lui ! ai-je crié au vieux klee. Montre-lui qui tu es vraiment !

– Comme tu voudras, a répondu le félin.

Et il a reculé d'un pas alors qu'il se transformait. Je l'avais déjà vu à l'œuvre, mais ça ne rendait pas l'expérience moins pénible. Yorn s'est dressé sur les pattes de derrière alors que son corps se faisait liquide. Ses jambes, puis sa poitrine, enfin ses bras sont devenus humains. Il a grandi pour atteindre sa taille de deux mètres. J'ai remarqué qu'il portait toujours ce costume noir qui lui était habituel. Puis ç'a été au tour de sa tête. Vous m'aviez dit qu'elle avait changé, mais je ne m'attendais pas à ça. Finis les longs cheveux gris et les yeux d'un bleu de glace. Maintenant, il était complètement chauve avec d'affreuses cicatrices rouges sur le crâne évoquant des éclairs. Ce sont ses yeux pourtant qui m'ont comme hypnotisé. Ils étaient quasiment blancs. J'avais l'impression qu'ils foraient deux trous dans ma poitrine.

Saint Dane était de retour.

Kasha est restée figée sur place, les yeux écarquillés par la stupéfaction.

– Merci beaucoup à tous les deux, a dit Saint Dane. Cela fait longtemps que j'essaie de localiser la Cité de l'Eau noire ; c'est gentil de m'avoir montré le chemin.

– Il est trop tard ! a craché Gunny. Ils sont prêts à rappeler les gars. Même s'ils révoquent l'édit quarante-six, ça ne changera rien.

Saint Dane a éclaté de rire. Je l'ai déjà dit, mais j'ai horreur de l'entendre rire. Ça signifie en général qu'il nous a caché quelque chose.

– Ah, ces Voyageurs ! a-t-il fait. Vous n'avez pas la moindre idée de ce que je mijote. Demande à tes amis, Mark et Courtney. Ils sont bien plus malins que toi ! Ça devrait être eux les Voyageurs de Seconde Terre.

– Laissez-les en dehors de tout ça ! ai-je crié.

– Ils sont assez grands pour décider par eux-mêmes, a fait Saint Dane d'un ton innocent. Tout comme vous. Je ne suis pas responsable de leurs choix.

Gunny a fait un pas en arrière et a touché l'un des cristaux du tableau de contrôle. Aussitôt, une corne s'est mise à sonner.

– Qu'est-ce que c'est ? a demandé Kasha.

– Ce signal d'alarme va enclencher la fermeture complète du Centre, a répondu Gunny. Dans deux minutes, une armée de gars va investir les lieux.

– Saluez-les de ma part, d'accord ? a fait Saint Dane.

Et il s'est précipité vers la sortie. Kasha nous a regardés, la colère brûlant dans ses yeux :

– Il ne peut pas s'échapper, non ?

– L'homme qui prendra Saint Dane au piège n'est pas encore né, ai-je répondu.

– On peut toujours essayer ! s'est-elle écriée en se lançant à sa poursuite.

Gunny et moi l'avons suivie dans le couloir. Un coup d'œil – la porte de la verrière venait de claquer. On s'est précipités pour la rouvrir et jaillir à l'extérieur. Une ombre noire est passée au-dessus de nos têtes, nous ratant de peu, et a filé vers le plafond de verre. C'était un oiseau, un grand oiseau noir. Je l'avais déjà vu, tout comme Gunny. Il était là, en Première Terre, devant l'hôtel Manhattan Towers, juste après que Saint Dane avait sauté par la fenêtre.

– Qu'est-ce que c'est ? a demandé Kasha.

– C'est la raison pour laquelle on est là, ai-je répondu.

– Il ne peut pas sortir du bâtiment, a remarqué Gunny.

C'est à ce moment que l'immense oiseau a fracassé la verrière. Une pluie de débris s'est abattue sur nous. Gunny nous a poussés pour qu'on ne se fasse pas tailler en pièces. On a tous les trois levé les yeux pour voir le trou qu'avait foré Saint Dane et par lequel il s'était échappé.

– Qu'est-ce qu'il va faire maintenant ? a demandé Gunny.

– Je ne sais pas, ai-je répondu. Mais ça aura forcément un rapport avec la Cité de l'Eau noire. Il voulait absolument la découvrir… et on lui a montré le chemin.

– Qu'est-ce que Mark et Courtney viennent faire dans tout ça ? a demandé Gunny.

– Ça non plus, je n'en sais rien. Il faut que je retourne en Seconde Terre. Saint Dane m'oriente sans arrêt dans cette direction. Il faut qu'on découvre pourquoi.

Kasha tenait toujours l'anneau de Yorn dans sa main couverte de fourrure. Elle l'a fixé comme s'il pouvait offrir une réponse à toutes ses questions.

– Je peux le récupérer, Pendragon ? a-t-elle soudain dit d'un ton très sérieux.

– Pardon ?

Kasha m'a regardé droit dans les yeux. J'y ai vu une intensité qui m'a donné le frisson.

– Mon anneau. J'aimerais bien le récupérer.

J'ai passé la cordelette par-dessus ma tête. Deux anneaux de Voyageur y étaient accrochés – le mien et celui de Seegen. J'ai retiré le mien et l'ai mis à mon doigt – à la place qui lui revenait.

– Plus la peine de jouer la comédie, ai-je dit en tendant le collier à Kasha.

Elle a étudié attentivement l'anneau qu'elle avait jeté avec mépris – l'anneau de son père, qui, maintenant, était le sien. Elle a pris le pendentif improvisé avec révérence, y a rajouté l'anneau de Yorn et a passé la cordelette autour de son cou. Elle les garderait tous les deux.

Eelong avait à nouveau son Voyageur.

C'est là que je vais m'arrêter, les amis. J'ai terminé ce journal une fois de retour dans la hutte de Gunny. Demain, on va retourner au flume et je vais vous rejoindre en Seconde Terre. Je ne sais pourquoi Saint Dane m'aiguille sans arrêt dans votre direction, mais c'est le moment de le découvrir. Je déteste le voir vous entraîner dans cette histoire. Et c'est ma faute ; si je ne vous avais pas envoyé mes journaux, vous ne seriez pas en danger. Bien des choses semblent se produire par ma faute ces derniers temps. Je ne sais même pas quel jour on est chez nous, ou si vous êtes à l'école, ou même si vous habitez encore Stony Brook. Mais je le découvrirai. Vous ne voudrez peut-être pas me croire après toutes les bêtises que j'ai faites, mais je vous jure que je trouverai un moyen d'empêcher qu'on vous fasse du mal.

Attendez-moi. Je rentre à la maison.

Fin du journal n° 18

EELONG

Bobby Pendragon n'est pas rentré chez lui.

Gunny, Kasha et lui quittèrent la Cité de l'Eau noire, entreprirent le long voyage jusqu'à Lyandra, puis continuèrent jusqu'à l'arbre cachant le flume. Ils entrèrent dans le petit couloir situé à sa base, rampèrent à travers les lianes, descendirent les marches menant à la caverne souterraine, enjambèrent les ossements de gars et se retrouvèrent face à face avec... Mark, Courtney, Spader et Boon.

Bobby resta figé là, stupéfait, incapable d'assimiler ce qu'il voyait. Il y eut un long moment d'extrême tension où tous ne cessèrent de se regarder. Enfin, Mark brisa la glace :

– Surprise, dit-il d'une petite voix.

– Qu'est-ce que vous faites là ? demanda Bobby consterné. Je vous avais dit de ne pas prendre les flumes !

– On n'avait pas le choix, dit Courtney.

– Pourquoi ? cria Bobby. Saint Dane vous a jeté dedans ?

– Ne te mets pas en colère, vieux frère, reprit Spader. Écoute-les d'abord.

Bobby se concentra sur Spader. Il était aussi surpris de le voir là que ses compagnons de Seconde Terre.

– Spader ! C'est toi qui les a amenés ici ?

– Oui, mais...

– Il n'y a pas de mais ! cria Bobby. C'est mal ! On n'est pas censés mélanger les territoires. Partez avant que...

– Seegen est décédé en Seconde Terre, dit calmement Courtney. Il est mort sous nos yeux.

Voilà qui attira l'attention de Bobby.

– Vous avez vu mourir mon père ? intervint Kasha. Que s'est-il passé ?

Courtney et Mark lui expliquèrent tout ce par quoi ils étaient passés, le message du flume, la mort de Seegen, leurs craintes que ce soit le poison de Cloral qui l'ait tué. Spader prit le relais, expliquant comment Mark et Courtney avaient apporté un échantillon de la fourrure de Seegen sur Cloral. Là, on l'avait analysé pour conclure qu'il s'agissait bien du poison. Marge d'erreur zéro. Spader conclut en disant que dix bidons de ce même poison avaient disparu.

– Lorsqu'il est parti pour le flume, dit Boon, il était en pleine santé. Mais il est parti avec Yorn, qui était en fait Saint Dane, ce qui veut dire…

– Que Saint Dane a tué mon père, cracha Kasha.

– Et que ce poison est là, sur Eelong, ajouta Courtney.

– Il est vraiment si dangereux que ça ? demanda Gunny.

– C'est un sacré tourne-boule, répondit Spader. Il infecte les formes de vie simples – les plantes principalement – pour les rendre mortelles. Et son effet est fulgurant. Quiconque mange un produit empoisonné y passera avant d'avoir compris ce qui lui arrive. (Il se tourna vers Kasha.) C'est comme ça que mon père est mort, lui aussi.

– Et tous ces cadavres de tangs à la ferme ! s'exclama Boon. Ces fruits n'étaient pas pourris. Saint Dane devait tester son poison !

– C'est ce que pensait Seegen, reprit Courtney.

– Que se passera-t-il si ce poison touche un klee ou même un gar ? demanda Kasha.

– Il mourra instantanément, répondit Spader. Du moins, c'est ce que m'ont dit les savants de Cloral.

– B-Bobby, reprit Mark, Saint Dane a dit qu'il allait e-e-exterminer les gars même s'il ne pouvait pas y arriver simplement en poussant les klees à les chasser. Mais avec ce poison, il peut les tuer par milliers.

– Ce n'est pas logique ! interrompit Boon. Si ce poison est si dangereux, il peut l'inoculer à tout le monde histoire d'en finir, suggéra Courtney. Après tout, c'est un démon.

– Non, répondit Gunny, ce n'est pas sa façon d'opérer. Il veut que les gens des territoires amènent eux-mêmes leur propre destruction. Il se contente de les orienter dans la mauvaise direction. Il fera tout pour que les klees empoisonnent les gars, je n'en doute pas un seul instant.

– Mais comment peut-il s'arranger pour que les klees empoisonnent les gars sans qu'ils soient eux-mêmes affectés par le poison ?

Personne n'avait de réponse à proposer. Il y eut un long silence, puis Mark dit :

– Oh, ce sera facile.

Tout le monde se tourna vers lui. Mark s'éclaircit la gorge et reprit :

– On l'a lu dans le dernier journal de Bobby. Je crois que c'est pour ça que Saint Dane est sur Eelong. Ce territoire va atteindre son moment de vérité. Lorsque le message sera envoyé et que la Transhumance commencera, tous les gars d'Eelong se masseront ici.

Soudain, tous comprirent où il voulait en venir. C'est Gunny qui exprima l'horrible vérité :

– Et si les gars sont tous rassemblés au même endroit, il serait facile de commettre…

– Un génocide, chuchota Bobby. C'est ce que Saint Dane a promis. C'est ce qu'il mijote. Un génocide.

– C'est ça, reprit Gunny stupéfait. Si les klees empoisonnent l'Eau noire lors de la Transhumance, non seulement ils extermineront les gars, mais ils détruiront en même temps cette découverte qui permettrait de nourrir le territoire entier. Les klees perdront leur seule chance de survivre.

Bobby en avait le vertige. C'était difficile à assimiler, même pour lui. Il s'assit sur un rocher. Courtney s'installa à côté de lui.

– Ça va ? demanda-t-elle.

– Il m'a tout raconté, fit Bobby, horrifié. Il m'a détaillé ce qu'il allait faire comme pour me défier de l'en empêcher. Il a même précisé que vous deux aviez tout compris.

– Et on a de quoi l'arrêter, affirma Courtney. On a apporté l'antidote de Cloral. Tout ce qu'il nous reste à faire, c'est de trouver comment on s'en sert.

– Vous avez apporté l'antidote ? répéta Bobby, surpris. Mais l'oncle Press a bien recommandé de ne jamais rien faire passer d'un territoire à l'autre.

– Press est mort, répondit fermement Courtney. Tout a changé. Tu ne veux pas que Saint Dane s'empare d'un autre territoire, tout de même ?

Bobby ferma les yeux comme si les pensées qui se précipitaient dans sa tête lui faisaient mal. Il sauta sur ses pieds, marcha jusqu'à l'autre bout de la caverne et s'y accroupit, les bras autour de ses genoux. Les autres le regardèrent sans trop savoir que faire. Spader voulut le rejoindre, mais Gunny le retint.

– Laisse-le, dit-il. Il faut qu'il assimile tout ça.

La tension était palpable dans la caverne. Personne n'avait la moindre idée de ce qu'il devait faire, ou si Bobby allait reprendre ses esprits et trouver une solution.

Courtney en profita pour se tourner vers Kasha :

– Je suis désolée pour ton père.

Kasha acquiesça en guise de remerciement. Mark les rejoignit :

– Il n'a p-p-pas souffert, affirma-t-il. Je crois qu'il est mort instantanément.

– Ce poison est foudroyant, a repris Courtney. Saint Dane a vraiment de quoi éradiquer les gars.

– C'est ce que je commence enfin à comprendre, répondit Kasha.

De temps en temps, ils jetaient un coup d'œil à Bobby pour constater qu'il n'avait pas bougé.

– On perd du temps, chuchota Spader à Gunny.

Celui-ci acquiesça et alla rejoindre Bobby. Lorsque ce dernier leva les yeux, Gunny vit à quel point il était perturbé. Gunny s'assit à ses côtés et ils eurent une conversation passionnée que nul ne put entendre. Bobby acquiesçait souvent, comme s'il recevait les conseils avisés d'un vieil ami, ce qui était précisément le cas. Enfin, Bobby se leva, s'essuya les yeux, inspira profondément et rejoignit le groupe.

– J'ai quelque chose à vous dire, annonça-t-il.

Les autres se rassemblèrent autour de lui sans trop savoir à quoi s'attendre.

– Aucun d'entre nous n'a envie d'être là, commença-t-il d'une voix douce. Si ça ne tenait qu'à moi, on remballerait tout pour rentrer chez nous. Mais c'est impossible. Certains d'entre nous n'ont même pas d'endroit où retourner. Je ne sais pas ce que vous en pensez, les gars, mais plus j'en apprends sur cette guerre absurde, moins je comprends ce qui se passe. L'oncle Press m'a bien dit que la règle numéro un est de ne pas mélanger les territoires, que chacun avait sa propre histoire, sa propre destinée. « C'est ce qui est écrit », répétait-il, et je le croyais. Mais si cette règle est vraie, comment Saint Dane peut-il la transgresser ? Pourquoi devons-nous nous conformer au règlement s'il le viole impunément ?

Au fur et à mesure qu'il parlait, la voix de Bobby prenait de l'assurance. Les autres le sentirent. Sans s'en rendre compte, tous se tinrent un peu plus droits.

– Mais le plus fort, a-t-il continué, c'est qu'on l'a vaincu. Et plus d'une fois. Il m'a enlevé à peu près tout ce qui comptait pour moi, il a tué mon oncle, il a utilisé tous les stratagèmes possibles et imaginables pour nous tromper, et pourtant, on l'a vaincu. Et vous savez quoi ? Ici même, sur Eelong, on va de nouveau lui flanquer une déculottée.

Spader sourit à Courtney et lui cligna de l'œil. Voilà qui devenait intéressant.

– S'il dit que les règles ont changé, très bien, reprit Bobby. Ça veut dire que c'est valable pour tout le monde. Ce n'est peut-être pas ce qui était écrit, mais c'est un *fait*. On ne va pas attendre son prochain coup d'éclat. On va passer à l'attaque.

– Ouais ! s'écria Boon enthousiaste.

– Mark, Courtney, continua Bobby, je suis désolé d'avoir douté de vous. Vous avez bien fait d'amener l'antidote. On va sauver Eelong, et ce sera grâce à vous.

Mark sourit aux anges. C'était le moment dont il rêvait depuis qu'il avait lu le premier journal de Bobby.

– Mais pour l'instant, ajouta Bobby, je veux que vous rentriez chez vous. C'est beaucoup trop dangereux.

– Non ! rétorqua Courtney.

Ce fut si rapide que tout le monde se tourna vers elle.

– On est allés trop loin pour se dégonfler maintenant. On veut aller jusqu'au bout. Pas vrai, Mark ?

L'interpellé avala sa salive.

– Ouais, répondit-il d'une voix mal assurée.

Bobby hocha la tête et eut un petit sourire.

– Je m'en doutais un peu. Alors c'est d'accord. Je suis content que vous soyez là. Vous l'avez bien mérité.

Courtney eut un grand sourire. Celui de Mark fut moins convaincant.

Bobby se tourna vers Spader :

– Et toi ?

Spader se redressa de toute sa taille.

– Écoute, Pendragon, dit-il nerveusement, je sais que tu m'as dit de rentrer chez moi et d'attendre ton signal, mais…

– Heureux de te voir à nouveau sur le pont, matelot, fit Bobby en souriant.

Spader eut un soupir de soulagement.

– C'est tellement bon de s'y remettre.

– Parle-nous de l'antidote, reprit Bobby.

– Avec plaisir. (Spader s'agenouilla à côté des trois bidons et leurs harnais.) Les agronomes m'ont dit que ce poison est dangereux, mais fragile. Une simple giclée de ce qu'il y a là-dedans suffira à le neutraliser.

– D'après toi, dit Gunny, comment Saint Dane va-t-il se servir du poison ?

– D'après ce que j'ai lu dans le journal de Pendragon, reprit Spader, la Cité de l'Eau noire est au creux d'une immense cuvette naturelle, c'est bien ça ?

– C'est ça, répondit Gunny.

– C'est à la fois un bien et un mal. Ce poison est un gaz liquide qui imprègne tout ce qu'il touche. Si Saint Dane et ses vilains klees en relâchent une bonne quantité dans l'atmosphère de la cité, les montagnes environnantes l'empêcheront de se dissiper. Résultat, tout ce qui vit à l'intérieur va mourir.

Tout le monde échangea des regards nerveux.

– Et c'est quoi, la bonne nouvelle ? demanda Boon.

– Les montagnes peuvent aussi jouer en notre faveur, reprit Mark. Si ces bidons d'antidote sont vidés dans la cuvette, les montagnes auront le même effet : elles l'empêcheront de se dissiper.

– Exact, acquiesça Spader. Tout est une question de minutage.

– Gunny et moi avons une idée, annonça Bobby. Si Saint Dane va attaquer la Cité de l'Eau noire, il faut qu'on y amène l'antidote le plus vite possible. Boon, peux-tu nous procurer cinq zenzens et des armes ?

– Suffit de demander, répondit-il.

– Bien, acquiesça Bobby. Tu vas te rendre là-bas dès ce soir, avec Spader, Courtney, Mark et les bidons d'antidote bien sûr. Gunny se chargera de vous y amener. Gunny, la première chose à faire sera de convaincre les gars de ne pas émettre ce signal. Si le reste de la population gar reste à l'écart, c'est déjà la moitié du travail de fait.

– Pourquoi y allons-nous si nombreux ? demanda Courtney.

– Le chemin est long, répondit Gunny, et bien des choses peuvent nous arriver en cours de route.

Tous savaient ce que Gunny voulait dire. Eelong était un monde dangereux. Rien ne garantissait qu'ils n'auraient pas de problèmes. Plus ils étaient nombreux, plus il y avait de chances que quelqu'un finisse par arriver là-bas avec l'antidote.

– Et les t-t-tangs ? demanda Mark. Ce n'est pas plus risqué de voyager de nuit ?

– Non, répondit Kasha. En général, ils n'attaquent pas après la tombée du jour.

– Alors on arrivera à destination avant l'aube ! affirma Spader avec optimisme.

– Et toi, Bobby ? demanda Courtney.

Bobby inspira profondément comme si ce qu'il allait dire ne lui plaisait guère.

– Ne m'en veuillez pas, mais je ne peux pas vous dévoiler mes plans. Après le coup de Yorn, qui me dit que l'un d'entre vous n'est pas Saint Dane ?

Les autres eurent un hoquet de surprise.

– Quoi ? C'est impossible ! Tu veux rire ?

– Saint Dane est capable de tout, affirma Bobby afin de faire revenir l'ordre. Mais il ne peut pas se dédoubler. Ce qui veut dire qu'on peut être sûr de Kasha et Gunny. Mais pour les autres, je ne peux pas courir ce risque. Désolé.

Courtney se mordit la lèvre. Spader sourit et secoua la tête. Boon éclata de rire comme s'il n'avait jamais rien entendu d'aussi grotesque.

– Tu as raison, Bobby, déclara Mark.

– En tout cas, une chose est sûre, dit Spader, c'est que je n'ai pas vraiment envie de porter ces haillons.

Et il souleva une des loques puantes qui servaient de vêtements aux gars.

– Alors ne les mets pas, affirma Bobby d'un air de défi. Si on doit oublier les règles, allons-y jusqu'au bout. Gardez vos vêtements de Cloral.

– Voilà qui est parlé ! fit Courtney soulagée.

– Tu en es sûr, Bobby ? demanda Mark d'un ton soumis.

– Tout à fait.

– On devrait y aller, dit Gunny. Le temps nous est peut-être compté.

Le groupe se scinda, chacun se préparant à sa façon à accomplir sa mission. Avec l'aide de Gunny, Spader harnacha son bidon pendant que Bobby assistait Mark et Courtney.

– Tu es sûr de vouloir y aller, Mark ? demanda doucement Bobby. Si tu préfères rentrer chez toi, pas de problème. Tu es déjà un héros.

Pour Mark, c'était son moment de vérité personnel. Il y a bien longtemps, depuis que Bobby avait commencé son odyssée, que Mark se débattait avec des émotions contradictoires. D'un côté, il aurait voulu suivre son meilleur ami dans ses aventures, lutter contre Saint Dane et protéger Halla. Cela semblait si passionnant ! Mais la voix de la raison lui soufflait qu'il n'était ni un athlète, ni un combattant, et qu'en plus il n'était pas particulièrement courageux.

– J'ai une frousse de tous les diables, dit Mark. Mais j'ai encore plus peur de ce qui se passerait si Saint Dane débarquait en Seconde Terre. D'une façon ou d'une autre, il va bien falloir que je lui tienne tête. Alors autant que ce soit ici. Peut-être peut-on l'arrêter pour de bon avant qu'il ne s'en prenne à ma famille.

– Fais-nous confiance, Bobby, renchérit Courtney. On va vraiment y arriver.

– Je le crois, répondit Bobby en souriant.

– Et aucun d'entre nous n'est Saint Dane, espèce de gros malin, ajouta-t-elle.

À l'autre bout de la caverne, Boon s'approcha de Kasha.

– C'est vrai ? demanda-t-il. Yorn est mort ?

Kasha acquiesça tristement.

– Saint Dane lui a dérobé son apparence. Si je ne l'avais pas vu de mes yeux... (Elle changea de sujet.) En fait, je prétendais ne pas croire mon père, mais c'est plutôt que je refusais de le croire.

– Tu sais ce qu'il m'a dit ? Que lorsque Saint Dane passerait à l'action, c'est toi qui serais à même de le contrecarrer. D'après lui, tu avais beau râler, pester et lui donner des centaines de bonnes raisons de ne pas t'en mêler, au final, ce ne serait pas lui qui sauverait Eelong, mais toi.

Penser à son père semblait faire souffrir Kasha. Elle s'empressa de s'essuyer les yeux et enleva son collier. Elle retira un des deux anneaux qui y restaient accrochés.

– C'est l'anneau de Yorn, dit-elle. Si je suis la Voyageuse d'Eelong, ça fait de toi mon Acolyte.

Elle le tendit à Boon qui le prit avec révérence et le glissa dans sa tunique.

– Tu ne le regretteras pas, affirma-t-il.

Gunny finit de harnacher le bidon de Spader et vérifia qu'il était solidement arrimé.

– Ça te va, Flash Gordon ? demanda-t-il.

– Impec. C'est comme au bon vieux temps, hein, Gunny ? C'est bien de te retrouver.

Bobby s'approcha des deux Voyageurs :

– Je n'ai pas grand-chose à ajouter. Je suppose que vous mesurez toute l'importance de cette mission.

– Ne t'en fait pas, capitaine, répondit joyeusement Spader. Tu as une équipe d'enfer !

Gunny et Bobby se regardèrent et sourirent. Ils s'étaient fait à l'optimisme inébranlable et à la vantardise de Spader.

– Alors il n'y a plus qu'une chose à dire, fit Gunny. Hobie-ho, allons-y.

– Hobie-ho ! répondit Spader.

Il donna à Bobby une claque dans le dos et partit vers l'escalier.

– Prends soin de toi, fiston, dit Gunny.

– Le dernier de retour paie sa tournée ! lança Spader.

– Banco ! répondit Bobby.

Gunny suivit Spader en direction des escaliers. Mark et Courtney s'avancèrent vers Bobby.

– Tu sais que ça fait un bail que j'attends ce moment, déclara Mark.

– Je sais, acquiesça Bobby, mais ce n'est pas un rêve. C'est pour de vrai.

Mark eut un petit sourire peu rassuré.

– Ne t'inquiète pas pour nous, dit Courtney. Par contre, il y a encore une chose qui me tarabuste.

– Quoi ?

– Quand on rentrera chez nous, qu'est-ce qu'on va bien pouvoir raconter à nos parents ?

Bobby éclata de rire. Courtney fit de même. Mark sentit son estomac se retourner.

– Parce qu'on a pas assez de soucis comme ça ? demanda-t-il.

Courtney se pencha pour donner à Bobby un petit baiser.

– À plus, fit-elle en lui clignant de l'œil.

Elle était prête. Ils rejoignirent Gunny et Spader, et le quatuor se fraya un chemin au milieu des lianes, puis disparut le long de l'escalier, laissant Bobby seul avec Kasha.

– Alors ? demanda-t-elle. Vas-tu me faire part de ton plan ultrasecret ?

– Tu es de la partie ? demanda Bobby avec le plus grand sérieux. Je veux dire, tu veux *vraiment* nous aider ? Parce que si tu n'en es pas sûre, autant le dire tout de suite.

– Je ne comprends pas qui tu es, Pendragon, répondit-elle. Pas plus que ce que tu fais ici ou ce qu'est un Voyageur. Mais quelques petites choses m'apparaissent très clairement. Les klees vont mourir de faim. C'est un fait. Je pense aussi que les gars méritent un meilleur traitement. S'il est possible de faire comprendre ça aux klees, je crois que ceux de l'Eau noire accepteront de nous faire part de leur découverte et contribueront à nourrir Eelong. Du moins je l'espère. C'est peut-être notre seule chance de survie.

– Je pense que tu as raison.

– Je ne sais toujours pas qui est Saint Dane, continua Kasha, mais maintenant, je sais qu'il existe bel et bien. Il a tué mon père et Yorn. D'après ce que j'ai vu, je ne doute pas une seule seconde qu'il soit prêt à détruire la Cité de l'Eau noire avec son poison. Étant donné tout ça, Pendragon, je peux affirmer avec certitude que… je suis avec vous.

– Parfait, répondit Bobby.

– Alors ? Ce plan ?

Bobby eut un sourire.

– Si on a de la chance, que les autres amènent ou non l'antidote à temps à la cité sera sans importance.

– Parce que… ?

– Parce qu'on va attaquer le mal à sa source. On va s'en prendre directement à Saint Dane.

EELONG

– Je ne suis pas une tueuse, dit Kasha alors qu'ils parcouraient le pont suspendu qui les ramènerait à Lyandra. Si tu comptes assassiner Saint Dane pour l'empêcher de nuire, il faudra trouver autre chose.

– Oh, arrête ! rétorqua Bobby. Parce que tu crois que *moi*, je suis un meurtrier ? Et même si je l'étais, ce n'est pas comme ça qu'on arrêterait Saint Dane.

– Tu veux bien t'expliquer ?

– L'oncle Press m'a dit qu'il était inutile de tuer le corps physique de Saint Dane, parce que son esprit survivrait. Il réapparaîtrait sous une autre forme. Je ne sais pas comment il pourrait réussir un coup pareil, mais je veux bien le croire. Tu as vu comment il peut changer d'apparence. Il n'est pas humain… enfin, pas gar.

– Ça, je n'en doute pas.

– Ce qu'il faut savoir, reprit Bobby, c'est que lorsque Saint Dane prend un territoire pour cible, il ne fait pas lui-même le sale boulot. Il influence les indigènes pour qu'ils précipitent leur propre destruction.

– Et tu penses qu'il va convaincre le Conseil des klees d'empoisonner l'Eau noire ?

– Précisément, répondit Bobby. Donc, si on veut battre Saint Dane, il faut le prendre à son propre jeu.

– D'accord, mais comment ?

– Comment s'appelle ce vice-roi ?

– Ranjin ?

– Oui, Ranjin, répondit Bobby. C'est lui le grand patron. Il faut le convaincre qu'attaquer la Cité de l'Eau noire aura des conséquences désastreuses pour Eelong.

– Attends, reprit Kasha. Si je comprends bien, tu veux qu'on s'introduise dans Lyandra – où nous sommes recherchés tous les deux –, qu'on obtienne une audience avec le vice-roi pour lui dire qu'un membre de son groupe de fidèles est un démon métamorphe capable de voyager à travers l'espace et le temps, et le convaincre qu'abroger l'édit quarante-six et attaquer la Cité de l'Eau noire précipiterait la fin d'Eelong ? C'est ça, ton plan ?

– Sauf cette histoire de démon, répondit Bobby. Je ne crois pas qu'il comprendrait.

– D'après moi, il ne croira rien de tout ça ! feula Kasha. Il nous faut un meilleur plan.

– Mais c'est comme ça qu'opère Saint Dane, argua Bobby. Il faut commencer à penser comme lui !

– C'est ce que j'essaie de faire, rétorqua-t-elle. Il croit nous avoir battus, et si tu n'as pas mieux à nous proposer, je pense qu'il a raison.

– Et toi, tu as une meilleure idée ? demanda Bobby.

Kasha y réfléchit un bref instant avant de dire :

– Pour ma part, j'espère que les autres apporteront l'antidote à l'Eau noire, parce que ce n'est certainement pas nous qui allons arrêter Saint Dane.

Pendant que Bobby et Kasha se dirigeaient vers Lyandra, les autres gagnaient la ville au milieu des arbres par un autre chemin.

– On va passer par le stade de wippen, expliqua Boon. Comme il n'y a pas de match ce soir, on sera tranquilles.

Mark et Courtney ne dirent pas un mot. Ils avaient l'impression de voir s'animer sous leurs yeux les journaux de Bobby. Le pont suspendu était illuminé par des milliers de lucioles multicolores qui dérivaient au gré de la brise, donnant l'impression que cette jungle grouillait de vie.

– Est-ce que je rêve ? demanda Mark à Courtney.

– Si c'est le cas, je fais le même songe que toi, répondit-elle.

Le voyage fut rapide. Ils arrivèrent devant un arbre dominant un grand terrain recouvert d'herbe entouré par une grande clôture. Le côté jouxtant le mur d'enceinte entourant Lyandra était beaucoup plus grand que les autres.

– C’est quoi, le wippen ? demanda Spader.

– Un jeu. Il y a deux équipes, chaque joueur chevauchant un zenzen. Chacun dispose d’un bâton se terminant par un filet. Il s’agit de récupérer la balle et de la jeter dans le filet de l’adversaire.

– On dirait un jeu de cricket ou de crosse, mais à cheval, remarqua Courtney.

– Mais ce qui complique l’affaire, c’est qu’il y a aussi des gars sur le terrain, expliqua Boon. Ils peuvent s’emparer de la balle et la jeter à leur équipe. Ou empêcher l’autre équipe de manœuvrer.

– Ou se faire piétiner par les zenzens, remarqua Gunny.

– Oui, fit gravement Boon, c’est aussi dangereux pour les gars. Mortel, parfois.

– Évitons d’y jouer, d’accord ? demanda Mark.

Boon ouvrit une grande porte évoquant celle d’un corral, jeta un coup d’œil pour voir s’il y avait quelqu’un à l’intérieur, puis mena le groupe sur le terrain. Ils progressèrent tout près de la clôture afin de ne pas se faire repérer par d’éventuels klees prenant le frais ou des tangs en quête de dîner. Enfin, ils arrivèrent aux portes de Lyandra.

– Attendez-moi là, dit Boon. Je vais ramener les cinq zenzens.

– Et des armes ? demanda Gunny.

– Si on a de la chance, répondit Boon, personne ne nous entendra. On pourra aller aux quartiers des incursionneurs et se les procurer là-bas.

– On est entre tes mains, dit Spader. Ou quel que soit le nom que vous donniez à ces machins couverts de fourrure au bout de vos bras.

Boon ouvrit la porte et la passa discrètement. Les autres l’attendirent en faisant tout pour se rendre invisibles.

– Il y a un os, chuchota Mark à Courtney.

Elle leva les yeux au ciel.

– Vas-y, on ne regardera pas.

– Non, je n’ai pas envie d’aller aux toilettes. C’est que… je ne suis jamais monté à cheval.

Courtney lui jeta un regard surpris.

– Tu plaisantes, j’espère ?

– À part la photo de moi sur un poney à ma fête d'anniversaire... pour mes cinq ans. Et encore, je suis tombé du cheval. Et maintenant que tu le dis, c'est vrai que j'ai envie d'aller aux toilettes.

– Hé, chuchota-t-elle aux autres, Mark ne sait pas monter à cheval.

Gunny et Spader le regardèrent. Mark haussa les épaules. L'obscurité cacha le fait qu'il était rouge de honte.

– Tu ne sais pas ou tu ne t'en crois pas capable ? demanda Spader.

– Quelle différence ? fit Courtney.

– Eh bien pour ma part, reprit Spader d'un air confiant, je ne suis jamais monté sur un zenzen, mais je suis sûr d'y arriver.

– Et qu'est-ce qui te fait dire ça ? reprit Courtney.

– Ça ne peut pas être plus dur que nos jeux sur Cloral. Si je peux chevaucher un grand poisson sauvage, je peux monter un zenzen domestiqué.

– Je l'espère, répondit Courtney. Mais que va-t-on faire pour Mark ? Je ne crois pas qu'il ait joué à saute-poisson ces derniers temps.

Ils se turent tout à coup. Des bruits venaient de leur parvenir, des feulements furieux et sonores, comme si des félins s'affrontaient devant la porte. Sauf que des chats de Seconde Terre n'auraient jamais fait un tel boucan. Quoi qui se passe, cela ne présageait rien de bon. « Arrêtez ! » cria une voix. Le bruit d'une sirène d'alarme déchira le calme de la nuit. Ils entendirent un martèlement de sabots. Pour ce qui était de passer inaperçus, c'était raté.

– Ouvrez les portes ! a ordonné Gunny.

Spader et Courtney obéirent. Soudain, quatre zenzens sellés jaillirent sur le terrain de wippen. Ils étaient suivis de Boon sur sa propre monture, dirigeant les bêtes comme un berger son troupeau.

– En selle ! cria-t-il.

Aussitôt, Spader s'approcha d'un zenzen et monta dessus avec une grande agilité.

– Ouvre l'autre porte ! lui lança Boon.

Spader éperonna son zenzen et fila vers le côté opposé de l'arène. Les autres bêtes voulurent le suivre, mais Boon les rassembla d'une main experte et les ramena vers le reste de la compagnie pour qu'ils puissent monter à leur tour. Courtney allait saisir les rênes de l'un d'entre eux lorsqu'elle sentit un choc contre son dos assorti d'un claquement métallique. Une flèche tomba à ses pieds. Le bidon d'antidote qu'elle portait lui avait sauvé la vie.

– Ils nous tirent dessus ! s'écria Courtney.

Plusieurs klees s'étaient hissés sur le sommet de la clôture, tous munis d'arcs et de flèches. D'autres flèches vinrent se planter dans l'herbe.

– Ne tirez pas ! cria un des klees. Vous allez blesser les zenzens !

Courtney profita de ce cessez-le-feu pour se choisir une monture. Elle saisit les rênes et sauta en selle. Elle n'était pas vraiment une cavalière émérite, mais avait assez monté pour pouvoir se débrouiller. Boon arrêta un autre zenzen, et Gunny s'en approcha. Plus âgé que les autres, il n'était pas aussi agile, mais put passer ses grandes jambes par-dessus ses flancs. Il jeta un coup d'œil en arrière vers la porte et vit qu'un groupe de klees couraient vers eux en maniant des cordes au-dessus de leurs têtes afin de prendre les zenzens au lasso.

– Les voilà ! cria-t-il.

Mark était toujours à pied. Comme il était trop loin de Gunny pour monter avec lui, il décida de tenter sa chance. Boon coinça le dernier zenzen et le maintint en place pour que Mark puisse grimper dessus.

– Allez, vite ! cria-t-il.

Mark saisit la selle et se hissa à grand-peine. Il réussit à y poser sa poitrine et allait passer sa jambe par-dessus l'échine de sa monture lorsqu'un klee jeta son lasso. La corde vint frapper la tête du zenzen, mais le nœud rebondit au lieu de se refermer sur son cou. Surpris, l'animal paniqua et partit au pas de course… avec Mark étalé sur sa selle. La bête affolée traversa le terrain tandis que son cavalier s'accrochait comme il pouvait.

– Au secours ! hurla-t-il, terrifié.

Spader avait réussi à ouvrir la porte donnant sur la jungle. Seule la peur de se casser deux ou trois jambes forçait Mark à tenir bon. Gunny, Boon et Courtney restaient en arrière, impuissants. La monture emportant Mark franchit la porte sans même ralentir. Spader éperonna le sien et parvint à la hauteur du zenzen de Mark.

– Je te tiens, matelot ! cria-t-il.

Il tendit la main et saisit Mark par le bas de son pantalon.

– Cramponne-toi, ordonna-t-il.

– Qu'est-ce que je fais, d'après toi ? répondit Mark.

Spader tira sur les rênes de son propre zenzen afin de ralentir les deux bêtes. Même lorsqu'elles furent arrêtées, Mark ne lâcha pas prise.

– Je crois que mes mains sont soudées à ma selle, dit-il.

– Dessoude-les, répondit Spader. Il faut qu'on y aille.

Mark lâcha prise et se laissa glisser. Les autres s'arrêtèrent à sa hauteur.

– Où sont les armes ? demanda Courtney.

– Tu veux retourner là-bas ? répondit Boon.

Tous regardèrent en arrière de l'autre côté du terrain de wippen. Les klees couraient vers eux en réarmant leurs arcs.

– Autant courir notre chance sans elles, dit Gunny.

– On y va, Mark, reprit Spader.

Il tendit la main, Mark la prit, et Spader le hissa derrière lui.

Une flèche sillonna l'air juste entre Gunny et Courtney.

– On peut y aller maintenant ? insista Courtney.

En guise de réponse, Boon éperonna son zenzen et s'en alla au triple galop. Les autres le suivirent, évitant tant bien que mal les flèches tombant en grêle.

Ils auraient préféré un départ moins tapageur, mais au moins, ils étaient en route vers la Cité de l'Eau noire.

Bobby et Kasha descendirent du dernier arbre avant la ville et s'approchèrent des grandes portes.

– Comment va-t-on rentrer ? demanda Bobby.

– Je ne sais pas, répondit Kasha. Je te rappelle que c'est ton plan.

– Tu n'as pas un truc secret qui nous permette d'entrer sans se faire remarquer ?

– Non.

– Ça n'est pas très utile.

– Désolé, mais je n'ai encore jamais rien fait de tel.

Leur discussion coupa court : un chariot s'approchait. Un groupe revenait d'incursion avec le butin du jour. Un seul zenzen traînait une carriole déglinguée à moitié remplie de fruits – une récolte pitoyable. Décidément, Eelong était au bord de la famine. Deux klees à pied guidaient le chariot. Deux autres le suivaient. Une bande de gars épuisés fermaient la marche.

– Suis les gars, ordonna Kasha. Baisse la tête.

Et aussitôt, elle bondit dans les buissons.

– Hé ! s'écria Bobby.

Trop tard : elle était partie. Bobby n'eut pas le temps de réfléchir. S'il n'agissait pas sur-le-champ, il louperait cette occasion. Il gagna silencieusement le groupe de gars et se fraya un chemin parmi eux. Il n'y en eut même pas un pour le regarder : ils étaient trop fatigués. Bobby baissa la tête et continua son chemin d'un pas traînant en se mêlant aux autres. Il jeta un œil pour voir s'ouvrir les grandes portes de Lyandra. S'il n'y avait pas de klee qui reconnaissait en lui le gar de Kasha, il était sauvé. Bobby retint son souffle jusqu'à ce qu'il ait franchi l'entrée. Il s'attendait à entendre sonner un signal d'alarme ou à sentir une patte se poser sans douceur sur son épaule, mais non. Les gardes étaient trop occupées à surveiller la jungle au cas où un tang tenterait de passer en force.

Bobby continua de marcher au milieu des gars jusqu'à ce qu'il entende se refermer les grandes portes derrière eux. Après avoir vérifié que les klees ne regardaient pas dans sa direction, il s'écarta du groupe et se cacha derrière un épais buisson. Il était sauvé.

« Bon. Et maintenant ? » se demanda-t-il.

Il eut vite la réponse à sa question. Une ombre apparut devant lui, manquant de lui arracher un cri de surprise.

– C'était facile, déclara Kasha.

– Je croyais que tu n'avais pas de passage secret ?

– C’est vrai, répondit-elle. J’ai rampé jusqu’à la clôture et je l’ai escaladée.

– Et je n’aurais pas pu prendre le même chemin ?

Kasha tendit la main, dévoilant des griffes acérées.

– Pas sans certains avantages naturels.

– Je vois. Où peut-on trouver Ranjin ?

– À cette heure, il doit être chez lui. Il habite la résidence du vice-roi, au-dessus du Cercle des klees.

Le duo traversa Lyandra avec un luxe de précautions, prenant bien soin de rester dans l’ombre.

– Bizarre, remarqua Kasha. Même à une heure aussi tardive, la ville ne devrait pas être déserte comme ça.

Alors qu’ils s’approchaient de l’arbre abritant le Conseil des klees, ils comprirent pourquoi Lyandra était si paisible. Ils entendirent le son d’une foule particulièrement agitée.

– Encore une assemblée ? demanda Bobby. Il y a moyen d’écouter sans être vu ?

– Peut-être, répondit Kasha.

Ils préférèrent éviter l’ascenseur pour prendre un escalier creusé dans l’arbre même qui donnait sur une pièce cachée derrière la scène.

– C’est là qu’ils passent leurs robes avant chaque réunion, expliqua Kasha.

– Tu rigole ? répondit Bobby. On est vraiment dans la cage aux lions…

– C’est le seul endroit d’où on peut passer inaperçus, répondit Kasha.

Elle traversa la pièce et jeta prudemment un coup d’œil par une petite fenêtre donnant sur le cercle. Bobby la rejoignit et constata qu’ils étaient tout près de la scène. Une fois de plus, l’immense salle était remplie de klees. Tous regardaient les membres du Conseil, en robes rouges, assis sur leurs chaises. D’un côté se tenait Ranjin et sa tunique bleue, serrant son bâton de bois couronné d’une tête de chat. Et Saint Dane était là, sur le devant de la scène, à haranguer la foule. Il avait repris l’apparence de Timber, le félin à la fourrure brun foncé tachetée de noir et à la crinière impeccablement peignée.

– La vérité m'est apparue ! dit-il d'un ton passionné. Ce lieu-dit qu'on appelle l'Eau noire n'est pas une fable concoctée par quelques gars désespérés. C'est une réalité. Aussi certaine que je me tiens là devant vous. Et croyez-moi, les bêtes qui habitent ce repaire secret complotent pour bouleverser l'avenir d'Eelong !

L'assemblée feula de colère.

– Le pire, chuchota Bobby, c'est qu'il ne ment même pas ! Les gars peuvent bien changer l'avenir d'Eelong… en la sauvant !

– À entendre Timber, ce n'est pas ce qu'on pourrait croire, nota Kasha.

– Précisément. C'est typique de la façon dont procède Saint Dane.

– Il est facile de résoudre définitivement ce problème, continua Timber. Je ne parle pas d'une guerre ou de quoi que ce soit qui puisse mettre les nôtres en danger. Il suffira de deux klees pour acheminer le gaz toxique à l'Eau noire pendant que tout le monde reste en sécurité à Lyandra. Ces braves pourraient être de retour dans l'après-midi, et notre mode de vie serait préservé.

La foule eut un murmure d'approbation.

– Ça tourne au vinaigre, fit nerveusement Bobby.

Ranjin, le vice-roi, se leva et calma l'assemblée :

– Explique-nous comment tu as obtenu ce gaz empoisonné, Timber.

– Au départ, on cherchait à créer un engrais, répondit Saint Dane. C'est de façon purement accidentelle qu'il a muté pour devenir un poison. Un heureux accident qui fait toute la différence entre la vie et la mort.

– Encore une fois, il dit la vérité, commenta Bobby. Sauf que ce sont les habitants de Cloral qui l'ont créé. Voilà un détail qu'il préfère ne pas mentionner.

– Et s'en servir entraînerait la fin d'Eelong, ajouta Kasha. Tu as raison, il est très rusé.

– Au risque de passer pour un vieux radoteur, fit Ranjin d'un ton sinistre, j'aurais du mal à ordonner l'extermination d'un tel nombre de gars.

– Préfères-tu entraîner la destruction de la race des klees ? rétorqua Timber. Les gars préparent une révolution. Si nous ne réagissons pas immédiatement, il est possible qu'on voie bientôt un animal porter la robe bleue de vice-roi sur les marches du Conseil des klees.

Les félins poussèrent des grondements de rage.

– C'est vraiment un démon, hein ? hoqueta Kasha.

– Il faut agir sans plus tarder ! cria Timber à la foule. Nous avons les moyens d'éradiquer la menace des gars en un seul coup ! Si nous réagissons à temps, nos enfants n'auront plus jamais faim, ni peur !

La foule rugit son approbation. Timber se tourna vers Ranjin, attendant sa réponse. Le vice-roi marcha jusqu'au bord de l'estrade et parcourut des yeux la foule en délire qui psalmodiait « Lyandra ! Lyandra ! ». Ranjin leva son bâton de bois, faisant taire les klees.

– J'ai dirigé le Conseil des klees pendant bien plus de temps que n'importe quel autre vice-roi, commença-t-il. Je suis fier de ce que j'ai fait et vous suis reconnaissant de la confiance que vous avez mise en moi. Néanmoins, je ne peux donner mon aval à ce que vous proposez.

La foule eut un murmure désapprobateur. Ranjin continua :

– Je pense que le massacre systématique d'êtres vivants, aussi primitifs soient-ils, est contraire à la nature même d'une société civilisée. Mais à en juger par votre réaction, mon opinion n'est guère populaire. Ce qui me donne à penser que je suis peut-être trop vieux pour diriger les klees, avec ce que cela implique comme décisions difficiles. Les temps changent, et je ne suis pas sûr de pouvoir m'adapter. Voilà pourquoi je renonce à ma position de vice-roi.

Bobby et Kasha échangèrent un regard nerveux.

Ranjin brandit son long bâton, celui qui représentait le pouvoir du Conseil des klees… et le tendit à Timber.

– Je transmets mon pouvoir à la nouvelle génération de dirigeants, et à Timber. J'espère seulement que vous avez pris la bonne décision.

La foule devint hystérique et hurla de joie. Timber prit le bâton en retenant à grand mal un sourire triomphal. Il le tint à deux mains et le brandit au-dessus de sa tête en signe de victoire. La foule l'acclama.

– Non ! siffla Bobby.

Il fit mine de sauter sur la scène, mais Kasha le retint.

– Ne fait pas l'idiot. Ils te mettraient en pièces.

Bobby recula et dit :

– Tu ne vois pas ce qui vient d'arriver ? Ranjin vient de remettre le territoire à Saint Dane !

Kasha le repoussa, l'éloignant de la fenêtre, et ordonna :

– Il faut qu'on s'en aille d'ici avant que le Conseil des klees ne revienne et…

Tout en marchant, elle se dirigea vers la porte pour buter contre… Durgen.

– J'en reste sans voix, dit-il. Quelqu'un m'a dit qu'il t'avait vu entrer dans cette pièce, mais je ne pouvais croire que tu te montres aussi stupide. Or, à ma grande surprise, c'est la vérité. Et tu as amené ton gar familier, en plus.

– Je t'en prie, écoute-moi, supplia Kasha. Il faut arrêter Timber. Les gars de l'Eau noire sont civilisés. Ils ont les moyens de contrer la famine qui nous menace.

Stupéfait, Dungen dévisagea Kasha. Puis il éclata de rire.

– Tu penses vraiment que je vais te croire ?

– On se connaît depuis toujours, continua Kasha avec passion. On a lutté côte à côte d'innombrables fois. Je t'en prie, oublie ce qui s'est passé ces derniers jours et écoute-moi. Timber est le Mal incarné. S'il réussit à détruire la Cité de l'Eau noire, les conséquences seront désastreuses pour les klees et Eelong tout entier. Il ne faut pas le laisser prendre la tête du Conseil !

Durgen secoua tristement la tête.

– Oui, Kasha, je croyais te connaître. Ça me fait d'autant plus mal de voir que tu t'es laissé duper par ces gars révolutionnaires.

– Des gars révolutionnaires ! s'écria Bobby. Ouvre les yeux ! Si Timber extermine les gars, les klees seront les prochains sur la liste !

– Gardes ! hurla Durgen.

Aussitôt, quatre klees firent irruption dans la pièce. Kasha tenta d'atteindre la porte, mais trois gardes s'emparèrent d'elle et la plaquèrent au sol. Le dernier suffit à maîtriser Bobby.

– Je sais que la patience n'est pas ton fort, Kasha, dit Durgen. Mais ne t'en fais pas, ton procès sera bref.

– Ne fais pas ça ! répondit-elle.

– Puisque tu aimes tant ces animaux, cracha Durgen, il semble logique que tu passes les derniers jours qui te restent à vivre en leur compagnie.

Il se tourna vers les gardes et hocha la tête. Ils les entraînèrent hors de la pièce.

– Je t'en prie, Durgen, insista Kasha. Timber n'est pas celui qu'il prétend. Tout ça va très mal finir !

– Peut-être, répondit Durgen, mais tu ne seras plus là pour le voir !

Bobby ne dit rien. Il savait que ce serait inutile. Les gardes les traînèrent hors de l'arbre, les firent descendre jusqu'au sol et les emmenèrent là où Bobby aurait tant voulu ne jamais retourner.

Dans la prison pour gars où il était resté une éternité.

Kasha et lui furent jetés au milieu d'une bande de gars crasseux blottis contre les murs. Pour Bobby, retrouver cette prison putride raviva toutes les plaies émotionnelles de son précédent séjour. Il tomba à genoux, vaincu.

– Heureux de te revoir, Pendragon ! fit une voix provenant d'en haut.

Kasha et Bobby levèrent les yeux pour voir un chat brun tacheté de noir qui les regardait à travers la grille. C'était Timber, alias Saint Dane. Un vrai cauchemar.

– Apparemment, le fait que je vous aie révélé mon plan n'a rien changé. Maintenant, il reste à savoir ce qui va arriver en premier : la destruction de l'Eau noire ou votre exécution ?

EELONG

– Tout ça est bien trop facile, Pendragon, feula Saint Dane sous son travesti de félin. Ça en devient moins drôle. Enfin, presque.

Kasha se jeta sur le mur de pierre et tenta frénétiquement de le grimper pour écharper son adversaire. Les gars terrifiés se rencognèrent contre les cloisons. Ils n'avaient pas l'habitude d'être enfermés en compagnie d'un klee fou de rage. Kasha arriva jusqu'à la moitié du mur, puis la gravité reprit ses droits et elle retomba sur ses pattes.

– Qui es-tu vraiment ? lança-t-elle à Timber. Pourquoi fais-tu ça ?

Timber secoua la tête comme un parent déçu.

– Je compatis, Pendragon. Cette nouvelle génération de Voyageurs ne t'est pas d'un grand secours. Quoique, Seegen n'a pas servi à grand-chose, lui non plus. Sauf pour moi, bien sûr. Sa carte de la Cité de l'Eau noire m'a été bien utile. J'aurais voulu pouvoir le remercier. Dommage que j'aie dû lui donner cette pomme empoisonnée juste avant qu'il ne parte pour la Seconde Terre.

Kasha poussa un grondement douloureux et bondit à nouveau sur le mur. Elle griffa la pierre, mais retomba une fois de plus. Cette fois, elle atterrit sur le dos avec un bruit assez inquiétant. Bobby s'agenouilla à ses côtés et posa une main sur son échine :

– Il veut te faire sortir de tes gonds, chuchota-t-il.

– Il dit vrai, ma chère, reprit Timber. Je sais toujours à l'avance ce que vous pensez, vous autres Voyageurs. Ce doit être assez énervant.

Timber roula sur le dos et se lécha la patte à la façon des chats. Il avait l'air tout à fait détendu et semblait même bien s'amuser.

Bobby crut même l'entendre ronronner, ce qui était assez angoissant en soi.

– Ne l'écoute pas, dit-il calmement à Kasha. Il n'en sait pas autant qu'il le prétend.

– Oh, vraiment ? fit Timber. Alors je me trompais à propos de tes amis de Seconde Terre ? Je suis sûr qu'en ce moment ils sont sur Cloral, en train de chercher l'antidote.

Bobby et Kasha échangèrent un bref regard. Saint Dane connaissait l'existence de Mark et Courtney, mais ignorait jusqu'où ils étaient allés.

– Ils arriveront trop tard, reprit le démon. D'ici à ce qu'ils apportent l'antidote sur Eelong, la Cité de l'Eau noire sera un cimetière et j'aurai gagné mon second territoire de Halla. Maintenant, il ne me reste plus qu'un seul souci.

– Quoi donc ? demanda Bobby.

– Je dois décider à quel territoire je vais m'en prendre une fois que celui-ci sera à moi ! Je devrais peut-être aller sur Quillan. Ce monde est vraiment amusant. Ou peut-être est-il temps de descendre sur Zaada pour en finir avec cette Voyageuse que tu aimes tant… cette Loor. (Timber roula sur lui-même et regarda Bobby.) Je suppose que tu n'es toujours pas disposé à te joindre à moi ?

– Qu'est-ce que vous croyez ? rétorqua Bobby d'un ton éloquent.

– Ce n'est pas plus mal, répondit Timber avec un haussement d'épaule. Je n'avais pas l'intention de réitérer ma proposition. Bon, je dois vous laisser ; après tout, maintenant, je suis le vice-toi de Lyandra. J'ai de grosses responsabilités. Je dois préparer l'envoi de mon petit cadeau aux habitants de l'Eau noire.

– Ce n'est pas fini, Saint Dane, fit Bobby entre ses dents. Quoi qui puisse se passer ici, je ne renoncerai jamais.

Timber se pencha vers la grille et eut un sourire mauvais.

– Je n'en doute pas un seul instant, Pendragon, siffla-t-il. Et ça me convient parfaitement.

Sur ce, il se redressa et s'en alla pour disparaître dans la nuit.

Bobby se tourna vers Kasha. Il n'avait plus ce vernis de confiance qu'il arborait face à Saint Dane.

– Il faut qu'on sorte de ce trou ! dit-il nerveusement.

Kasha bondit vers la porte et cria :

– Gardes ! Gardes ! J'exige de voir Durgen !

Un klee apparut à la fenêtre :

– Tu n'as pas à exiger quoi que ce soit, traîtresse.

Kasha se recula, stupéfaite.

– Traîtresse ? (Elle se tourna vers Bobby.) C'est vraiment ce qu'ils pensent de moi ?

– Je suis désolé, Kasha, dit Bobby. Je suis d'accord, on est dans de sales draps, mais j'ai autre chose à penser.

Elle se mit à tourner comme un lion en cage, ce qui ne manquait pas d'ironie. Une fois de plus, Kasha tenta d'escalader le mur, mais de façon plus méthodique cette fois-ci. Telle une spécialiste de la varappe, elle trouva des failles où insérer ses griffes et progressa lentement, mais sûrement sur la paroi. Lorsqu'elle fut à mi-chemin, Bobby crut vraiment qu'elle allait réussir. Mais son pied glissa, elle perdit l'équilibre et s'écrasa à nouveau au sol.

– J'aimerais que ce soit toi qui aies des griffes, dit-elle en se frottant l'épaule.

– À la réunion, reprit Bobby, Saint Dane a dit quelque chose que je n'ai pas compris. Il a déclaré que deux klees pouvaient livrer le poison et être de retour dans l'après-midi. Or il faut une journée entière pour se rendre à la Cité de l'Eau noire. Que voulait-il dire ?

– Probablement qu'il comptait se servir d'un gig, répondit Kasha. C'est ce que je ferais à sa place.

– Un gig ? demanda Bobby, qui doutait fort qu'elle parle d'une danse folklorique. C'est quoi ?

Avant qu'elle ne puisse lui répondre, un bourdonnement sourd interrompit leur conversation.

– Qu'est-ce qui se passe ? demanda Bobby en regardant autour de lui.

Ce bruit ne cessa d'augmenter en volume. Un peu plus tard, il se transforma en quatre notes musicales répétées inlassablement. Bobby pensa à un air joué sur une flûte.

– Tu as déjà entendu quelque chose comme ça ? demanda-t-il.

– Non.

– Alors qu'est-ce que c'est ?

La réponse leur vint d'une source inattendue. Les gars qui se blottissaient contre les murs de la cellule se redressèrent. Ils se comportaient comme des animaux, mais soudain, ils semblaient différents. Ils se tenaient plus droits que n'importe quel gar que Bobby avait vu en dehors de la Cité de l'Eau noire. Bobby et Kasha s'écartèrent : les gars se tinrent au milieu de la cellule, formant un cercle. Comme un seul homme, ils fouillèrent leurs haillons pour en tirer leurs cubes d'ambre.

Ceux-ci pulsaient d'une lumière intérieure.

– Oh, oh, marmonna Kasha.

– C'est rien de le dire, répondit Bobby. C'est parti !

Les gars brandirent leurs cubes. La douce lumière éclairait leurs visages comme s'ils se tenaient autour d'un feu de camp. Ils n'avaient plus l'apparence d'animaux effrayés, mais témoignaient d'un calme qui leur donnait l'air... d'êtres humains. Les quatre notes se répétèrent encore quelques minutes, puis se turent. Le silence retomba sur la cellule alors que les cubes devenaient encore plus brillants. Un peu plus tard, une voix s'éleva des cubes. C'était la première transmission radio d'Eelong. C'était son moment de vérité.

– Le moment est venu, dit une voix féminine et amicale. Notre salut est imminent.

Il y eut un long silence. Les gars fixaient les cubes luisants. Bobby et Kasha restaient dans l'ombre, les yeux écarquillés.

– Suivez le lien, dit la voix. Écoutez-moi. Suivez ma voix pour rentrer chez vous.

À l'arrière du zenzen de Spader, Mark ressentait chaque cahot. Ils se trouvaient juste derrière Gunny qui avait pris la tête, vu qu'il connaissait le chemin de la Cité de l'Eau noire. Mais, pour Mark, le voyage n'était pas vraiment agréable, car le bidon ne lui laissait qu'un peu d'espace à l'arrière de l'animal. Il se cramponnait des deux mains au bidon de Spader, ce qui fait que ses jambes n'étaient pas étendues sur la partie la plus large de sa monture. Il n'avait même pas droit à un bout de selle ! Pourtant, il ne voulait pas se plaindre. Après tout, c'était lui qui n'était pas fichu de savoir monter à cheval. Mais après quelques heures de chevauchée en équilibre instable, il était prêt à demander grâce.

– On peut faire un petit arrêt ? finit-il par demander.

Gunny fit stopper son zenzen au bout de la piste, juste avant d'entrer dans une clairière. Les autres s'arrêtèrent derrière lui.

– Qu'est-ce qui se passe ? demanda Courtney.

Mark sauta à terre et fit quelque pas pour rétablir sa circulation sanguine.

– Je ne veux pas avoir l'air d'un râleur, dit-il, mais j'ai l'impression d'être un bréchet posé sur un pois sauteur.

– Tu devrais monter derrière moi, proposa Boon. Je ne porte pas de bidon.

– Avec plaisir, répondit Mark.

Il se frotta une dernière fois les jambes, puis grimpa sur le zenzen de Boon.

– Merci, dit-il. C'est déjà mieux.

Ils allaient reprendre leur chemin lorsque Spader dit :

– Un instant ! C'est quoi, ce bruit ?

Tous tendirent l'oreille.

– On dirait une flûte, fit Mark.

– Il y a un village de fermiers non loin de là, annonça Gunny.

Ils firent partir leurs montures au petit trot le long de la clairière jusqu'à ce que Gunny lève la main pour arrêter la petite colonne. Droit devant, ils virent ce qui ressemblait à un vol de lucioles géantes planant à un mètre du sol. D'autres descendirent des arbres pour les rejoindre. Et le nuage lumineux se mit à bouger vers la piste.

– Qu'est-ce que c'est ? demanda Boon.

– Le commencement de la fin, répondit brutalement Gunny.

En y regardant de plus près, ce n'était pas des lucioles, mais des dizaines de cubes d'ambre luisants, portés par des gars qui descendaient des arbres pour rejoindre ceux qui étaient déjà en route.

– Le lien a été activé, dit Gunny. La Transhumance a commencé.

– Ça... Ça veut dire qu'ils se dirigent vers l'Eau noire ! s'exclama Mark.

– Les gars de Lyandra doivent faire de même, ajouta Courtney.
– Comment peuvent-ils connaître le chemin ? demanda Spader.
– Ces cubes brillent plus fort lorsqu'on les pointe dans la direction de l'Eau noire, répondit Gunny.
– Comme un compas, ajouta Mark. C'est si simple !
– La mèche est allumée, dit doucement Gunny. Maintenant que les gars sont en route, il est impossible de dire quand Saint Dane va se servir de son poison.
– Mais ils ne sont pas encore arrivés ! s'exclama Spader. Pressons le pas, compagnons !
Spader éperonna son zenzen et partit au galop le long de la piste. Gunny et Courtney suivirent son exemple.
– Tu es bien placé ? demanda Boon à Mark.
– Non, répondit-il honnêtement. Alors ne traînons pas en chemin, d'accord ?
Mark s'accrocha au klee et Boon fit partir son zenzen. Ils devaient arriver à la Cité de l'Eau noire avant les gars.

Dans la cellule, les gars poussèrent des cris de joie et s'étreignirent comme s'ils venaient de remporter la Coupe du monde. Certains en pleuraient de joie. Kasha et Bobby restèrent dans l'ombre.
– Qu'est-ce qui les réjouit comme ça ? demanda Bobby. Ils sont coincés ici, tout comme nous.
La fête se prolongea, mais leur aventure ne faisait que commencer. Avec des gestes précis, comme s'ils avaient déjà répété ce moment maintes et maintes fois, ils déposèrent leurs cubes d'ambre et se mirent au travail. Plusieurs d'entre eux formèrent une pyramide humaine contre le mur qui touchait le plafond. Ils montèrent sur les épaules les uns des autres avec une dextérité surprenante, de plus en plus haut, jusqu'à ce que deux gars touchent la grille de bambou. Sous le regard fasciné de Bobby et Kasha, un de ceux qui étaient restés en bas tira une des dalles du sol, révélant une cache d'outils tranchants. Il les passa à la pyramide humaine qui les fit monter de main en main. Bien vite, les deux gars du haut entreprirent de scier la grille de bambous.

– Ils ont tout planifié, remarqua Kasha.

– Non, tu crois ? répondit Bobby sarcastique.

En quelques secondes, ils eurent découpé les bambous. Il y eut deux craquements sonore, et deux de ces barres s'abattirent, laissant un espace suffisant pour qu'un gar puisse s'y infiltrer. L'un passa la tête dans l'ouverture et…

– Hé ! cria une voix. Retourne là-dedans !

C'était un des gardes klees. Mais le gar l'attendait de pied ferme. Avec une rapidité incroyable couplée à l'avantage de la surprise, le gar s'empara du klee et le poussa vers l'ouverture dans la grille. Le garde s'abattit dans la cellule la tête la première et heurta violemment le sol.

Bobby fit la grimace.

Le garde roula sur le dos en gémissant. Les gars s'empressèrent de lui prendre sa matraque et son lasso. Bobby regarda vers le haut : ceux qui étaient au sommet de la pyramide avaient disparu. Ils s'étaient évadés. Les autres n'eurent aucun mal à redescendre à terre.

– Et maintenant ? demanda Kasha.

Un signal d'alarme résonna. Il y eut des bruits étouffés. Des coups de sifflet. Des feulements de klees en colère.

– Ces deux gars n'ont pas perdu de temps, remarqua Bobby.

Ceux qui restaient dans la cellule se rassemblèrent près de la porte comme s'ils savaient précisément ce qui allait se passer ensuite. Un peu plus tard, la porte s'ouvrit en grand, et un garde klee inconscient se vit balancé dans la pièce. Les gars s'empressèrent de sortir de leur prison putride, premier pas vers leur libération.

– Suivons le mouvement ! annonça Bobby.

Et il s'élança vers la porte, Kasha sur ses talons. Ils jaillirent de leur prison…

Pour tomber sur une émeute. Apparemment, les gars des autres cellules avaient mis en œuvre le même plan. Tout autour de la cour, des portes s'ouvraient. Des gars en sortirent, hurlant comme des possédés pour intimider leurs geôliers. Ce qui n'était pas difficile : ils étaient dix fois plus nombreux que les klees. Certains tentèrent courageusement de lutter, mais ils furent submergés par la foule fonçant vers les portes du corral qui les mèneraient à l'enclos des zenzens et à la liberté.

– On devrait chercher Ranjin, remarqua Bobby. Ça le convaincra peut-être de reprendre son poste de vice-roi et…

– Non, interrompit Kasha. Il est trop tard pour ça. Il faut gagner le centre de commandement des incursions.

– Pourquoi ?

Avant qu'elle n'ait pu répondre, un escadron de klees fit irruption dans la cour. Ils étaient munis d'un filet, sans doute dans l'espoir de recapturer quelques gars. Et en effet, plusieurs d'entre eux s'y laissèrent prendre, mais ils n'allaient pas pour autant se rendre sans combattre. Ce n'était plus des bêtes dociles. Cela faisait longtemps qu'ils rêvaient de reconquérir leur liberté et ils n'y renonceraient pas si facilement. Ils déchirèrent le filet pour s'en prendre aux klees qui tentaient de les maîtriser. Malgré les efforts des nouveaux venus, les gars leur arrachèrent le filet et le retournèrent contre eux, immobilisant les félins terrifiés. Ils poussèrent un cri de victoire et coururent vers les portes du corral.

– Suis-moi, ordonna Kasha avant de se lancer à leur poursuite.

Elle rasa les murs afin d'éviter de se retrouver prise dans la mêlée. Bobby la suivit de près. Lorsqu'ils passèrent les portes du corral à zenzens, ils tombèrent sur un autre genre de chaos. Les gars s'emparaient des montures. Ils avaient ouvert les portes du paddock pour que les créatures chevalines se déversent dans le corral. Les bêtes terrifiées fonçaient dans le tas pendant que les gars sautaient tout autour d'eux. Les plus chanceux atterrissaient sur leur dos et les maîtrisaient. Les autres finissaient sous leurs sabots.

Une fois de plus, les klees étaient inférieurs en nombre. Ils attaquèrent les gars avec leurs matraques et des fouets, mais plusieurs gars leur sautèrent dessus et les assommèrent avec leurs propres armes. Bobby n'aurait su dire s'ils étaient motivés par la volonté de s'échapper ou la soif de vengeance. Les deux, probablement. Le terrain était une vraie maison de fous. Kasha et lui firent de leur mieux pour traverser l'enclos sans risquer un mauvais coup. Mais ils étaient comme des saumons nageant à contre-courant. Des centaines de gars se pressaient dans la direction opposée.

Bobby et Kasha étaient en situation périlleuse, mais de façon différente. Bobby devait éviter les klees qui cherchaient à capturer les fugitifs et Kasha les gars fous de vengeance prêts à sauter sur le premier klee venu. Kasha passa discrètement devant la porte ouverte d'un enclos à zenzens. Bobby la suivait de près, et il allait justement s'introduire dans cette même étable lorsqu'un zenzen affolé en jaillit. Il dut reculer pour ne pas se faire piétiner. Il s'en tira indemne, mais lorsqu'il leva les yeux, Kasha avait disparu. Elle ne s'était pas aperçue que Bobby était resté en arrière.

– Super, marmonna Bobby.

Il se mit à courir vers la porte de Lyandra, mais fit quelque pas à peine avant de se faire violemment plaquer au sol. Il s'effondra, soulevant un nuage de poussière. Il se retourna rapidement pour voir son agresseur. C'était Durgen, qui le regardait d'un air méprisant, maintenant ses épaules au sol de ses paumes massives.

– En voilà au moins un qui n'ira pas plus loin, feula-t-il en levant une patte, toutes griffes dehors.

Il allait les abattre pour mettre Bobby en pièces lorsqu'une silhouette jaillit et le percuta. Bobby s'écarta et se releva d'un bond. Il était sûr que c'était Kasha qui l'avait sauvé une fois de plus, mais lorsqu'il regarda en arrière, il vit qu'en fait c'était un gar qui avait empêché Durgen de le tuer. Deux autres sautèrent sur le geôlier et l'entravèrent avec son propre lasso. Le premier s'écarta du klee ficelé et se tourna vers Bobby.

– Merci, lui dit-il.

Bobby en resta sans voix. Pourquoi ce gar le remerciait-il ? C'est lui qui avait sauvé la vie de Bobby, pas l'inverse. L'homme restait planté devant lui, à bout de souffle. Une situation qui avait quelque chose d'étrangement familier. Une seconde plus tard, il comprit. C'était le gar que Bobby avait dû combattre pour amuser leurs geôliers, et qu'il avait épargné. Le prisonnier venait de payer sa dette.

– Rentre chez toi, lui dit Bobby.

Le gar lui donna une claque sur l'épaule.

– À l'Eau noire.

Puis il fila à l'intérieur de l'enclos des zenzens. Bobby ne devait plus jamais le revoir.

Bobby abandonna Durgen pour courir vers les portes de Lyandra. La meute de gars les avait abattues. Une fois dans la ville, il put constater que la société bien ordonnée des klees était sens dessus dessous. Plusieurs huttes suspendues étaient en flammes. Des centaines de gars hurlant de joie se répandaient dans les rues. Une poignée de klees tentaient encore de les contenir, mais la plupart avaient renoncé et restaient dans les arbres, hors de leur portée. Nul ne pouvait plus arrêter cette marche vers la liberté. Quelques gars se dirigeaient vers l'enclos à zenzens, mais la plupart joignaient le flot s'écoulant vers les portes de Lyandra. Bobby repensa au départ du grand marathon de New York.

– Où étais-tu passé ? Je croyais que tu étais juste derrière moi.

Bobby se retourna. C'était Kasha.

– J'ai cru que tu m'avais laissé me débrouiller tout seul, rétorqua Bobby.

– Suis-moi, ordonna Kasha.

Elle se mit à courir, s'enfonçant au plus profond de la ville. Bobby eut bien du mal à suivre son train d'enfer. Tous deux durent se frayer un chemin au milieu des gars. Mais la foule ne tarda pas à se clairsemer, et ils purent accélérer leur allure. Elle le mena à un ascenseur qui les souleva dans les airs le long de son arbre.

– Où va-t-on ? demanda Bobby.

– Au centre d'opérations des incursions.

– Bon. Pourquoi ?

– Tu veux contrer Saint Dane ?

– Ben, oui.

– C'est là qu'on va s'en charger.

Bobby ne lui posa plus de questions. Il ne tarderait pas à savoir ce qu'elle mijotait. L'ascenseur les mena au sommet de l'arbre et les déposa sur un nouveau balcon circulaire.

– C'est toi qui as tout compris, Pendragon, dit-elle.

– Qui, moi ?

– Saint Dane a dit au Conseil des klees que deux klees pouvaient livrer le poison à la Cité de l'Eau noire et revenir dans l'après-midi, tu te souviens ? Pour autant que je sache, il n'y a qu'une seule façon d'y arriver.

Kasha le mena jusqu'à une grande porte voûtée.

– Bon, fit Bobby, tu as dit que c'était un gig. Qu'est-ce que ça veut dire ?

– Un gig est un appareil qu'emportent les klees en incursion lorsqu'ils s'aventurent très loin dans la jungle. Avec un gig, on peut se rendre là où il serait trop dangereux d'aller à pied, même avec une bande de gars comme sécurité. C'est le seul moyen que je connaisse d'aller et revenir si vite d'un endroit aussi éloigné que la Cité de l'Eau noire.

– D'accord. Mais c'est quoi, un gig ?

Kasha ouvrit une grande porte et recula, invitant Bobby à entrer. Il scruta l'intérieur de l'arbre pour voir une salle cinq fois plus grande que celle du Conseil des klees.

– Oh, bon sang, fit Bobby admiratif. Tu as raison. C'est bien comme ça qu'il va faire.

Là, devant Bobby, en rangées bien ordonnées, il y avait un escadron de petits véhicules à deux places.

Des hélicoptères.

EELONG

– J'y crois pas ! s'exclama Bobby en entrant dans l'immense salle servant de hangar à hélicoptères. Vous avez des machines volantes ?

– Les gigs ont été inventés il y a des lustres, répondit Kasha. En fait, ils sont de conception assez simple.

Bobby examina le premier appareil venu. La cabine évoquait une autotamponneuse de foire, mais en plus étroit. Deux sièges côte à côte dans un cockpit ouvert. L'ensemble semblait moulé dans une sorte de résine naturelle dure comme du plastique. La moitié des gigs étaient d'une couleur jaune foncée, les autres d'un vert évoquant des feuilles d'arbre. Au-delà du cockpit, reliées à la cabine par une tige évoquant un parasol, il y avait trois petites hélices, contrairement à ceux de Première Terre qui se contentaient d'une seule plus grande. Les pales étaient à quelques dizaines de centimètres les unes des autres. Chacun de ces rotors était entouré d'un cercle composé de la même résine que le cockpit.

– Il n'y a pas de roues ? demanda Bobby.

– Uniquement des roulettes, répondit Kasha.

Elle poussa le gig. Le petit engin léger avança d'un bon mètre.

– Comme moyen de propulsion, il utilise ces mêmes cristaux qui éclairent la ville.

Elle désigna deux panneaux de cristal insérés à l'avant et à l'arrière du cockpit. Kasha tira sur un levier juste à l'avant du siège droit.

– Regarde à l'avant, dit-elle.

Bobby vit une paire de pinces accrochées sous le nez rond. Elles semblaient assez grandes pour ramasser une citrouille de bonne taille. En actionnant une poignée sur le levier, Kasha les fit s'ouvrir et se fermer.

– Avec ça, expliqua-t-elle, on peut cueillir des fruits au sommet des plus grands arbres pour les laisser tomber dans des paniers suspendus en contrebas.

– Ce n'est pas... dangereux ?

– Toujours moins que de repousser des tangs. Et comme on ne peut pas porter la même quantité qu'un chariot, ce n'est pas toujours tellement pratique.

– Tu sais piloter un tel engin ? demanda Bobby.

– Tous les incursionneurs en sont capables. Ces gigs n'ont qu'un gros défaut. Comme les cristaux ne peuvent pas emmagasiner assez d'énergie pour actionner les pales, ils ne sont opérationnels que de jour.

Bobby regarda à l'autre bout du hangar, là où une grande ouverture donnait sur la forêt. Il y avait une vaste plate-forme qui devait servir au lancement. Mais c'est le ciel qui avait attiré son attention. Il n'était plus noir, mais bleu foncé. L'aube approchait.

– D'après moi, reprit Kasha, voici comment ils vont procéder. Deux klees vont partir pour l'Eau noire avec les bidons arrimés à l'avant. Ils n'auront aucun mal à survoler la cité à basse altitude en larguant leur poison. On le fait tout le temps pour répandre de l'engrais sur les fermes. Avant même qu'ils aient fait demi-tour, la Cité de l'Eau noire sera détruite.

– Et Saint Dane et les klees resteront ici tranquillement pendant qu'en leur nom on extermine une race entière.

– En attendant de passer au reste d'Eelong.

Bobby fit quelques pas vers la porte du hangar et scruta le ciel du petit matin.

– Ils ne peuvent pas partir avant qu'il fasse grand jour, c'est ça ? demanda-t-il.

– Tout à fait, ce qui veut dire qu'il ne nous reste plus beaucoup de temps.

– Pour faire quoi ?

Elle désigna les rangées d'hélicoptères.

– Un acte de sabotage.

En regardant droit devant, Gunny entrevit les contours des montagnes entourant la Cité de l'Eau noire. Parfait. Ils se rapprochaient. L'ennui, c'est que, justement, il pouvait distinguer la chaîne. Cela voulait dire que l'aube pointait, et donc qu'ils risquaient d'être attaqués par des tangs. Ils avaient chevauché toute la nuit, convaincant parfois les zenzens de partir au galop, bien décidés à prendre de vitesse les gars qui déferlaient sur l'Eau noire. Montures comme cavaliers étaient au bord de l'épuisement complet. Ce voyage avait été éprouvant.

– Ho ! cria Gunny, faisant s'arrêter son zenzen.

Les autres ne tardèrent pas à s'immobiliser à sa hauteur. Ils en arrivaient au stade où la jungle se clairsemait pour faire place à un terrain sec et rocailleux.

– Il fera bientôt jour, annonça Gunny. C'est notre dernière chance de faire une pause.

– Avec plaisir ! cria Courtney en sautant au bas de sa monture. Avec tous ces cahots, j'ai l'impression d'avoir rétréci de moitié.

Tout le monde descendit de selle et s'étira.

– C'est encore loin, Gunny ? demanda Mark tout en touchant ses orteils de ses doigts afin de rétablir la circulation.

– À ce rythme, je dirais qu'on atteindra la piste à flanc de montagne dans une heure. Puis encore une heure avant d'entrer dans la Cité de l'Eau noire.

– On va réussir ! s'exclama Spader. Saint Dane n'attaquera pas avant que les gars soient tous arrivés, et nous les avons largement distancés.

– Peut-être, dit Gunny. On ne sait pas ce qu'il mijote.

– Et on n'est pas encore rendus, ajouta Boon.

– Hobie ! s'exclama Spader. Restons positifs.

– D'accord, fit Boon. Je suis positif : on n'est pas encore à la cité.

Spader éclata de rire et dit à Boon :

– Je t'aime bien, matelot. Quand tout ça sera terminé, j'aimerais te faire visiter Cloral.

– Tu en es sûr ? demanda Courtney. Les klees savent nager ?

– Non, répondit Boon. Pourquoi, il faut savoir nager pour aller sur Cloral ?

Courtney, Mark et Spader se regardèrent et éclatèrent de rire.
– Qu'est-ce qu'il y a de si drôle ? demanda Boon, interdit.
– Ce n'est peut-être pas une si bonne idée..., commença Spader.
C'est alors que, sans signe avant-coureur, un tang sauta d'un buisson en bordure de la piste. Il s'était approché le plus possible avant de passer à l'action. Et il visait... Mark.
– Ahhh ! s'écria ce dernier alors que la bête heurtait son dos, le projetant à terre.
Le lézard ouvrit grand les mâchoires et mordit. Mais au lieu de se refermer sur de la chair tendre, il se cassa les crocs sur le bidon de métal.
Boon bondit et intercepta la bête comme un rugbyman. D'un geste rapide, il sortit ses griffes et lacéra la gorge du tang. Il ne lui avait pas laissé la moindre chance.
Spader vint aider Mark à se relever.
– Ça va, vieux frère ?
Mark ouvrait de grands yeux terrifiés. Il était hors d'haleine, mais put acquiescer et dire :
– Oui.
– Tous aux zenzens ! ordonna Gunny.
Gunny et Courtney montèrent en selle pendant que Spader aidait Mark à grimper sur l'animal de Boon. Tous se tournèrent vers ce dernier. L'Acolyte s'écartait doucement du tang agonisant, sa patte dégoulinante de sang.
– Vite, Boon ! cria Courtney.
Boon ne quittait pas le tang des yeux, afin de s'assurer qu'il n'allait pas bondir pour combattre jusqu'à son dernier souffle. Un bref soupir lui apprit qu'il n'avait pas à s'inquiéter : il ne se relèverait plus jamais. Le tout n'avait pas duré plus de vingt secondes.
– Je... n'avais encore jamais tué un tang, dit Boon d'une voix mal assurée.
– Oui, ben, c'était le bon moment pour commencer, remarqua Spader. Tu nous as tous sauvés.
– Reprends tes esprits, Boon, dit Gunny d'une voix autoritaire. Il va bientôt faire jour, et bien d'autres tangs rôdent dans cette jungle. On ne s'arrêtera plus avant d'arriver à la cité. Yah !

Il éperonna son zenzen et partit au galop. Courtney le suivit, Spader en troisième position.

Boon monta en selle devant Mark et s'empara des rênes.

– M-m-merci, dit Mark. T-tu m'as sauvé la vie.

– Garde ça pour plus tard, répondit Boon ébranlé. Ce n'est pas encore fini.

Et ils partirent derrière les autres.

Crac !

Munie d'un lourd outil de métal, Kasha fracassa le cristal qui servait de source d'énergie à l'un des gigs. Elle ramassa les morceaux avec cet instrument en forme de griffe, puis passa au suivant. Bobby, doté du même outil, faisait de même de son côté. Ils n'avançaient pas bien vite : ces cristaux étaient durs comme du diamant. Cela faisait une demi-heure qu'ils s'affairaient et ils n'avaient pu saboter qu'une dizaine de gigs.

– Il fait de plus en plus clair, remarqua Bobby en regardant par la porte du hangar.

En effet, les premières lueurs du soleil caressaient le sommet des arbres. Ce serait une belle journée sans nuages. Malheureusement.

– Continue, ordonna Kasha. On ne sait pas quand ils vont…

Tous deux entendirent s'ouvrir la porte. Kasha et Bobby se cachèrent aussitôt derrière un gig et se tournèrent vers l'entrée du hangar. Deux klees s'avancèrent d'un pas tout naturel.

– C'est toi qui a piloté les deux dernières fois, râlait le premier. Aujourd'hui, c'est mon tour.

– Qui de nous deux est l'incursionneur en chef ? répondit patiemment l'autre.

– Eh bien, c'est toi, mais…

– Et qui sera tenu pour responsable du succès de cette mission ?

– Bon, toi, sauf que…

– C'est un jour historique ! dit le second klee. Lorsqu'on évoquera ce moment, personne ne se souciera de savoir qui était aux commandes. On se souviendra uniquement de ces deux héros qui ont sauvé Eelong.

– Tu crois, vraiment ? demanda le premier avec un grand sourire.

– J'en suis sûr, répondit le second.

– Oui, d'accord, mais je pense quand même que c'est mon tour.

– Tant pis pour toi, rétorqua l'incursionneur en chef.

Les deux klees se dirigèrent vers la première rangée, sélectionnèrent un gig jaune et le poussèrent vers la plate-forme de lancement. C'était un des hélicos que Kasha et Bobby n'avaient pas encore saboté.

– Je les connais, murmura Kasha. Ils comptent parmi nos meilleurs pilotes.

– Ça m'aurait étonné, reprit Bobby, abattu.

Trois autres klees entrèrent dans le hangar. Le premier était le nouveau vice-roi de Lyandra, Timber/Saint Dane. Il était suivi par deux klees portant à grand-peine un petit globe doré de la taille du bidon de propane dont le père de Bobby se servait pour allumer le barbecue. Sauf qu'il devait être sacrément lourd. Ils atteignirent l'extrémité d'une des rangées de gigs, tournèrent à l'angle... puis un klee se prit le pied dans une des hélices et perdit l'équilibre.

– Attention ! s'écria le second klee en lâchant le bidon.

– Au secours ! fit le premier, pris de panique.

Timber réagit avec une dextérité incroyable. Il virevolta et saisit le réservoir juste avant qu'il ne touche le sol. Les autres restèrent figés sur place, retenant leur souffle.

– Désolé, fit d'un ton penaud celui qui était tombé.

– Désolé ? répéta Timber. C'est tout ce que tu trouves à dire après avoir failli tuer tous les klees de Lyandra ?

L'accusé baissa les yeux de honte.

– Va-t-en, ordonna Timber.

Le maladroit s'en alla d'un air boudeur. Timber porta le globe lui-même.

– On a bien failli y passer, murmura Kasha.

– Si c'est vraiment le poison de Cloral, tu as raison, répondit Bobby.

Tous deux s'approchèrent en silence pour voir ce que faisaient les klees. Sous leurs yeux, les deux pilotes prirent le relais, attachèrent le bidon doré et l'arrimèrent aux pinces avant de leur gig. Ils y accrochèrent des tubes noirs et en fixèrent l'autre bout sous la cabine.

– On dirait qu'ils se préparent à pulvériser de l'engrais sur des récoltes, remarqua Kasha.

– Ou à semer la mort au-dessus de la Cité de l'Eau noire, reprit Bobby d'un ton sinistre.

Lorsqu'ils eurent fini, les pilotes se tinrent au garde-à-vous devant leur nouveau vice-roi.

– Vous devez suivre les vents, ordonna Timber. Rapprochez-vous au maximum du rebord du canyon, continuez en rase-mottes et libérez le gaz. Un passage suffira. Ne revenez pas en arrière ou vous subirez le même sort que les sauvages d'en bas. Compris ?

– Compris, répondirent les pilotes.

– Une fois que vous aurez dépassé la cité, continua Timber, visez les gars qui cheminent vers la montagne. (Il eut un petit rire.) Ils croient être sauvé depuis qu'ils sont sortis de Lyandra, mais tout ce qu'ils ont fait, c'est s'éloigner des klees pour qu'il nous soit plus facile de les exterminer.

Les félins rirent à leur tour de cette ironie du sort. Timber leur tendit une carte. Celle de Seegen.

– Cette chaîne de montagne est immense, dit-il. Suivez ces instructions sans en dévier ou vous raterez votre cible.

Le copilote prit la carte et ajouta :

– Ne vous en faites pas, vice-roi. Nous réussirons cette mission.

Il replia la carte et la fourra dans sa tunique.

– Une fois cette mission accomplie, reprit Timber, vous serez à jamais des héros du peuple klee. Au nom de vos compatriotes, je vous remercie.

– Il y a assez de lumière, dit le commandant. On peut partir dès maintenant.

– Pas encore, répondit Saint Dane. Mieux vaut être sûr qu'un maximum de gars a atteint la cible.

Bobby sentit son estomac se serrer. Ils s'apprêtaient à commettre un génocide, mais en parlaient d'un ton tout naturel, comme s'ils commentaient les nouvelles sportives.

– Tenez-vous prêts, reprit Saint Dane en tournant les talons. Je reviendrai bientôt vous donner le signal du départ.

Et il s'en alla, suivi des autres klees. Les deux pilotes se détendirent et sourirent.

– On va devenir des héros ! s'écria le copilote enthousiaste. Tu crois qu'ils nous donneront une médaille ?

– Ne te monte pas la tête, dit le commandant. On verra une fois la mission réussie.

Il monta à bord du gig et s'assit sur le siège de gauche. Il actionna trois manettes et dit :

– Paré !

Le copilote fit un pas en arrière. Les trois hélices se mirent à tourner avec un vrombissement sourd. En un rien de temps, elles prirent de la vitesse dans un léger sifflement. Bobby s'étonna de voir comme elles étaient silencieuses. On aurait plus dit de puissants ventilateurs que les hélicoptères de Seconde Terre.

– C'est le moment, dit Kasha en s'avançant.

– Hé, pour quoi faire ? répondit Bobby.

– Pour voler le gig, bien sûr. (Elle jeta son lasso à Bobby.) Occupe-toi du copilote.

Et elle jaillit de leur cachette. Bobby attrapa maladroitement le lasso et la suivit.

– M'occuper du copilote ? marmonna-t-il. Ben voyons.

Tout en courant, Kasha ouvrit la sacoche contenant ses disques mortels. Les klees ne s'attendaient pas à ça. Kasha lança silencieusement le premier disque, qui atteignit le commandant à l'épaule. Il poussa un cri de douleur et regarda autour de lui, pris de court.

Bobby se précipita sur le copilote sans trop savoir ce qu'il allait faire. Il n'avait jamais manié de lasso auparavant. Il serra la corde près des trois boules. Le copilote allait se retourner pour voir ce qui se passait. Il fallait agir dès maintenant si Bobby voulait profiter de l'effet de surprise. Il lança son lasso qui s'enroula autour des jambes du klee, le faisant tomber.

Kasha s'empressa de jeter un autre disque au commandant, touchant son autre épaule. Le klee stupéfait tenta de faire partir le gig, mais il était trop tard. Kasha l'arracha littéralement à son siège et le jeta au sol.

Bobby, lui, ne savait plus quoi faire. Il saisit le bout du lasso et voulut courir autour du copilote en tentant vainement de le ligoter. C'était bien inutile : le klee reprit vite ses esprits et lui décocha un coup de griffe, le ratant d'un cheveu. Il n'était pas de taille à affronter un tel fauve.

Kasha grimpa dans l'hélicoptère. À peine fut-elle à moitié installée dans l'étroit habitacle que, déjà, elle mettait les gaz. Les hélices tournaient de plus en plus vite, et leur souffle balayait la plate-forme.

– Empêche-la de décoller ! cria le commandant blessé.

Le copilote se détourna de Bobby pour s'occuper de Kasha.

– Attention ! cria Bobby.

Trop tard. Kasha se concentrait sur les instruments du gig et ne s'attendait pas à se faire agresser. Le copilote l'arracha à son siège comme elle l'avait fait du commandant et, d'un effort prodigieux, l'envoya bouler vers le rebord de la plate-forme. Elle allait tomber dans le vide !

Bobby s'empara du lasso et courut vers elle. En chemin, il lui jeta les trois boules.

– Kasha ! cria-t-il.

Celle-ci tendit la main et attrapa la corde. À l'autre bout, Bobby planta fermement ses pieds dans le sol en espérant pouvoir tenir bon. La corde se tendit… et Kasha s'immobilisa à quelques centimètres de l'abîme. Bobby la ramena en sécurité. Aussitôt, une rafale de vent les gifla. Ils levèrent les yeux pour voir décoller le gig dirigé par le copilote. Les hélices latérales qui se tenaient parallèles au sol pivotèrent jusqu'à se retrouver à la perpendiculaire. Elles se mirent en mouvement à leur tour, puis l'hélico jaillit, filant droit vers Bobby et Kasha. Ceux-ci plongèrent au sol juste avant qu'il ne passe au-dessus de leurs têtes, les ratant de peu. Le petit appareil s'envola au-dessus de la ville de Lyandra, mit plein gaz et disparut.

Kasha et Bobby restèrent là, hors d'haleine, à regarder le gig rétrécir à l'horizon.

– Tu crois que les autres arriveront à temps ? demanda Kasha.

– Je n'en sais rien, répondit honnêtement Bobby.

Kasha se tourna vers les rangées de gigs. Bobby vit pétiller ses yeux comme si une idée venait de la frapper.

– Sors-moi un gig ! s'écria-t-elle en se relevant d'un bond.

– Hein ? Pourquoi ?

– Parce qu'on va se lancer à sa poursuite.

Bobby préféra ne pas évaluer leurs maigres chances de réussite. Il courut vers le premier gig venu, un vert, et vérifia que les cristaux étaient intacts avant de le pousser vers la plate-forme. Une fois près du bord, il vit que Kasha avait ligoté le commandant avec son lasso.

– Pourquoi fais-tu ça, Kasha ? demanda-t-il. C'est de la trahison !

– En tuant les gars, répondit-elle, vous précipiteriez la fin d'Eelong. Timber le sait très bien... C'est pour ça qu'il veut les exterminer. (Elle se tourna vers Bobby et ordonna :) Monte à bord.

Il obéit sagement et s'assit à la place du copilote. Kasha s'installa à la place du pilote et actionna les manettes. Les hélices se mirent à tourner.

– C'est de la folie ! insista le commandant klee. Pourquoi ferait-il une chose pareille ?

– Parce que c'est un monstre, répondit Kasha. Je te jure que c'est vrai.

Les hélices prenaient de la vitesse, secouant le petit appareil.

– Comment le sais-tu ? reprit le klee.

– Je suis allée à la Cité de l'Eau noire, lança Kasha. Les gars ont le moyen de sauver Eelong, mais uniquement si je peux empêcher Timber d'empoisonner leur ville.

– Tu t'en crois capable ? demanda Bobby.

– Eh bien, on ne va pas tarder à le savoir, non ? dit Kasha en s'emparant du manche à balai entre les deux sièges.

Elle tira dessus, les hélices vrombirent et, avec un léger soubresaut, le gig s'éleva. Bobby se cramponna instinctivement à son flanc. L'appareil se mit à planer au-dessus de la plate-forme. Kasha actionna une manette, et les deux rotors latéraux se mirent en position. Bobby comprit alors que l'hélice latérale soulevait l'appareil et que les deux autres assuraient sa propulsion.

– Prêt ? demanda Kasha.

– Toujours, répondit Bobby.

Kasha poussa le manche en avant. L'appareil quitta la plate-forme pour survoler Lyandra, à la poursuite du vaisseau porteur de mort.

EELONG

La ceinture solaire avait dépassé l'horizon. Le jour s'était levé sur Eelong.

Les cavaliers apportant les bidons d'antidote à la Cité de l'Eau noire étaient presque à la fin de leur mission. Ils étaient arrivés à la piste rocailleuse sinuant à flanc de montagne. Gunny ouvrait toujours la marche, suivi de Boon et Mark, puis Courtney, enfin Spader. Ils approchaient de la crevasse qui les mènerait aux chutes d'eau. Tous étaient épuisés, avaient mal partout et redoutaient une nouvelle attaque des tangs ; mais plus ils s'élevaient, plus ils étaient sûrs que Spader avait raison – ils avaient réussi. En regardant en contrebas vers la vallée aride qu'ils avaient traversée au galop, ils distinguaient le commencement de la première vague des gars. Mais ils en auraient encore pour des heures avant d'atteindre la Cité de l'Eau noire.

– On y est presque, lança Gunny aux autres. Il est temps de penser à ce qu'on va faire une fois qu'on sera arrivés.

– Pourquoi pas un massage ? lança Courtney. J'ai les fesses en compote.

Personne ne rit.

– D'accord, c'était pas drôle, ajouta-t-elle.

– Boon, reste près de moi, dit Gunny. Ils se méfient des klees.

– Compris, répondit-il.

Gunny fut le premier à accéder à l'étroite fissure creusée à même la roche.

– C'est là, s'écria-t-il. Restez en colonne. On verra une fois de l'autre côté.

Gunny s'engagea dans la faille, Boon et Mark sur ses talons. Mais à peine étaient-ils entrés que quelque chose effraya le zenzen de Boon. La bête se dressa sur ses pattes de derrière en hennissant d'un ton plaintif. Mark dut se cramponner à la taille de Boon, ou il serait tombé.

– Hé là ! Du calme ! fit Boon.

– Qu'est-ce qui lui prend ? demanda Mark.

– Je ne sais pas. Il est peut-être claustrophobe.

Boon reprit le contrôle de sa monture et la guida vers l'intérieur de la crevasse. Courtney le suivit, puis Spader. Ils progressèrent dans l'étroit couloir en tentant de ne pas s'égratigner contre les parois, comme Bobby avant eux. Boon avait bien du mal à tenir son zenzen. L'animal ne cessait de renâcler comme s'il ne voulait pas avancer.

– Il commence à m'inquiéter, fit Mark.

Courtney commençait à avoir du mal à contrôler sa monture, elle aussi. La bête s'arrêta net et refusa de repartir.

– Allez ! cria-t-elle. Ho ! Bouge !

Mais pas moyen de la faire avancer.

Boon et Mark continuèrent leur chemin. Spader s'arrêta juste derrière Courtney et dit :

– Ils sont peut-être fatigués et rien de plus. On leur en a trop demandé.

– Moi aussi, je suis crevée, répondit Courtney. Et pourtant, je ne me plains pas. Allons, mon grand, on y est presque !

Elle éperonna sa monture, qui refusa obstinément de bouger. De son côté, Mark se retourna pour constater qu'ils laissaient Spader et Courtney en arrière.

– Peut-être que si vous descendiez de cheval et les faisiez avancer, ils vous suivraient ! lança-t-il.

Soudain, quelque chose lui heurta le crâne. Rien de bien douloureux : ce n'était qu'un petit caillou tombé d'un point situé au-dessus de lui. Mais cela suffit à lui faire lever les yeux. Et ce qu'il vit faillit le faire tomber de son bout de selle.

Là, au sommet de la crevasse, une meute de tangs les surveillait. D'abord, Mark en resta sans voix. Mais lorsqu'il constata que ces bêtes poussaient de gros rochers vers le bord de la fissure, son cerveau se remit en marche.

– Les tangs ! hurla-t-il au moment même où les rochers basculaient dans leur crevasse.

Tout le monde leva les yeux pour voir une avalanche rebondir le long des parois – droit vers eux. L'un des rochers visait directement Mark. Il se pencha sur Boon, si bien que le missile évita sa tête, mais frappa le bidon accroché à son dos, le déséquilibrant. Il allait s'étaler par terre lorsque Mark le retint.

– Vite ! cria Gunny.

Il éperonna son zenzen, qui partit au galop pour échapper à la chute de pierres. Boon et Mark foncèrent derrière lui. Leur monture partit si vite que Mark faillit chuter une fois de plus. D'autres pierres tombèrent en pluie. Courtney ne savait que faire. Si son zenzen décidait de reculer, ils se feraient écraser tous les deux. Mais il n'y avait pas de marche avant ou arrière sur un animal. Elle était fichue.

– Saute ! lança Spader.

Trop tard. L'amas rocheux s'abattit sur le sol devant eux, faisant se cabrer la monture de Courtney. Celle-ci ne s'y attendait pas et fut éjectée de la selle pour se retrouver à terre. Le bidon qu'elle portait lui rentra dans le dos, lui arrachant un petit cri de douleur. Spader descendit de cheval pour aller l'aider.

Les tangs continuaient de leur jeter de grosses pierres, mais ce n'était pas le pire. Le zenzen de Courtney s'était emballé. Il ne cessait de se cabrer dans l'étroit espace, martelant le sol pour se redresser sur ses pattes de derrière, fou de terreur. Courtney et Spader craignaient davantage de se faire piétiner que d'être écrasé par les pierres. L'animal se tortilla pour se retrouver face à Spader et Courtney.

– Debout ! cria Spader en relevant Courtney de force.

Le zenzen bondit en une tentative désespérée d'échapper à l'avalanche. Spader poussa sans douceur Courtney sur le côté. Tous deux s'aplatirent contre le mur, s'attendant à être écrasés par la bête paniquée. Mais celle-ci se contenta de les effleurer pour foncer vers la monture de Spader ! Les deux zenzens se cabrèrent comme s'ils voulaient se battre. Le zenzen de Spader se dressa sur les pattes de derrière pour se défendre à l'aide de ses sabots. Spader et Courtney se retrouvèrent coincés entre les deux belligérants d'un côté et une avalanche de pierres de l'autre.

Le zenzen de Courtney lutta avec l'énergie du désespoir et repoussa celui de Spader, puis l'envoya bouler sur le dos avant de foncer vers l'entrée de la crevasse. Le second animal battit frénétiquement des pattes, puis se redressa, comprit qu'il était libre et courut à son tour vers la sortie, laissant Courtney et Spader seuls… sous un déluge de pierres ! La poussière était si dense qu'ils n'y voyaient goutte.

– Il faut qu'on bouge ! cria Spader par-dessus le rugissement de l'avalanche.

Courtney acquiesça. Elle avait repris ses esprits. Tous deux se reculèrent pour échapper au danger. Quelques secondes plus tard, tout fut terminé. Les grondements de tonnerre se turent. Couverts de bleus et de coupures, Spader et Courtney se levèrent et attendirent que l'épais nuage de poussière retombe.

– C'était un piège ! fit Courtney entre deux quintes de toux. Ils nous attendaient pour nous balancer ces rochers dessus !

– Ne t'en fais pas, répondit Spader. Ils nous ont ratés.

Mais lorsque la poussière retomba, même Spader eut du mal à rester positif.

– C'est vrai qu'ils nous ont ratés, fit Courtney d'une voix mal assurée, mais je ne suis même pas sûre qu'ils cherchaient à nous atteindre.

En effet. L'avalanche avait bloqué le passage menant à la Cité de l'Eau noire. Courtney et Spader ne pourraient jamais suivre les autres. Le cratère était scellé pour de bon.

– Et maintenant, qu'est-ce qu'on fait ? demanda Courtney.

C'est alors qu'ils entendirent un autre bruit, comme si un ultime rocher était tombé. Sauf que celui-ci se trouvait derrière eux.

– Oh, oh, dit Courtney. Est-ce qu'ils ne chercheraient pas à nous coincer ici… ?

Tous deux se retournèrent lentement. Ce n'était pas un pan de roche qui s'était abattu derrière eux. C'était un tang. Et il se dressa devant eux en montrant les dents d'un air agressif, leur barrant le chemin.

Gunny tira sur les rênes de son zenzen pour l'arrêter, bien qu'ils soient encore au beau milieu de la crevasse. Boon et Mark s'immobilisèrent juste derrière lui.

– C'étaient les t-t-tangs ! hoqueta Mark. Si j-j-je n'avais pas levé les yeux…

Il ne finit pas sa phrase. Ils savaient tous ce qui se serait passé. Ça n'aurait pas été beau à voir. Tous se retournèrent dans l'espoir de voir arriver Spader et Courtney.

Gunny descendit de selle.

– Attendez-moi là, dit-il.

Il courut jusqu'au monticule créé par l'avalanche. Il ne pouvait espérer le franchir : il retourna donc aux côtés des autres.

– Où s-s-sont-ils ? demanda Mark.

– La crevasse est bouchée, dit Gunny.

Mark sentit la panique monter en lui.

– Ils sont indemnes ? glapit-il. Le zenzen de Courtney n'a rien voulu savoir ! Elle peut…

– Je ne sais pas ce qui leur est arrivé, dit fermement Gunny. Je pense qu'il y a toutes les chances qu'ils ne soient pas blessés, mais coincés de l'autre côté.

– Tu sais ce que ça signifie ? fit nerveusement Boon.

– Oui, répondit Gunny en remontant en selle. Ça veut dire qu'il ne reste plus qu'un bidon d'antidote, et qu'il ne sert à rien de s'incruster ici. Allons-y !

Gunny éperonna son zenzen et partit au trot vers le cratère des cascades. Boon se tourna vers Mark :

– Garde ce bidon au péril de ta vie.

Soudain, la terrifiante réalité apparut à Mark. L'avenir d'Eelong, voire de Halla, était accroché à son dos. À cette idée, son estomac se retourna.

Bobby et Kasha prirent de l'altitude au fur et à mesure qu'ils s'éloignaient de Lyandra. Bobby se rappela de la dernière fois qu'il avait emprunté un engin volant, l'hydravion de Jinx Olsen en Première Terre[1]. Heureusement, le gig était un peu plus

1. Voir Pendragon n° 3, *La guerre qui n'existait pas*.

confortable. Les hélices émettaient un bourdonnement pas déplaisant évoquant plutôt un ventilateur. C'était toujours mieux que d'être secoué sous le moteur d'un appareil de 1937. Dans son souvenir, Jinx et lui devaient hurler pour se faire entendre par-dessus le fracas de l'antique propulseur. En comparaison, il avait l'impression de flotter dans une gondole aérienne. Il vit qu'à chaque fois que Kasha manipulait le manche, les hélices bougeaient légèrement. C'était leur position qui dirigeait le gig. Il aurait presque profité de la balade… sauf qu'ils pourchassaient un autre hélico contenant assez de poison pour détruire un territoire entier.

Depuis le départ, Bobby n'avait pas dit grand-chose. Il préférait ne pas distraire Kasha de ses commandes. Mais maintenant qu'ils étaient bien partis, il avait des choses à lui dire.

– Tu te souviens du chemin de la Cité de l'Eau noire ? demanda-t-il.

– Ne t'en fais pas.

Bobby acquiesça. Il aurait préféré ne pas poser la question suivante, mais n'avait pas le choix.

– Que va-t-on faire quand on l'aura rattrapé ?

Kasha effectua quelques manipulations et vérifia qu'ils suivaient bien le bon cap. Bobby n'aurait su dire si elle cherchait à éluder la réponse. Ou si elle ne voulait pas lui dire la vérité.

– Tu as fait ton travail, Pendragon, finit-elle par dire.

– Que veux-tu dire ?

– Que tu m'as convaincu. Ça a pris du temps, mais ça y est. Maintenant, je sais qu'il faut empêcher Saint Dane de nuire.

– C'est bien. Mais… comment va-t-on s'y prendre ?

Kasha s'éclaircit la gorge. Tout en regardant droit devant, elle dit :

– Je vais rattraper ce gig et l'abattre. Peu importe si ce poison se diffuse dans la jungle, tant qu'il n'atteint pas l'Eau noire !

– D'accord, reprit Bobby, c'est bien vu. Mais… comment ? Ce machin n'est pas armé, non ?

Kasha préféra éviter de répondre et posa à son tour une question :

– Dis-moi, Pendragon, est-ce vraiment si important ? Je veux dire, si le pire devait arriver et que Saint Dane détruisait Eelong, qu'est-ce que ça signifierait pour le reste de Halla ?

Bobby haussa les épaules.

– Je l'ignore. Je pense qu'après avoir ravagé Veelox, Saint Dane a gagné en puissance. J'imagine que s'il ajoute Eelong à son palmarès, il en acquerra encore davantage et sera encore plus dur à arrêter.

– Et si personne ne l'arrête ? S'il réussit et prend le contrôle de Halla ? Qu'est-ce qui va se passer ?

– Je me suis posé la question un million de fois, répondit Bobby. Je n'ai entendu que des bribes et suis loin d'avoir tout compris, mais je pense qu'il y a une puissance infiniment supérieure qui influence Halla. Une force positive. C'est ce qui fait que tout fonctionne. Ne me demande pas ce que je veux dire par là, parce que moi-même, je ne suis sûr de rien. Mais je crois que c'est la clé de cette guerre contre Saint Dane. Il tente de détruire ce qui fait fonctionner tout le bastringue. C'est bien plus important que les problèmes d'un territoire en particulier. D'après moi, si Saint Dane prend le dessus, l'ordre naturel sera bouleversé. Je ne sais pas trop ce que ça peut impliquer, mais certainement rien de bon.

Kasha y réfléchit un moment, puis dit :

– Donc, si tu dis vrai, empêcher Saint Dane de nuire est ce qu'il y a de plus important dans l'histoire de… euh, de l'univers entier.

– Oui, on peut voir les choses comme ça.

– Alors ça vaut la peine de risquer sa vie, répondit-elle.

Bobby lui jeta un coup d'œil étonné. Il avait eu bien du mal à convaincre Kasha de l'importance de sa mission de Voyageuse, mais à présent qu'elle avait compris ce qu'il en était, elle en avait une vision plus claire que n'importe lequel d'entre eux. Personne ne lui avait jamais présenté les choses de cette façon. Kasha n'était pas en quête d'aventure, ou de vengeance ; elle ne jouait pas son rôle par défaut, parce qu'elle n'avait pas le choix. De tous les Voyageurs, elle était celle qui croyait à leur mission au point d'accepter de se sacrifier pour elle. Aussitôt, une question s'imposa dans l'esprit de Bobby : était-il prêt à faire de même ?

– Ça veut dire que tu ne peux poser ce gig sans nous tuer tous ?

Kasha regarda droit devant elle et fronça les sourcils.

– Le voilà, annonça-t-elle.

Bobby scruta le ciel. Il ne tarda pas à repérer une petite tache jaune dans le lointain. En effet, ils rattrapaient l'hélicoptère et sa cargaison mortelle.

Le tang fit reculer Spader et Courtney jusqu'à ce qu'ils se retrouvent dos au mur. Tous deux sentirent l'odeur putride qu'il émettait juste avant la curée.

– On est à deux contre un, remarqua Courtney.

– Ça pourrait être pire, répondit bravement Spader.

Trois autres tangs atterrirent à leur tour, faisant sursauter Courtney.

– Euh… maintenant, c'est pire, fit-elle remarquer d'une petite voix.

Les tangs s'avancèrent deux par deux. Leur puanteur lui donnait la nausée.

– Alors c'est la fin ? fit-elle.

– Peut-être, répondit Spader, mais on ne va pas se laisser dévorer sans combattre !

D'un geste fulgurant, Spader passa ses deux mains dans son dos, saisit les lanières de son harnais, puis fit glisser le tout par-dessus sa tête. Le bidon heurta le sol assez violemment pour casser le robinet. Un jet de liquide sous pression jaillit comme d'une lance de pompiers. Sous cette douche inattendue, les tangs rugirent et battirent en retraite. Les bêtes battirent des bras comme pour chasser le relent chimique… puis tournèrent les talons et s'enfuirent.

– On les tient ! s'exclama Spader avant de se lancer à leur poursuite, Courtney sur leurs talons.

Spader continua de diriger le jet vers les lézards en fuite. Lorsqu'ils atteignirent l'embouchure de la crevasse, ils ne s'arrêtèrent pas pour autant, sautant par-dessus le rebord pour dévaler la pente escarpée de la montagne afin de leur échapper. Spader continua à les asperger jusqu'à ce qu'il se trouve à court de produit.

– C'était génial ! s'exclama Courtney. Comment as-tu pu deviner que ça allait marcher ?

– Oh, je n'en savais rien ! répondit-il avec un petit rire. Simple coup de chance. (Spader jeta le bidon vide.) Sauf qu'il ne nous en reste plus que deux en réserve.

– Correction, contra Courtney. On n'en a plus qu'un, celui de Mark. Le mien ne servira à rien si on ne peut pas l'amener à l'Eau noire.

Spader posa ses mains sur ses hanches et regarda la crevasse. Puis son regard dériva vers les pentes escarpées et rocailleuses de la montagne.

– À quoi penses-tu ? demanda Courtney.

– Ces vilains-pas-beaux ont bien dû trouver un moyen d'arriver jusque ici.

– Tu rigoles ? Tu veux nous faire escalader cette montagne ?

– Eh bien, comme tu l'as dit toi-même, ce bidon ne servira pas à grand-chose s'il est coincé ici.

Courtney leva les yeux en s'imaginant grimper sur la paroi abrupte. À Stony Brook, elle avait plus d'une fois fait des exercices de varappe, et elle se débrouillait plutôt bien. Mais elle avait toujours un harnais de sécurité. Plus un grand matelas au sol.

– Si c'est au-delà de tes forces, dit Spader, je peux m'en charger.

Courtney Chetwynde ne s'était jamais dégonflée, quoi qu'il arrive. Et ce n'était pas maintenant qu'elle allait commencer.

– Je prends la tête, dit-elle avant de s'avancer droit sur la paroi rocheuse.

EELONG

Le petit gig jaune ne cessait de croître au fur et à mesure que Bobby et Kasha s'en rapprochaient. En regardant en contrebas, Bobby vit des milliers de gars suivant le chemin qui les mènerait à l'Eau noire. On aurait dit une armée de fourmis, toutes mues par la même volonté. Il donna un petit coup de coude à Kasha et désigna le sol.

– C'est vraiment incroyable, reconnut-elle.

Droit devant, ils commençaient à apercevoir la ligne bleue des montagnes abritant la Cité de l'Eau noire.

– Ne t'en fais pas, dit Kasha, on va le rattraper.

– Et après ? demanda Bobby.

Kasha ne répondit pas. Bobby eut soudain la certitude qu'elle mijotait de lancer son gig contre leur cible, tel un kamikaze. Une idée terrifiante, certes, mais si c'était le seul moyen d'arrêter Saint Dane, cet acte était peut-être nécessaire. Pourvu que Kasha soit assez bonne pilote pour poser leur propre gig lorsqu'il serait endommagé par la collision. En tout cas, une chose était sûre : il n'y avait pas de parachutes à bord. Il ne pourrait s'en sortir en sautant comme de l'avion de Jinx Olsen. Si le gig tombait, ils s'écrasaient avec lui.

Ils étaient assez près pour que Bobby voie l'autre pilote baisser les yeux, sans doute pour déchiffrer la carte de Seegen et la comparer au terrain. Apparemment, il ne pensait qu'à sa mission et n'envisageait même pas qu'on puisse le suivre. Kasha resta alignée juste derrière lui afin qu'il ait moins de chance de les repérer s'il jetait un coup d'œil en arrière.

– Je ne veux pas lui rentrer dedans, dit Kasha comme si elle lisait les pensées de Bobby. Mais s'il le faut, je n'hésiterai pas. On a une chance de survivre, mais je n'y compterais pas trop.

– Moi non plus. Y a un plan B ?

– Les gigs transportent une trousse à outils sous le fuselage, expliqua Kasha. C'est là qu'on range les filets et d'autres instruments tranchants.

– On peut y accéder en vol ?

– Non, répondit Kasha avec un sourire rusé, mais on peut les larguer. Je me demande ce qui se passerait si ce lourd paquet frappait l'hélice principale ?

Bobby eut un soupir de soulagement. Kasha ne comptait donc pas jouer les bombardiers-suicide. En effet, son plan était tout à fait rationnel.

– Ça me plaît bien. Tu crois pouvoir te positionner au-dessus de lui ? Il va sacrément vite.

– Je le rattrape quand je veux, affirma Kasha. J'attendais seulement de survoler… ça.

Elle désigna le grand lac qu'ils avaient contourné lors de leurs précédents voyages vers la Cité de l'Eau noire.

– Mieux vaut qu'il s'écrase dans l'eau plutôt que de tomber sur le crâne d'un malheureux gar.

Bobby eut un petit rire. Pas de doute, elle pensait à tout.

– Attache ta ceinture, dit-elle. Ça va secouer.

Bobby s'empressa de passer l'espèce de harnais incorporé dans le siège. Kasha fit de même. Le pilote klee s'approchait des rives du grand lac. Lorsqu'il passerait au-dessus de l'eau, ils auraient leur chance. Ensuite, l'appareil survolerait à nouveau la horde des gars. Il était temps de passer à l'action. Kasha mit les gaz à fond. Bobby sentit vibrer le gig. Jusque-là, il croyait qu'ils étaient à pleine vitesse, mais il se trompait. Le petit engin accéléra avec une puissance telle que Bobby en resta collé à son siège. Kasha tira sur le manche pour s'élever au-dessus de l'autre gig. Tout était question de minutage. Ils devaient larguer leur charge avant que le pilote n'ait pu remarquer leur manège. Puis ils n'auraient plus qu'à espérer faire mouche.

Bobby retint son souffle. La distance entre les deux appareils s'amenuisait. Ils n'étaient plus qu'à quelques mètres du gig jaune lorsque Kasha abattit une manette sur son tableau de bord. Bobby entendit un bruit mécanique et l'appareil eut un soubresaut. Il pensa à ce qui se passe lorsqu'un avion de ligne sort son train d'atterrissage. Kasha devait avoir ouvert la trappe à outils.

Une main sur le manche à balai et l'autre sur ses instruments, Kasha fit accélérer leur engin, ajustant les hélices d'une main experte. Le cœur de Bobby s'emballa. Ils allaient réussir !

Mais Kasha avait oublié un détail : la bande solaire. Elle se trouvait derrière eux. À peine s'étaient-ils élevé au-dessus du gig adverse que leur ombre les trahit. Le klee la remarqua et jeta un coup d'œil en arrière. Pour l'effet de surprise, c'était raté.

– Lâche les outils ! cria Bobby.

– On n'est pas au-dessus de lui ! rétorqua-t-elle.

Aussitôt, le klee plongea vers la gauche. Kasha ne se laissa pas démonter et le suivit. L'estomac de Bobby se souleva. Maintenant, ils étaient lancés aux trousses de leur proie. Le pilote klee était doué. Il tenta plusieurs manœuvres rapides pour chercher à les semer. Mais Kasha le talonnait. On aurait dit deux chasseurs en plein combat aérien.

– Ne le perds pas de vue ! ordonna Kasha.

Le klee interrompit brutalement son piqué pour monter en chandelle. Kasha ne s'en laissa pas conter et suivit la manœuvre. La montée fut si rude que les g les collèrent à leurs sièges. La nuque de Bobby heurta son appuie-tête. On aurait dit qu'un poids de seize tonnes venait de tomber sur ses genoux. Seuls ses yeux pouvaient encore bouger.

– Regarde ! cria-t-il.

Soudain, l'appareil du klee se mit à tomber en chute libre, tourbillonnant vers le sol comme s'il était en panne.

– Que se passe-t-il ? demanda Bobby. Il va s'écraser ?

– Non, il a coupé ses rotors, répondit Kasha. Il est doué. Mais je suis meilleure que lui.

Cette fois, Kasha n'imita pas la manœuvre. Au contraire, elle plongea tout en mettant les gaz à fond. Soudain, ils eurent l'impression de ne pas peser plus qu'une plume. Puis Bobby lutta contre la nausée. Il regarda autour de lui. Pas moyen de trouver le gig jaune.

– Où est-il ? cria Bobby.

Kasha aussi l'avait perdu de vue. Elle tourna frénétiquement la tête, puis cria :

– Là !

Le gig avait remis plein gaz. Il avait redressé et viré de bord pour repartir – dans la direction opposée. Il fonçait vers Lyandra.

– Il fait demi-tour ! fit Bobby. Il abandonne !

Kasha étudia leur proie en cherchant à deviner ce qu'il mijotait.

– Il sait qu'il ne peut pas se débarrasser de nous, pas avec ce lourd bidon pour le ralentir.

– Voilà ! C'est pour ça qu'il préfère rentrer.

Sous leurs yeux, l'appareil descendit vers le sol jusqu'à frôler les cimes des arbres. Les hélices latérales se remirent à l'horizontale, parallèles au fuselage, ce qui le ralentit considérablement.

– Pourquoi perd-il de la vitesse ? demanda Bobby.

– Parce qu'il n'a pas l'intention de retourner à Lyandra. Il se prépare à faire une sortie.

– Qu'est-ce que tu veux dire ?

– Il se met en position pour lâcher son engrais.

– Mais pourquoi...

Bobby ne finit pas sa question. La réponse venait de lui apparaître. Le pilote klee savait ne pas avoir la moindre chance d'échapper à Kasha. Il allait donc remplir au moins une partie de sa mission. S'il revenait en arrière, c'était pour larguer le poison sur les milliers de gars qui arpentaient le sol !

Gunny sortit de la crevasse sur son zenzen et contempla le cratère. Boon et Mark étaient juste derrière lui.

– Ouah ! réussit à dire Mark en voyant pour la première fois la vallée boisée et les sept cascades alimentant le lac.

La bande solaire avait dépassé le rebord du cratère et inondait le plan d'eau de lumière, faisant scintiller les chutes d'eau.

– C'est encore plus beau que ne l'avait dit Pendragon, remarqua Boon. Laquelle donne sur l'entrée de la Cité de l'Eau noire ?

– La deuxième cascade sur la droite, répondit Gunny.

– Il ne vaut pas mieux attendre Courtney et Spader ? demanda Mark.

Gunny fronça les sourcils.

– On ne peut pas courir ce risque. On ne sait pas combien de temps il nous reste. Désolé, Mark.

Cette réponse l'attristait, mais il préféra ne pas discuter. La simple idée d'abandonner Courtney le rendait malade. Une vague de culpabilité monta en lui – après tout, c'est lui qui l'avait entraînée dans cette histoire –, mais il la repoussa. Il savait qu'il ne pouvait regarder en arrière, du moins pas maintenant. Ils devaient mener l'antidote à l'Eau noire.

– Restez groupés, dit Gunny. On y est presque.

Il força son zenzen épuisé à descendre la pente escarpée menant au cratère. Les bêtes de Boon et Mark étaient tout aussi crevées : ils laissèrent donc faire la gravité. Ils n'étaient plus très loin du lac lorsqu'ils atteignirent une forêt de plus en plus dense.

– Une fois arrivés à la Cité de l'Eau noire, expliqua Gunny, nous irons trouver Aron. Il faudra lui expliquer la situation et le convaincre de…

Gunny ne finit pas sa phrase.

Le tang ne lui en laissa pas le temps.

Soudain, la bête jaillit des épais taillis et le fit tomber de sa selle.

– Gunny ! cria Mark en le voyant heurter le sol.

Boon sauta aussitôt au bas de sa monture pour lui venir en aide. En cours de route, il donna une tape sur la croupe de l'animal et cria « Yaaaaah ! ». Le zenzen bondit, emportant Mark.

– Va-t-en ! lui lança Boon.

Mark s'aplatit pour se cramponner à la selle et ne pas se rompre le cou. Il jeta un bref coup d'œil en arrière pour voir Boon se jeter sur le tang. Mais ce geste le déséquilibra, et il faillit tomber une fois de plus. Il se tourna à nouveau alors que le zenzen affolé entrait dans la forêt. Ses doigts se crispèrent sur la selle. Des branches le fouettèrent, lacérant ses bras et ses jambes. L'animal était épuisé, mais la surprise et la peur lui avaient donné un second souffle. Mark savait qu'il devait le maîtriser avant qu'il le jette à terre ou qu'ils ne percutent un arbre. De sa main droite, il se cramponna encore plus étroitement à la selle et essaya de lâcher prise de la gauche. Il comptait s'emparer des rênes, mais elles rebondissaient sur l'échine du zenzen, hors d'atteinte.

S'il voulait s'en emparer, il lui faudrait avancer et, pour ça, lâcher la selle.

Une branche frappa l'épaule de Mark et faillit le faire tomber. Voilà qui acheva de le convaincre. Il devait passer à l'action. Il tira sur la selle et passa ses jambes endolories vers l'avant. Ses cuisses enserrèrent les flancs du zenzen alors qu'il cherchait à atteindre les rênes. Sa poitrine heurta l'échine de la bête, repoussant sa tête en arrière si violemment qu'il faillit se mordre la lèvre, mais il réussit à s'emparer des rênes.

– Ho ! cria-t-il en tirant dessus.

Le zenzen ne s'arrêta pas. Mark tira plus fort, mais ils continuèrent leur course folle à travers la forêt. Finalement, Mark enroula les lacets de cuir autour de ses poignets et se laissa aller en arrière, y mettant tout son poids.

– J'ai... dit... *ho !*

Le zenzen se cabra, renâcla, puis finit par s'arrêter. Mark se laissa tomber sur la selle, épuisé, mais en un seul morceau. Il palpa le bidon : celui-ci n'avait pas bougé. Il était toujours dans la course. Il regarda autour de lui pour constater qu'il était perdu au milieu de la forêt. Il n'aurait su dire combien de temps avait duré sa course folle, mais il était à des kilomètres de l'endroit où Gunny avait été attaqué. En levant les yeux, il constata qu'en fait, il n'était pas si loin de leur destination – la base de la cascade menant à la Cité de l'Eau noire. Il savait ce qui lui restait à faire. Il devait apporter l'antidote à Aron.

Mais Gunny était peut-être blessé. Tout comme Boon. Et pour tout dire, il avait peur de continuer sans eux. Ainsi, plutôt que partir vers la cascade, il s'empara des rênes comme il avait vu Boon le faire des heures durant. Le zenzen lui obéit. Il était trop fatigué pour lutter. Il vira de bord, Mark l'éperonna et ils repartirent vers l'endroit de l'attaque.

Courtney escaladait l'amas de roche avec autant d'assurance que si elle faisait de la varappe sur le mur d'entraînement de son lycée. Elle ne manquait pas d'appuis pour ses doigts et ses pieds. Ses chaussures de Cloral valaient presque des bottes d'escalade. Elles n'offraient pas grand-chose en termes de protection, mais leurs semelles élastiques lui permettaient de mieux sentir le terrain.

Spader la suivait, faisant de son mieux pour tenir le rythme sans prendre trop de risques. Il n'avait pas son expérience, mais compensait son manque de technique par sa force supérieure.

– Il n'y a qu'une seule règle d'or, lui lança Courtney. Ne pas s'arrêter, ne pas regarder en bas.

– Ça fait deux règles, fit remarquer Spader.

Tous deux s'efforçaient de ne pas penser à ce qui arriverait en cas de faux pas.

– Comment les tangs ont-ils pu arriver jusque-là ? demanda Courtney. Je croyais qu'ils ne pouvaient pas grimper.

– Il y a peut-être un autre chemin plus facile ? suggéra Spader.

– Alors pourquoi est-ce qu'on ne l'a pas emprunté ?

– Parce qu'on n'avait pas le temps de le chercher, répondit Spader. On ne pourrait pas penser à escalader ce machin au lieu de se demander ce qu'on aurait dû faire ?

– Ne reste pas juste en dessous de moi, conseilla Courtney. On ne sait jamais.

Spader ne la comprenait que trop. Si elle tombait, elle l'entraînerait dans sa chute.

– Ça fait trois règles, remarqua-t-il. Te voilà bien autoritaire.

Néanmoins, il resta juste en dessous d'elle. Si elle venait à glisser, il ferait de son mieux pour la rattraper… ainsi que le bidon d'antidote qu'elle portait.

– Il nous reste une chance, dit Kasha.

Elle fit partir le gig en chandelle. La manœuvre fut si brutale que Bobby eut l'impression de tomber en chute libre. Elle se cramponna à son manche à balai tout en suivant sa proie des yeux. Le gig jaune descendait vers le lac, prêt à larguer sa charge mortelle sur les gars. Mais sans ses hélices latérales, il volait plus lentement. Kasha abaissa encore davantage le nez de l'appareil, gagnant de la vitesse, faisant trembler le petit appareil. Bobby agrippa nerveusement le rebord du cockpit, même s'il savait que cela ne servirait à rien.

– Tu peux redresser ce machin, hein ? demanda-t-il.
– Je crois. Je n'ai encore jamais essayé.
Bobby avala sa salive.
– Le plus dur sera de minuter la descente, ajouta-t-elle. Parce qu'on n'aura pas de seconde chance.
– Alors réussis du premier coup, fit Bobby.
Kasha lui jeta un regard torve, puis se tourna à nouveau vers leur cible qui survolait toujours le lac en rase-mottes. Le pilote ne cessait de regarder par-dessus son épaule pour voir si ses poursuivants se rapprochaient.
– S'il lâche le poison maintenant, remarqua Bobby, les victimes se compteront par milliers.
– Tiens bon, répondit Kasha.
Elle redressa leur appareil. Une fois de plus, l'accumulation des g les cloua à leurs sièges. Elle mit les gaz à fond. Ils passèrent en trombe au-dessus du lac, gagnant rapidement du terrain sur le gig jaune. Bobby regarda la main couverte de fourrure de Kasha posée sur le manche. Apparemment, elle luttait pour garder le contrôle de l'appareil.
– Encore un peu… Encore un peu…, murmurait-elle d'un ton enjôleur.
Le gig jaune se rapprochait du rivage. En quelques secondes, il survolerait la terre, à portée des gars.
– Tu vois ce levier sous le tableau de bord ? fit-elle entre ses dents serrées.
Bobby baissa les yeux et vit un levier noir et incurvé jaillissant du plancher.
– Ouais, répondit-il.
– À mon signal, tire dessus.
Bobby l'empoigna à deux mains.
– C'est d'accord.
Le pilote du gig jaune se concentrait entièrement sur sa mission. Ils étaient si près des gars que Bobby pouvait voir leurs visages. Il savait qu'en quelques secondes, ils pourraient tous être décimés. Kasha poussa sur son manche à balais. Cette pointe de vitesse les amena juste au-dessus du gig.
– Vas-y ! cria Kasha.

Bobby tira sur le levier et entendit un cliquètement de métal immédiatement suivi par un horrible grincement. Kasha tira à nouveau sur son manche et l'appareil monta en chandelle. Bobby lutta contre les g pour regarder s'ils avaient atteint leur cible.

La réponse était oui. L'amas d'outils était tombé droit sur les hélices du gig jaune et les avait mises en pièces.

– En plein dans le mille ! s'écria Bobby.

Le filet s'était entortillé autour de deux des rotors. Ils n'étaient pas totalement détruits, mais ne pouvaient plus tourner. Le gig n'était plus qu'une enclume. Le klee se débattit pour sortir de son cockpit et se jeta par-dessus bord. Il préférait être le plus loin possible de l'endroit où s'écraserait le bidon de poison. Le pilote tomba comme une pierre et creva la surface du lac bien avant son appareil. Bobby le vit plonger, puis émerger à nouveau et nager frénétiquement vers le rivage. Les hélices endommagées continuèrent de tourner, faisant bouillonner l'eau comme le moteur d'un hors-bord. L'appareil se renversa et coula à pic.

Kasha et Bobby survolèrent les gars étonnés qui les montraient du doigt comme s'il s'agissait d'une sorte de dinosaure volant. Ils ne savaient pas qu'ils étaient passés à un cheveu d'une mort horrible. Kasha passa au-dessus de l'endroit où le gig s'était abîmé dans les flots. Seules quelques rides désignaient l'emplacement de l'accident.

– Tu crois que le bidon s'est fissuré ? demanda Bobby.

– Peut-être pas. Ils sont assez solides.

Finalement, Bobby eut un soupir de soulagement et dit :

– Tu es sacrément douée.

Kasha lui décocha un sourire satisfait.

– Alors c'est tout ? C'était ça, le plan de Saint Dane ?

Bobby réfléchit longuement avant de répondre :

– C'est possible. Mais à chaque fois que je crois en avoir fini, Saint Dane tire une nouvelle carte de sa manche.

– Alors, que doit-on faire ? Retourner à Lyandra ?

– Il lui reste encore neuf bidons de poison, répondit Bobby. Alors oui, on retourne à Lyandra.

Kasha fit virer son gig pour prendre une trajectoire qui les mènerait à la ville.

– J'espère qu'on ne devra pas remettre ça neuf fois, fit-elle en mettant plein gaz.

Mark prenait un cours d'équitation accéléré... et en autodidacte, qui plus est. Après avoir lutté pour comprendre comment diriger l'animal et manquer de s'enrouler autour d'un arbre, il finit par s'y faire. Heureusement, le zenzen était trop épuisé pour se rebeller. Mark commença par décrire de grands cercles sans trop savoir où il allait, et mit une bonne demi-heure avant de retrouver l'endroit où le tang les avait attaqués.

Pour toute trace de l'agression, il ne restait qu'un morceau de tissu déchiré sur le sol. Pas de Gunny, pas de Boon. Assis à califourchon sur sa monture, Mark se sentit plus seul qu'il ne l'avait jamais été.

« Ce n'est pas ce qui était écrit », se dit-il.

Mark avait mille fois rêvé de rejoindre Bobby dans sa lutte contre Saint Dane. Mais il ne s'était jamais vu ainsi, perdu, tout seul, craignant pour la vie de Courtney, portant dans son dos le moyen de sauver un territoire tout entier. Il ne savait que faire. Il avait envie de pleurer.

C'est alors qu'il entendit un bruit. En fait, il avait toujours été là ; ce n'était que maintenant qu'il le remarquait. Une sorte de crachotement statique prolongé. Cherchant son origine, Mark regarda le sommet de la cascade. *La* cascade. La deuxième sur la droite. Mark inspira profondément afin de se calmer, puis prit les rênes du zenzen et l'éperonna. Grâce à ses dons de cavalier tout neufs, il dirigea sa monture vers le but de son voyage.

La Cité de l'Eau noire.

EELONG

Kasha et Bobby survolaient la jungle en direction de Lyandra lorsque Kasha remarqua quelque chose dans le lointain, au bord de l'horizon.

– Tu as vu ? demanda-t-elle.

Bobby fit de son mieux et aperçut ce qui ressemblait à une bande sombre dans le ciel, parallèle au sol, et se dirigeant vers eux.

– Oui, mais qu'est-ce que c'est ?

– Peut-être des oiseaux ? répondit Kasha. On va passer au-dessus d'eux.

La ligne sombre progressait régulièrement. Kasha fit monter son gig pour éviter tout risque de collision. Tous deux scrutèrent l'étrange phénomène, tentant de deviner ce que pouvait bien être cette mystérieuse ligne.

– C'est peut-être un vol de rookers, dit Kasha, mais ils ont l'air plus gros que… Aïe…

– Quoi, aïe ? s'empressa de demander Bobby.

– Ce ne sont pas des oiseaux.

Ils étaient maintenant assez prêts pour voir que la ligne n'était pas si droite que ça. C'était un vol de gigs en formation en V, alignés à égale distance les uns des autres avec une précision toute militaire. Lorsqu'ils passèrent en dessous d'eux, Kasha et Bobby en comptèrent neuf. La lumière du soleil se reflétait sur les bidons dorés accrochés à l'avant du cockpit.

– Oh, misère, fit Bobby stupéfait.

– Neuf, fit Kasha. Ce n'est pas un bon nombre.

– C'est un bombardement en règle, renchérit Bobby d'une voix blanche. Ils vont tout larguer sur l'Eau noire.

– Pendragon, je ne peux pas les abattre tous !
Bobby réfléchit à toute allure.
– Est-ce qu'on peut arriver à la cité avant eux ?
– Probablement. Leur chargement les ralentit.
– Alors il faut y aller, conclut Bobby.
– Pour faire quoi ? répondit Kasha.
– Pour s'assurer que les autres sont arrivés avec l'antidote.
– Bon, d'accord, même si je ne sais comment tu comptes faire.
Kasha fit virer son gig à cent quatre-vingts degrés et partit vers la Cité de l'Eau noire.

Mark dirigea son zenzen vers la base de l'immense cascade et s'arrêta assez près pour sentir l'écume lui fouetter le visage. Il était épuisé, avait mal partout et avait la trouille au ventre, mais il passa néanmoins sa jambe par-dessus sa monture et se laissa tomber au sol pour la dernière fois.
– Merci, mon vieux, dit-il à l'animal en caressant sa tête. Mais je ne peux pas vraiment dire que je te regretterai.
Il tenta de se rappeler la description de Bobby. Où était la porte donnant sur la cité ? Tout en pataugeant dans la flaque d'eau à la base de la cascade, il chercha l'escalier de pierre. Il ne vit rien, du moins jusqu'à ce qu'il pense à se protéger les yeux de la clarté solaire. Aussitôt, il distingua une forme vague de la taille d'une pizza qui se découpait juste au-dessous du niveau de l'eau. Il y posa prudemment le pied, tâta le terrain, mit tout son poids sur cette jambe. Son pied ne s'enfonça pas. Il avait trouvé le chemin. Quelques pas plus tard, il passait derrière la cascade pour entrer dans une caverne.
– Bienvenue ! lança une voix dans le noir.
Mark faillit faire dans son pantalon. Il se figea sur place, résistant à l'envie de tourner les talons et de fuir alors qu'une silhouette sombre marchait vers lui. C'était un gar, et il était si heureux de voir Mark qu'il le serra dans ses bras.
– Tu es le premier ! s'exclama-t-il. D'où viens-tu ?
Le gar parlait fort et lentement, comme on s'adresse à un enfant. Mark comprit qu'il attendait des créatures peu habituées à tenir une conversation normale. Il décida de ne pas l'effaroucher

et parla donc doucement, simplement, comme s'il avait du mal à trouver ses mots.

– Heu, merci. Besoin d'aide. Dois voir Aron.

Le gar lui jeta un regard surpris.

– Aron ? Comment peux-tu connaître Aron ?

Mark avait la réponse, mais préférait ne pas la donner.

– Dois voir Aron, répéta-t-il.

Le gar regarda les vêtements de Mark et fronça les sourcils. Ceux qu'ils attendaient devaient porter des haillons, pas des combinaisons de plongée impeccables venues d'un autre monde.

– S'il vous plaît ! insista-t-il. Important.

– D'accord, acquiesça le gar, viens avec moi.

Gagné. Mark était bien parti.

Courtney se hissa au sommet de l'amas rocheux et s'effondra, épuisée, les bras en feu. Après cette interminable escalade, ses mains étaient inertes et ses jambes tétanisées. Mais elle y était arrivée. Spader ne tarda pas à s'affaler à ses côtés.

– Je suppose que j'aurais dû proposer de prendre le bidon, dit-il.

– Pourquoi ? Tu ne me crois pas capable de le porter ?

– Non, non. Simple question de politesse.

Tous deux s'assirent, hors d'haleine.

– Alors toi et Pendragon, hein ? demanda Spader.

Courtney lui jeta un regard noir.

– Tu parles d'une question, surtout maintenant.

Spader haussa les épaules.

– Simple curiosité.

– Qu'est-ce que tu veux dire par là ?

– Vous deux n'étiez pas ensemble avant que Pendragon ne devienne un Voyageur ?

– Si tu veux dire qu'on s'aime bien, oui. (Elle y réfléchit un instant, puis ajouta :) Est-ce qu'il parle de moi ?

– Tout le temps. Il te trouve extra. Je comprends pourquoi.

Courtney regarda attentivement Spader. Elle le trouva plutôt beau gosse, avec sa tenue de plongée sans manches et ses longs cheveux sombres flottant au vent. Elle repoussa cette idée.

– J'ai l'impression qu'il aime bien cette autre Voyageuse, dit-elle avec coquetterie. Comment s'appelle-t-elle déjà ? Ah, oui. Loor.

– Qu'est-ce que tu veux dire par « bien aimer » ?

Courtney répondit par un sourire faussement pudique.

– C'est difficile à dire, d'un côté comme de l'autre, répondit Spader. Mais si tu veux mon avis, quelqu'un qui a une copine aussi chouette que toi serait fou d'aller voir ailleurs. Après tout, tu as risqué ta vie pour l'aider. Ce n'est pas rien.

Courtney haussa les épaules.

– Toi aussi, tu lui es venu en aide plus d'une fois.

– Et réciproquement. Mais c'est mon boulot, vu que je suis un Voyageur et tout ça.

– Oui, ben, je ne suis pas là que pour Bobby. Ça m'arrangerait de voir Saint Dane mis hors d'état de nuire avant qu'il ne débarque en Seconde Terre.

– Tout à fait d'accord avec toi. (Spader se leva.) Sur ce, on peut continuer ?

Il regarda dans la direction qu'ils devaient emprunter. Devant eux s'étendait un long sommet plat évoquant la surface lunaire : désolé et jonché de gros bouts de pierre.

– Des tangs pourraient se cacher derrière chacun de ces rochers, remarqua Courtney.

– C'est bien possible, répondit Spader. Mais il faudrait qu'ils soient vraiment à bout pour aller chercher des proies aussi haut. Je ne m'inquiète pas vraiment.

– Bien, fit Courtney en souriant. Alors passe en premier.

Spader lui décocha un clin d'œil et se mit en marche.

Kasha et Bobby volaient en rase-mottes au-dessus de la vallée désolée qui déboucherait sur l'Eau noire. Ils espéraient retrouver Gunny et les autres au cas où il leur serait arrivé quelque chose, où s'ils avaient besoin d'aide pour transporter l'antidote. Chaque seconde comptait. Ils pouvaient voler bien plus vite que l'escadron de bombardiers et arriveraient bien avant qu'ils aient largué leurs charges mortelles. Mais cela suffirait-il à sauver la cité des gars ? Ils ne tardèrent pas à atteindre la chaîne de montagnes. Kasha jeta un coup d'œil vers le ciel pour reprendre ses esprits.

– Il y a un os, annonça-t-elle.

Bobby ne voyait rien d'extraordinaire.

– Que veux-tu dire ?

– Je t'ai dit que les gigs sont propulsés par l'énergie des cristaux, non ?

– Oui.

– Je t'ai aussi dit que ces cristaux ne pouvaient pas emmagasiner la puissance et qu'ils avaient besoin de lumière ?

Bobby regarda à nouveau le ciel. Soudain, il comprit où était le problème. De gros nuages de pluie se massaient à l'horizon. Le vent les poussait vers la bande solaire.

– Tu veux rire ? cria Bobby. Que va-t-il se passer quand les nuages couvriront la bande solaire ?

– D'abord, il n'y aura plus de lumière. Et du coup, on n'aura plus de puissance.

Bobby se tourna vers la chaîne de montagnes. Soudain, elle semblait beaucoup plus loin qu'elle ne l'était quelques secondes plus tôt.

– Tu crois qu'on peut y arriver ? demanda-t-il.

– On peut toujours essayer, répondit Kasha en mettant plein gaz.

Mark suivit le gar dans le tunnel menant à la Cité de l'Eau noire. Après avoir lu la description qu'en avait fait Bobby, il avait l'impression de connaître l'endroit par cœur. Et pourtant, cette vision incroyable le prit de court. On le conduisit à l'immense bâtiment qu'ils appelaient le Centre. Tout au long du chemin, il prit soin de garder les yeux baissés dans l'espoir que son guide ne lui pose pas de questions. Tout ce qu'il voulait, c'était trouver Aron et l'avertir du danger pour qu'il puisse se servir de l'antidote qu'il lui apportait. Le gar fit entrer Mark dans une immense salle remplie de lits vides. Elle était telle que Bobby l'avait décrite : c'est là que de nombreux gars passeraient leur première nuit de liberté.

– Attends-moi là, dit le gar. Je vais chercher Aron.

– Merci, répondit Mark en s'asseyant sur une des couches.

Enfin, il pouvait se reposer un peu ! Il allait retirer le harnais et le bidon, mais changea d'avis. Il n'était pas là pour prendre des vacances. Tout au bout de la salle, une porte s'ouvrit. Le gar était revenu avec un autre de ses congénères. Celui-ci était plutôt petit avec de longs cheveux noirs cascadant sur ses épaules et sans l'ombre d'une barbe – exactement comme dans la description que Bobby en avait fait.

– Bonjour, dit-il, je suis Aron. Comment peux-tu me connaître ?

Mark se demanda brièvement s'il devait vraiment tout déballer. Puis il décida de jouer franc jeu.

– Je m'appelle Mark D-D-Dimond, dit-il. Je suis un ami de Gunny.

Aron et l'autre homme se redressèrent. Mais il n'aurait su dire si c'était parce qu'il avait mentionné Gunny ou à cause de leur étonnement d'entendre un gar de l'extérieur s'exprimer aussi bien.

– Vous le connaissez, non ? demanda Mark.

Aron acquiesça d'un air incertain.

– G-G-Gunny, moi et quelques autres avons été attaqués par des tangs, et je ne sais pas où ils sont en ce moment. Ces bestioles ont provoqué un éboulement dans la crevasse menant aux montagnes, en bloquant le passage. Il faut envoyer des gens pour déblayer, ou personne ne pourra passer.

Aron jeta un coup d'œil à l'autre gar en hochant la tête. Il s'en alla d'un pas pressé, probablement pour envoyer une équipe vers la crevasse.

– C'est pour ça que tu voulais me voir ? demanda Aron.

– Ce n'est pas tout, répondit Mark. L'Eau noire est en danger. C'est du sérieux. Dès que les gars de l'extérieur arriveront, les klees vont attaquer.

– Nous nous sommes préparés à cette éventualité, répondit Aron. La cité est bien protégée.

– Non, enfin, p-p-pas pour ce genre d'agression. Ils vont larguer une sorte de poison qui tuera tout ce qui vit dans ce cratère. (Mark retira son bidon et le tendit à Aron.) Mais ce qu'il y a dans ce bidon peut l'empêcher. On a fait tout ce chemin pour vous l'apporter et vous aider à sauver l'Eau noire.

Aron s'en saisit avec curiosité. Mark aurait voulu pouvoir mieux décrire le danger qui les menaçait. S'il ne réussissait pas à le convaincre, le village était condamné.

– Gunny est au courant ? demanda-t-il.

– Oui, ainsi que deux amis à moi, et un klee.

À ce dernier mot, Aron leva la tête.

– Vous avez amené un klee à la Cité de l'Eau noire ?

– Oui. Il s'appelle Boon. C'est un ami. Gunny vous le confirmerait, si je savais où il se trouve. Je n'ai pas la moindre idée de ce qu'ils sont devenus ! Je vous en prie, vous devez me croire. Il faut d-d-découvrir comment utiliser l'antidote !

Aron acquiesça gravement :

– Viens avec moi.

– Excellent ! s'exclama Mark soulagé avant de suivre Aron de bonne grâce.

Il commençait à croire qu'ils allaient réussir. Leur long et périlleux voyage avait peut-être coûté la vie de Courtney, Gunny, Spader et Boon, mais contre toute attente, c'était lui, Mark Dimond, qui était passé pour livrer l'antidote. Cependant la Cité de l'Eau noire n'était pas encore sauvée. Ils devaient encore deviner le mode d'emploi de l'antidote. Mark tenta de ne pas trop s'en faire pour les autres. Il aurait tout le temps par la suite. Il se concentra sur le problème du moment.

Aron le fit parcourir un long couloir jusqu'à une porte devant laquelle se tenait un gar.

– C'est par là, lui dit Aron en lui faisant signe d'entrer.

Le gar ouvrit la porte. Une fois à l'intérieur, Mark vit un spectacle qui lui coupa le souffle.

C'était Boon. Entortillé dans un filet.

– Boon ? cria Mark.

Blam ! La porte se referma derrière eux. Mark virevolta pour voir Aron qui les regardait de l'autre côté de la porte, à travers une petite fenêtre.

– Veuillez me pardonner, dit-il. Je ne comprends pas ce que vous venez faire ici, et à ce stade, peu m'importe si vous êtes hostiles ou amicaux. Je ne peux pas vous laisser interférer avec la Transhumance. Quand tout sera arrangé, je reviendrai vous voir et nous discuterons de vos intentions. Dans quelques jours, peut-être.

Mark s'approcha le plus près possible de la fenêtre et cria :

– Non ! Ça ne p-p-peut pas attendre !

En guise d'excuses, Aron haussa les épaules et s'en alla. Le gar posté de l'autre côté de la porte ne se retourna même pas. Mark comprit pourquoi il se tenait là. Il montait la garde.

– Heu, tu peux me donner un coup de main ? demanda Boon.

Le klee brun restait au sol, entortillé dans son filet, incapable de bouger.

– T-t-tu vas bien ? demanda Mark.

– J'ai connu mieux, répondit Boon.

– Qu'est-il arrivé à Gunny ?

La ligne de nuages gris s'approchait dangereusement de la bande solaire. Bobby et Kasha volaient au ras du sol au cas où ils se trouveraient brusquement à court de jus. Mais ils n'étaient plus très loin de la chaîne de montagnes.

– C'est le moment de décider, dit Kasha. Soit on atterrit dès maintenant, soit on prend le risque de survoler la chaîne.

Bobby jeta un coup d'œil vers les nuages.

– On ne servira pas à grand-chose là en bas.

– Alors c'est parti ! fit Kasha.

Sans perdre une seconde, elle tira sur le manche et ils s'élevèrent dans le ciel. Ils étaient si près de la paroi rocheuse que Bobby aurait pu la toucher. Ils continuèrent de monter de plus en plus haut dans leur course contre la montre. Finalement, ils passèrent le pic. Kasha mit plein gaz, l'appareil bondit et jaillit par-dessus la crête. Bobby ne quitta pas les nuages des yeux. Leur rebord effleurait la bande solaire.

– Je t'en prie, dépêche-toi ! pressa-t-il.

Le gig survola le paysage désolé, fonçant vers la ligne de nuages. Ils étaient presque arrivés à l'autre bout lorsque leur véhicule flancha.

– Qu'est-ce qui se passe ? cria-t-il.

– On perd de la puissance, répondit Kasha.

Bobby constata que le nuage se déplaçait plus rapidement. La lumière passait toujours, mais filtrée par les contreforts de la tempête.

– On ne va pas se retrouver en rade d'un coup, ajouta Kasha. Mais lorsque la puissance va décliner, ce sera rapide.

Bobby retint son souffle tandis que le gig escaladait la seconde crête. Une fois de plus, ils étaient bien loin du sol. Puis le gig eut un soubresaut, et le gémissement des hélices se ralentit considérablement.

– Je dois nous poser, annonça Kasha.

L'engin piqua du nez et se mit à descendre si vite que Bobby en eut mal aux oreilles. Il craignait qu'ils ne filent bien plus rapidement que par le simple effet de la gravité. Mais comme il n'était pas aux commandes, il préféra ne rien dire.

L'instant suivant, la bande solaire fut cachée par les nuages, et le gig tomba en panne.

EELONG

Le gig vert tomba en chute libre vers le sol, dépassant Courtney et Spader qui descendaient lentement la pente la plus escarpée du canyon. Courtney faillit en perdre prise.

– Hé, qu'est-ce que c'était ? s'écria-t-elle.

– Une machine volante, annonça Spader.

– Plutôt une machine tombante, corrigea Courtney. Tu crois que c'est Saint Dane ?

– On le saura bien assez tôt.

– Ah ? Comment ça ?

– Si c'est bien lui, on n'a plus pour longtemps à vivre.

Kasha lutta pour faire voler le gig en ligne droite afin d'éviter qu'il ne tombe comme une pierre. L'appareil rebondit encore et encore tandis que Kasha utilisait toute son expertise pour tirer le dernier gramme de traction des hélices.

– Si je peux redresser, on a peut-être une chance, dit-elle d'une voix tendue.

– Le lac ! cria Bobby. Tu peux tenir jusque-là ?

– Peut-être. Mais je ne sais pas nager.

Bobby lui jeta un coup d'œil :

– Ce serait encore le mieux. (Soudain, le gig eut un soubresaut. Bobby sentit son cœur lui remonter jusqu'aux lèvres.) Sérieusement, on a plus de chances de s'en sortir si on s'écrase dans le lac que sur des rochers, des arbres… ou au sol.

– D'accord, répondit-elle nerveusement. Mais si on y arrive et que je me noie…

– Je te sortirai de l'eau, répondit Bobby avec une telle conviction que Kasha sourit.

– Je te crois.

Elle dirigea le gig vers le lac. Tout l'appareil vibrait si violemment que Bobby craignait que ses bras soient couverts de bleus au point de l'empêcher de nager. Kasha monta en chandelle, tentant désespérément de ralentir leur chute pour que le vaisseau ne se désagrège pas à l'impact. Bobby vit qu'ils étaient au-dessus du lac. La surface se rapprochait. Très vite. L'atterrissage serait rude.

– Cramponne-toi, dit Kasha.

Le gig heurta le lac avec une telle violence que Bobby crut que son crâne allait exploser. Kasha avait si bien manœuvré que l'appareil frappa la surface à l'horizontale, comme une capsule spatiale s'abîmant en mer. L'impact engendra une grosse vague concentrique. Vu la force du choc, Bobby était sûr qu'ils allaient couler à pic. Mais le gig rebondit, une fois, deux fois, puis s'immobilisa en dansant comme un bouchon, mais toujours en un seul morceau. Comme ses passagers.

– Ça va ? fit Bobby ébranlé.

– Je crois. Et toi ?

– Oui. Tu as réussi ! s'écria Bobby.

Le gig se renversa, et de l'eau s'écoula dans le cockpit.

– Enfin, si on veut...

– Sors-moi de là, Pendragon ! rugit Kasha.

C'était bien la première fois qu'elle semblait en proie à la frayeur. Il s'empressa de dégrafer sa ceinture et se pencha pour défaire la sienne. Le gig se remplissait rapidement. Prise de panique, Kasha escalada Bobby, lui plongeant la tête sous l'eau. Il sentit sa fourrure effleurer sa nuque. Pourvu qu'elle ne le lacère pas de ses griffes ! Mais Bobby était à l'aise dans l'élément aquatique. Son entraînement de secourisme restait implanté en lui. Une fois Kasha dépêtrée du gig, il refit surface et regarda autour de lui en quête de quelque chose à quoi elle pourrait s'accrocher.

– Pendragon ! fit-elle, avalant une gorgée d'eau.

Elle se débattait, ce qui lui compliquait la tâche. S'il s'y prenait mal, ils risquaient de se noyer tous les deux. Les sièges du gig étaient rembourrés. Bobby arracha l'un des coussins. Apparemment, ceux-ci flottaient.

– Tiens, Kasha ! lui dit-il. Agrippe-toi. Il te maintiendra à flots. Si tu te calmes.

Elle s'empara du coussin comme si sa vie en dépendait, ce qui était d'ailleurs le cas. Cela ne valait pas une bouée, mais il dut la rassurer, car elle parut se calmer quelque peu.

– Tout va bien, dit Bobby d'une voix rassurante. Tiens-le contre ta poitrine. Mets-toi en arrière. Je te maintiendrai à flots.

Kasha lui obéit et se mit à faire la planche, fixant le ciel tout en essayant de se détendre.

– Je vais te remorquer, d'accord ?

– D'acc... D'accord, répondit-elle d'une voix faible.

Bobby ne voulait pas trop se rapprocher d'elle. Si Kasha paniquait à nouveau, ils seraient mal barrés. Il la retourna donc et l'entraîna par ses pattes de derrière, ou ses jambes, peu importe. Ils n'étaient pas bien loin du rivage. Au bout de quelques minutes, le niveau fut assez bas pour leur permettre de se tenir debout. Kasha se redressa maladroitement et se traîna hors de l'eau, sa fourrure dégoulinante. Elle fit quelque pas sur le rivage avant de s'effondrer. Épuisé, Bobby s'affala à ses côtés.

– Tu es une sacrée pilote, fit Bobby entre deux hoquets. Mais tu devrais apprendre à nager.

Tous deux éclatèrent de rire, comme pour évacuer la terreur qui les avait étreints durant les derniers moments de leur voyage.

– Merci, répondit Kasha. Je m'en souviendrai. (Elle regarda le ciel et ajouta :) Il y a mieux. Tant que les nuages ne seront pas dissipés, les gigs ne pourront pas prendre l'air. Je suis sûre qu'ils se sont posés dans la vallée. Ça nous laisse un peu plus de temps.

Bobby se leva, regarda autour de lui et dit :

– Voilà notre chute d'eau.

Courtney et Spader dévalèrent la pente qui les mènerait à l'intérieur du cratère aux cascades. Ils se retrouvèrent à quelques mètres de l'ouverture de la crevasse par où ils seraient passés si les tangs ne les avaient pas attaqués.

– On est encore en vie, dit Courtney. Donc, ce n'était pas le bombardement.

– Ce qui veut dire qu'il nous reste du temps, renchérit Spader en scrutant les alentours. Voilà ! fit-il, tendant le doigt.

– La deuxième cascade sur la droite, ajouta Courtney.

Boum ! Une immense explosion retentit à l'intérieur du cratère, faisant tomber à genoux Spader et Courtney.

– Qu'est-ce que… ? toussa Courtney.

– Ils tentent de déblayer la crevasse à coups d'explosifs, répondit Spader. Ce qui veut dire que les premiers gars doivent être arrivés.

– Ou Saint Dane et ses klees, rétorqua Courtney.

– Quoi qu'il en soit, il faut qu'on y aille.

Tous deux se relevèrent et finirent de parcourir la distance qui les mènerait à la chute d'eau.

Mark eut bien du mal à libérer Boon du filet qui le retenait. Il n'était pas très doué pour faire des nœuds, encore moins pour les défaire. Pendant qu'il s'affairait, Boon lui raconta ce qui lui était arrivé dans le cratère :

– J'ai sauté sur le dos du tang et l'ai fait s'éloigner de Gunny. Mais ce monstre était féroce. Ou plutôt fou de rage.

– Gunny s'en est sorti ? demanda Mark.

– Je n'en sais rien, répondit Boon. J'ai griffé le bras du lézard, puis j'ai sauté à terre et crié à Gunny de s'enfuir. Comme le tang faisait mine de le poursuivre, j'ai sauté sur son dos et l'ai mordu. Bon sang, tu ne peux pas imaginer comme c'est répugnant !

– Heu, non, en effet.

– J'espère que tu n'auras jamais à le découvrir. Donc, il a secoué la tête pour me déloger. Mais je n'ai pas lâché prise. Et pourtant, il m'a malmené. J'ai fini par fatiguer et il a pu me jeter au sol.

– Il s'en est pris à toi ?

– Non. J'ai dû lui faire sacrément mal, parce qu'il s'est enfui dans la jungle. Je me suis dit que Gunny se serait dirigé vers la cascade, c'est donc là que je suis allé. Grave erreur. J'ai bien trouvé la caverne derrière la chute d'eau, mais les gars m'ont sauté dessus. Je leur ai dit que j'étais un ami de Gunny et qu'on était là pour sauver l'Eau noire, mais ils n'ont rien voulu entendre. Ils m'ont pris dans ce filet et m'ont jeté ici. Incroyable, non ? Je me donne tout ce mal pour les sauver et ils me traitent comme un criminel.

– Je sais ce que c'est, répondit Mark.

– Que va-t-on faire ? demanda Boon.

Mark défit le dernier nœud et souleva le filet.

– Fiche le camp d'ici, répondit-il.

Bobby et Kasha traversèrent la forêt jusqu'au fond du cratère, en route vers la cascade qui les mènerait à la Cité de l'Eau noire. Bobby ne cessait de surveiller la progression des nuages. La tempête leur avait été défavorable en les forçant à effectuer un atterrissage en catastrophe, mais elle était désormais leur alliée. Tant qu'elle cachait la bande solaire, les gigs porteurs de poison resteraient au sol.

– Les nuages se déplacent, annonça Bobby. Mais impossible de dire à quelle vit... *houps* !

Bobby était trop occupé à scruter le ciel pour faire attention où il mettait les pieds. Il venait de trébucher sur quelque chose. Il s'affala à terre.

– Attention ! cria Kasha tout en s'interposant face à ce qui l'avait fait tomber. Un tang ! grogna-t-elle, prête à attaquer.

Bobby s'empressa de sauter sur ses pieds, prêt à fuir. Mais en jetant un coup d'œil en arrière, il comprit qu'il n'avait rien à craindre. C'était bien un tang, mais celui-ci était mort depuis longtemps.

– Je croyais que c'était un rocher, dit Bobby, soulagé.

Tous deux se rapprochèrent du cadavre. La bête était couverte de lacérations, plus une plaie particulièrement profonde sur sa nuque.

– C'est l'œuvre d'un klee, annonça Kasha. Je me demande si Boon n'est pas passé par là. (Elle toucha le corps et ajouta :) Il n'y a pas longtemps qu'il est mort.

Bobby sentit quelque chose de mouillé sur sa joue.

– Il pleut, dit-il en s'essuyant.

– C'est bien. La tempête va peut-être durer un bon moment.

Une autre goutte frappa la joue de Bobby. Il l'essuya à nouveau et regarda ses doigts. Ils étaient souillés de rouge.

– Hé, je saigne ! s'exclama-t-il.

Kasha lui jeta un regard.

– Non. Ce n'est pas toi.

– Alors qui d'autre ? répondit Bobby en tendant sa main sanglante. J'ai dû me couper quand on s'est écrasé.

Une autre goutte tomba sur sa main. Tous deux comprirent en même temps et levèrent lentement les yeux pour voir…

Il y avait un filet accroché haut dans les arbres, retenant encore sa victime. Bobby fit un pas en arrière pour ne pas être aspergé de sang. Les branches étaient si denses qu'il était difficile de voir le piège, pour ne rien dire de celui qui en était prisonnier. Bobby plissa les yeux. Puis son cœur fit un bond. Un bras passait entre les mailles, le bras d'un gar. Un gar à la peau noire.

– Gunny ! s'écria-t-il.

Kasha bondit vers l'arbre où était accroché le piège, planta ses griffes dans le tronc et grimpa à toute allure jusqu'à la corde qui retenait le filet. Elle la trancha d'un coup de patte tout en la retenant de l'autre pour éviter que le captif s'écrase au sol.

– Je vais le descendre, dit-elle tout en faisant glisser la corde entre ses doigts.

Bobby attrapa le piège et allongea délicatement Gunny sur le sol.

– Aide-moi à le libérer ! cria-t-il à Kasha.

Elle sauta au bas de l'arbre et entreprit de mettre en pièces le filet, libérant le Voyageur inconscient.

– Gunny ! lança Bobby. Hé ! C'est moi !

Il palpa son cou, cherchant un pouls. Kasha leva le bras mutilé de Gunny.

– On l'a bien amoché, dit-elle.

En effet : sa peau était couverte de plaies qui ne pouvaient être que l'œuvre d'un tang. Ce qui expliquait les gouttes de sang.

– Il est vivant, annonça Bobby. (Il tapota doucement sa joue.) Réveillez-vous, monsieur Van Dyke. On vous demande à la réception !

Gunny remua faiblement. Il battit des paupières, puis ouvrit les yeux. Il regarda autour de lui d'un air effaré jusqu'à ce qu'il voie Bobby.

– Désolé, fiston, coassa Gunny, mais un instant, j'ai presque cru me retrouver dans mon pageot au Manhattan Tower Hotel.

– Pas de chance, répondit Bobby en souriant, on n'en a pas encore terminé.

Il l'aida à se relever pendant que Kasha bandait ses coupures avec quelques chiffons.

– Vous avez d'autres blessures ? demanda Bobby.

– Non. Mais j'ai un de ces mals de crâne.

– Que s'est-il passé ? demanda Kasha tout en s'affairant.

– Un tang m'a sauté sur le poil. J'étais avec Mark et Boon. C'est ce dernier qui m'a sauvé la vie. Il a affronté ce monstre et lui a réglé son compte.

– C'est rien de le dire, acquiesça Bobby en lorgnant la bête morte.

Gunny suivit son regard et secoua la tête.

– Pas de doute, ce coin est dangereux.

– Où sont les autres ? demanda Kasha.

– Boon a envoyé Mark à l'Eau noire sur son zenzen. Il m'a dit de filer. Comme je ne pouvais pas faire grand-chose pour l'aider, j'ai obéi. J'ai voulu faire le tour de la cascade, mais le tang était à mes trousses. Il faut croire que j'ai bon goût. Cette bestiole m'a sauté dessus, j'ai battu en retraite et suis tombé tout droit dans le piège. (Gunny eut un petit rire.) Je n'aurais jamais cru qu'un jour, je serais content de faire une bêtise pareille. J'ai dû me cogner le crâne en touchant le sol, je ne m'en souviens plus. Mais je me suis retrouvé hors de portée de ce fichu lézard. Mon dernier souvenir, c'est de le voir sauter sur place pour m'attraper. Mais j'étais trop loin. Puis j'ai dû tomber dans le sirop.

– Il a dû perdre tout son sang en cherchant à t'atteindre, commenta Kasha.

– Tant pis pour ses pieds, marmonna Gunny.

– Que sont devenus Courtney et Spader ? demanda Kasha.

Gunny fronça les sourcils.

– Les tangs ont provoqué un éboulement dans la crevasse qui mène jusqu'ici. Impossible de dire s'ils ont été blessés ou s'ils sont juste pris au piège de l'autre côté.

– Ni l'un, ni l'autre ! s'exclama une voix.

Bobby, Kasha et Gunny levèrent les yeux… Et à leur grande joie, ils virent Courtney et Spader courir vers eux au milieu des arbres.

– Ce n'est pas quelques cailloux et une montagne qui vont arrêter d'intrépides aventuriers comme nous, ça non ! fit Spader avec un grand sourire.

Courtney courut vers Bobby pour le serrer dans ses bras. Bobby ne demandait qu'à lui rendre son étreinte.

– Tu vas bien ? demanda-t-il.

– Maintenant, oui. C'était toi dans cet hélicoptère ?

– Oui. La classe, non ?

– Où sont Mark et Boon ? demanda Spader.

– Je ne sais pas, répondit Gunny. À la Cité de l'Eau noire, j'espère.

– Il ne nous reste plus beaucoup de temps, nota Kasha.

Bobby se sépara de Courtney. Il était temps de passer aux choses sérieuses.

– Bon, voilà le topo. Neuf hélicoptères chargés de poison sont dans la vallée. Pour l'instant, ils sont cloués au sol, mais dès que les nuages se lèveront, ils auront à nouveau assez de watts pour repartir vers l'Eau noire.

– On a perdu un bidon d'antidote, matelot, annonça Spader. Désolé, mais on n'a rien pu faire.

– Si on oublie celui de Mark, il ne nous en reste plus qu'un, observa Kasha.

– Gunny, vous pouvez marcher ? demanda Bobby.

Le Voyageur se releva à grand-peine. Tout affaibli qu'il soit, il était déterminé.

– Parce que tu crois qu'il suffit d'un coup sur la calebasse et de quelques coupures pour m'arrêter ? Suis-moi !

L'équipe s'était reconstituée, du moins en partie. Gunny en tête, ils partirent vers le but de leur périple. Ils arrivèrent à la deuxième cascade par la droite et suivirent Gunny sur le chemin de pierre. Bobby fermait la marche et fut le dernier à passer sous le rideau aquatique. Il jeta un dernier coup d'œil au ciel, où les nuages cachaient toujours la bande solaire. Les gigs ne pouvaient toujours pas prendre l'air. Mais il vit aussi autre chose… le rebord d'un énorme nuage noir. Derrière lui, un coin de ciel bleu.

Le compte à rebours était enclenché.

EELONG

Boon monta sur une chaise pour examiner la fenêtre de la petite pièce où Mark et lui étaient détenus.

– Cet endroit n'est pas conçu pour servir de prison, déclara-t-il. Je crois pouvoir venir à bout de ces gonds.

– Vas-y, chuchota Mark.

Il montait la garde près de la porte pour s'assurer que le geôlier ne remarquerait pas leur tentative d'évasion.

– Et que va-t-on faire une fois dehors ?

– Chaque chose en son temps, répondit Mark.

– Bienvenue ! fit le gar derrière la cascade en voyant arriver Gunny et les autres. Vous êtes désormais chez vous, vous n'avez plus à vous inquiéter !

Mais il se tut en voyant que l'un des nouveaux arrivants était…

– Un klee ! cria-t-il.

Aussitôt, une dizaine d'autres gars en armes firent leur apparition.

– Ne vous en faites pas, fit Gunny, rassurant. Vous me connaissez, je m'appelle Gunny. On est déjà passés par ici. Et ce klee aussi.

Le gar n'était pas convaincu – mais Gunny lui montra son bras mutilé.

– Et maintenant, tu me reconnais ?

Le gar se détendit et fit signe aux autres de s'en aller.

– J'y suis, dit-il. Tu étais avec Aron.

– Exact. Nous sommes des amis. Tous autant que nous sommes.

– Vous êtes au courant que la Transhumance est en cours ? reprit le garde. Bientôt, des milliers de gars vont passer par ici. S'ils voient un klee, ils pourraient prendre peur.

Gunny ne quitta pas le gar des yeux. Il parla d'une voix douce, mais avec vigueur :

– Tout ira bien, tant que tu nous laisses entrer. Nous sommes en mission, une mission dont dépend la bonne marche de la Transhumance.

Bobby se doutait que Gunny employait ses pouvoirs de persuasion de Voyageur.

– La Transhumance pourrait être compromise ? demanda le gar, inquiet.

– Pas si tu nous aides, reprit Gunny. Il faut qu'on aille au Centre. Tu peux nous y amener ?

Le gar secoua doucement la tête, comme s'il avait du mal à rassembler ses idées.

– Je peux vous aider. (Il se tourna vers les autres gardes et ordonna :) Prenez ma place ! Je vais mener nos amis au Centre.

Gunny fit un clin d'œil à Bobby.

– Vous maîtrisez vraiment ce truc, dit Bobby.

– Les gars sont des gens simples, répondit Gunny. Ça me facilite la tâche.

– Suivez-moi ! ordonna le gar.

Il partit d'un pas vif sur le chemin menant à la Cité de l'Eau noire. Gunny, Bobby, Spader, Courtney et Kasha lui emboîtèrent le pas.

– Vous avez quelque chose de prévu ? demanda doucement Bobby à Gunny.

Ce dernier posa un doigt sur ses lèvres pour le faire taire.

– Je t'expliquerai quand on sera arrivé. Inutile de faire un scandale.

Bobby acquiesça. Dire aux gars que l'Eau noire risquait d'être détruite par un bombardement de poison pouvait provoquer un vent de panique qui ralentirait toute l'opération, ce qui n'était pas souhaitable. Le petit groupe finit par sortir du tunnel et entrer dans la cité.

– Hobie ! s'exclama Spader en contemplant le village caché. Tu parles d'un comité d'accueil !

Il regardait les centaines de gars massés de chaque côté du chemin menant à la cité. On aurait dit qu'ils attendaient un défilé.

– Je pense qu'ils sont là pour recevoir les arrivants, dit Bobby.

Une petite fille blonde de cinq ans tout au plus, aux beaux yeux bleus, courut vers Bobby et lui remit une fleur blanche.

– Bienvenue à la Cité de l'Eau noire, dit-elle gentiment. Nous vous attendions.

– Merci, répondit Bobby en acceptant la fleur.

Spader eut un petit rire :

– Et voilà ! C'est peut-être aussi un peu pour nous.

– On n'a pas une seconde à perdre, chuchota Gunny au gar qui les conduisait.

Ils partirent d'un pas pressé le long du chemin, dépassant les gars rassemblés. L'atmosphère était festive, avec de la musique et des gars faisant cuire des plats de chaque côté de la route. En voyant Kasha, la plupart des spectateurs eurent un geste de recul, mais Spader sourit en agitant la main afin de les rassurer. Certains lui rendirent son salut, d'autres les acclamèrent comme s'ils étaient des héros.

– Tu devrais te faire politicien, remarqua Courtney.

– C'est sûr ! répondit Spader. C'est quoi, un politicien ?

Bobby et Kasha se préoccupaient davantage de la météo. Ils ne cessaient de scruter le ciel, où le rebord du nuage noir s'éloignait de la bande solaire.

– Quoi qu'on fasse, dit Kasha, il faut le faire vite.

Le gar les amena au Centre.

– Nous y voilà, dit-il. Vous aurez encore besoin de moi ?

– Non, merci, répondit Gunny. Tu devrais retourner à ton poste.

Le gar sourit, aux anges :

– C'est un grand jour, n'est-ce pas ?

– Plus que tu ne le crois, répondit Courtney, sarcastique.

Comme le gar ne pouvait comprendre sa réflexion, il s'en alla sans insister. De son côté, Bobby leva les yeux pour voir que l'orage continuait de progresser.

– Quand ce nuage cessera de couvrir la bande solaire, on sera fichus. Il faut trouver un moyen d'utiliser l'antidote… maintenant.

– Je sais comment s'en servir, dit Gunny.

– Vraiment ? s'exclama Courtney.

– Parce que tu ne l'as pas encore compris, fiston ? demanda Gunny. Pourtant, vous étiez là, Kasha et toi. Vous avez vu le système d'irrigation.

Bobby et Kasha échangèrent un regard intrigué. Ils n'avaient pas la moindre idée de ce dont parlait Gunny.

– Vous vous souvenez de la première fois qu'on est venus ici ? insista Gunny. Quand on a traversé le village…

– Les combinés d'arrosage au sommet des réverbères ! s'exclama Bobby.

– Il y a des arroseurs au sommet des réverbères ? demanda Courtney.

– C'est quoi, un arroseur ? reprit Spader.

Gunny alla flatter un des poteaux en question :

– La Cité de l'Eau noire dépend de la rivière qui traverse le village. Ils ont bâti un immense système d'irrigation souterrain qui distribue l'eau dans toute la vallée.

– Je m'en souviens, dit Kasha. Elle jaillit de ces poteaux.

– Exactement, affirma Gunny. Il y a des milliers d'appareils comme celui-ci. Chaque centimètre carré de la cité peut être arrosé par la brume qui sort de ces engins. D'une certaine façon, ils ont créé leurs propres précipitations.

– C'est génial ! s'exclama Spader. Et on pourrait utiliser ce système pour diffuser l'antidote ?

– J'y compte bien, répondit Gunny. Mais le plus dur sera de l'envoyer au moment même du bombardement. Si l'antidote est aussi puissant que tu le dis, il devrait faire office de parapluie et neutraliser les effets du poison.

– Vous êtes formidable ! s'exclama Courtney en passant ses bras autour du vieil homme. On a réussi !

Gunny secoua la tête :

– On n'a encore rien fait. On est juste arrivés jusqu'ici. Maintenant, il reste à diffuser l'antidote dans le système.

– Vous savez comment faire ? demanda Bobby.

– Non, mais je connais quelqu'un qui pourra nous le dire.

Il les mena à l'intérieur du Centre et à travers la serre. Bobby et Kasha regardèrent vers le haut, là où Saint Dane avait fracassé la verrière pour s'échapper.

– Un instant, j'espérais presque avoir imaginé toute cette scène, observa Kasha.

Gunny les mena au milieu des rangées de plantes jusqu'à un coin de mur entièrement recouvert par un réseau complexe de valves et de tuyaux.

– Ce sont les commandes du système d'irrigation ? demanda Bobby.

– Ouaip, répondit Gunny. Il y a toujours un employé pour s'en occuper. J'espère qu'il n'aura pas pris sa journée pour assister à la Transhumance !

Gunny partit à la recherche du gar chargé du système d'irrigation. Courtney retira le bidon et le posa doucement au sol.

– À vrai dire, confia-t-elle, je ne croyais pas qu'on réussirait.

– Mark n'y est pas arrivé, remarqua Bobby.

Courtney fronça les sourcils. Depuis leur séparation, elle n'avait cessé de s'inquiéter pour son ami.

– Boon non plus, ajouta Kasha.

– S'il leur est arrivé quelque chose…, dit Bobby.

Il ne termina pas sa phrase. Il ne pouvait supporter l'idée qu'il soit arrivé malheur à son meilleur ami.

– Chaque chose en son temps, vieux frère, lui dit Spader. Quand on en aura terminé ici, on ira les chercher. Je te le promets.

Bobby acquiesça, bien que ces mots ne fassent rien pour le rassurer.

– Hé, les gars, je vous présente Fayne ! dit Gunny en retournant vers le groupe.

Il était accompagné d'une femme qui n'avait pas plus de vingt ans – mais comme les gars de l'Eau noire avaient tous l'air jeunes, nul n'aurait pu deviner son âge. Elle était de petite taille avec des cheveux sombres coupés court. Elle paraissait habituée aux lourds travaux. Ses mains calleuses et ses bras musculeux en attestaient.

– Elle est de service aujourd'hui, expliqua Gunny. Elle va nous aider.

– Oui, renchérit Fayne sans grand enthousiasme. C'est le plus grand jour de toute l'histoire de la Cité de l'Eau noire, et me voilà consignée ici.

Elle planta ses pieds dans le sol et posa ses mains sur ses hanches. Visiblement, il ne fallait pas lui en conter. Mais aussi dure qu'elle soit, dès qu'elle vit Kasha, elle eut un geste de recul.

– Oh, un klee !

– Ne t'en fais pas, affirma Gunny. Kasha est une amie d'Aron. Elle est venue aider les gars.

Fayne la lorgna d'un œil suspicieux.

– Je n'ai jamais vu un klee qui se soucie un tant soit peu des gars.

– Je ne suis pas comme les autres, répondit Kasha avec impatience. Bon, on pourrait s'activer un peu ?

Courtney donna le bidon d'antidote à Gunny. Celui-ci se tourna vers le groupe :

– J'expliquais justement à Fayne qu'on redoutait que ces nouveaux gars soient porteurs de bactéries ou de microbes qui pourraient contaminer l'Eau noire.

Gunny cligna de l'œil pour leur demander de jouer le jeu.

– J'y ai aussi pensé ! renchérit Fayne. Enfin, ils vivent comme des bêtes. Ils peuvent colporter toute sorte de maladies !

– Voilà pourquoi il faut connecter ce bidon au système d'irrigation. Lorsque les gars arriveront, on pourra projeter ce… ce…

– Désinfectant ? proposa Bobby.

– Oui, ce *désinfectant* dans le système. Il n'est pas bien méchant, mais tuera tous les germes qui pourraient nous affecter.

Gunny tendit le bidon à Fayne, qui l'examina d'un œil suspicieux.

– Tu dis qu'Aron vous envoie ?

– Il tient à ce que la Transhumance se passe bien, proposa Bobby. Et que personne ne coure le moindre risque.

Gunny regarda Fayne droit dans les yeux et dit de sa voix la plus convaincante :

– Il est de la plus haute importance que tu transfères dès maintenant le contenu de ce bidon dans le système de brumisation. Sinon, il sera trop tard. Tu peux faire ça ?

Tous les regards se tournèrent vers Fayne pour voir si elle accepterait cette ruse.

– Facile, fit-elle en haussant les épaules. Je ne veux pas qu'on tombe tous malades.

Tout le monde eut un soupir de soulagement. Fayne emmena le bidon vers le poste de commande du système d'irrigation. Spader la suivit pour s'assurer que tout se passait normalement.

– Cette fois, on a presque réussi ! s'exclama Courtney, cachant mal sa joie.

Bobby s'éloigna du groupe et regarda l'immense salle débordant de plantes. Pour la première fois depuis qu'il avait posé le pied sur Eelong, il avait l'impression d'avoir la situation en main ; enfin, plus ou moins. C'était à la fois rassurant et inquiétant.

– Qu'y a-t-il, fiston ? dit Gunny en se dirigeant vers lui. On va sauver Eelong et contrer Saint Dane. Tu devrais être content.

– Je le suis, mais je m'en fais pour Mark.

– Pense à autre chose. Je suis sûr qu'en ce moment même, Boon veille sur lui.

– Et je m'inquiète pour l'avenir, acquiesça Bobby.

– Pourquoi ?

Bobby regarda le trou dans la verrière.

– Les règles ont-elles vraiment changé du tout au tout ? Je n'arrête pas de repenser à ce qu'a dit l'oncle Press. On n'est pas censés mélanger les territoires.

– Je croyais qu'on était d'accord là-dessus, répondit Gunny. Si Saint Dane peut le faire, pourquoi pas nous ?

– Je sais, mais dans quel but ? Nous, on est les bons. On est censés suivre les règles. Depuis quand doit-on les violer ? Quand les enjeux sont assez importants ? Mais qui peut en juger ?

– Sauver un territoire me semble bien assez important, répondit Gunny. Désolé de remuer des souvenirs désagréables, mais rappelle-toi du *Hindenburg*. Si on avait empêché cet appareil de partir en fumée, les territoires terrestres auraient été condamnés.

– Rien à voir, s'empressa de répondre Bobby. Le *Hindenburg* devait s'écraser. C'était écrit. Mais qui sait ? Peut-être est-il aussi écrit que l'Eau noire doit être détruite ?

Gunny en resta sans voix.

– Ce que je veux dire, continua Bobby, c'est que si on commence à jouer au même niveau que Saint Dane, pour de bon, où cela nous mènera-t-il ? Jusqu'où devrons-nous aller pour l'arrêter ? Si on continue à agir à l'encontre des règles, est-ce qu'on deviendra aussi pervers que lui ? Était-ce vraiment écrit ?

Soudain, Gunny prit un air soucieux. Bobby avait touché juste.

– Elle est prête ! annonça Spader. Il est temps de contrecarrer Saint Dane !

Et il les mena vers les commandes du système d'irrigation.

– On va le battre à quelques secondes près ! dit Courtney à Bobby.

Celui-ci ne répondit pas.

Tous regardèrent Fayne, qui ajustait le bidon d'antidote, posé sous un panneau bardé de valves et de jauges. Fayne venait d'attacher un gros tube métallique à la valve.

– Ça va marcher ? demanda soudain Bobby.

– Évidemment, répondit Fayne, confiante. Je n'ai jamais vu de valve comme celle-ci, mais ça peut s'arranger. Simple question d'ajustement. Tu es sûr qu'il y a assez de produit ? Je veux dire, ce bidon n'est pas bien grand.

– Ne t'en fais pas, répondit Spader, cet antidote est puissant.

– Un antidote ?

– Un désinfectant, s'empressa de répondre Gunny. Fayne, peux-tu en diffuser une petite quantité afin de voir si tout est bien raccordé ?

– C'est bon, répondit-elle.

– Je n'en doute pas, mais c'est juste pour être sûr, répondit Gunny.

Fayne haussa les épaules.

– Comme tu voudras. Je fais ce qu'on me dit.

Elle alla abaisser quelques leviers sur le tableau de contrôle.

– Que faites-vous ? demanda Courtney.

– J'ouvre les valves pour activer le système. C'est ce que vous vouliez, non ?

– Il faut asperger toute la ville, dit Gunny.

– C'est étudié pour, affirma Fayne. Allons-y.

Fayne empoigna un gros levier noir et le tourna vers la droite.

Rien.

Fayne fronça les sourcils et examina ses manomètres. Elle tapota l'un d'entre eux du doigt afin de le décoincer, mais l'aiguille ne bougea pas d'un poil.

– C'est impossible, grogna-t-elle.

Fayne abaissa encore quelques manettes et secoua d'autres manomètres d'un air soucieux.

– Qu'y a-t-il ? demanda Gunny.

– Un instant, rétorqua-t-elle.

Abandonnant le panneau de commandes, elle retira le bidon, le souleva et dévissa le tube métallique. Tous les autres échangèrent des regards nerveux. Faye examina le joint du bidon :

– Ah ! Je le tiens ! annonça-t-elle. Il y a une fissure à la base du tuyau.

– Une fissure ? répéta Courtney, consternée.

– Il était intact quand on est parti de Cloral, dit Spader. Et il ne lui est rien arrivé depuis.

– Mais si ! fit Courtney. Sur le terrain de wippen, je me suis pris une flèche. Et… et quand je suis tombée de ma selle pendant l'éboulement, j'ai pas mal encaissé ! Le joint peut en avoir souffert !

– Tu peux le réparer ? demanda Gunny.

– Bien sûr, répondit Fayne.

– Vous voyez ? lança Spader. Il n'y a pas à se faire de bile.

– Mais ça ne servira à rien, termina Fayne.

– Pourquoi ? demanda Courtney.

En guise de réponse, Fayne dévissa le joint et le lui lança.

– Parce que ce bidon est vide. Ce qu'il contenait à dû s'écouler petit à petit. J'espère que vous en avez un de rechange, parce que celui-là est inutile.

Tous échangèrent des regards stupéfaits.

Du coin de l'œil, Bobby remarqua quelque chose. Kasha s'était métamorphosée. Aussi incroyable que cela puisse paraître, sa fourrure avait changé de couleur. Il la dévisagea sans comprendre jusqu'à ce qu'elle lève la tête vers le plafond.

– Oh, non, murmura-t-elle.

Bobby comprit brutalement. Il se trompait : elle n'avait pas changé de couleur. Son visage était soudain baigné de lumière. Celle du soleil. Peu après, la luminosité éclaira toute la serre, passant par le toit transparent. Tous levèrent les yeux en pensant la même chose.

Les gigs pouvaient redécoller.

EELONG

Mark et Boon se glissèrent par la fenêtre de la salle qui leur servait de cellule. Avec une aisance remarquable, Boon avait dévissé les gonds de la fenêtre avec ses griffes et décroché la structure. La pièce faisait une piètre prison. Une fois dehors, ils se collèrent contre le mur extérieur.

– Et maintenant, qu'est-ce qu'on fait ? chuchota Boon.

– Il faut apporter ce bidon à quelqu'un qui saura s'en servir, répondit Mark.

– Oui, mais qui ? Aron est le seul gar que Gunny a mentionné, et il nous a jetés en prison.

– Je ne sais pas, répondit nerveusement Mark. P-p-peut-être devrait-on aller trouver Aron et chercher à le convaincre. Ou peut-être que Gunny a fini par arriver à l'Eau noire. Ou peut-être qu'on pourra trouver un moyen de l'utiliser nous-mêmes. Ou…

– Ou peut-être qu'on n'a pas la moindre idée de ce qu'il faut faire, interrompit Boon.

– C'est une possibilité, acquiesça Mark.

Deux gars tournèrent le coin du bâtiment d'en face et se figèrent de surprise en voyant Mark et Boon. Ils restèrent là, à se regarder en chiens de faïence, jusqu'à ce que…

– Un klee ! cria l'un des gars.

Il prit un sifflet et souffla frénétiquement dedans. L'autre gar passa une main dans son dos et en ramena un fusil à harpons.

– Zut ! s'écria Boon. Je crois que c'est le moment d'aller voir ailleurs si on y est.

Le gar appuya sur la détente. Le harpon jaillit et fila droit vers Mark. Boon le poussa : la pointe se ficha dans le mur.

– Attendez ! cria Mark en agitant les bras. On est des amis !

Mais les gars ne le crurent pas. Le tireur lança un autre harpon. Boon se jeta à terre – le trait siffla au-dessus de sa tête.

– Va-t-en ! cria-t-il à Mark.

– Mais on est là pour les aider ! répondit Mark.

– Une fois morts, on ne servira pas à grand-chose.

Il se leva et poussa Mark pour le forcer à courir. Un bref coup d'œil en arrière lui apprit que les gars rechargeaient leurs armes. Puis s'éleva le bruit d'une sirène d'alarme.

Dans la serre, le groupe entendit aussi le signal d'alarme.

– Qu'est-ce que c'est ? demanda Courtney.

– Les gigs sont déjà là ? demanda Bobby.

– Non, répondit Kasha. Ils doivent d'abord alimenter leurs batteries.

– Quelle est cette sirène, Fayne ? fit Gunny.

Celle-ci s'éloigna du groupe.

– Cette histoire commence à me taper sur les nerfs. Il vaut mieux que j'aille trouver Aron.

– Pourquoi ? insista Gunny. C'est un signal d'alarme ?

– Écoute, reprit-elle, tu as dit que ces klees ne nous voulaient aucun mal, mais ces deux-là, eh bien c'est deux de trop.

Spader lui sauta dessus, la faisant sursauter.

– Comment ça, « deux » ? fit-il. Il n'y a qu'un seul klee présent.

– Ah oui ? Cette sirène me dit qu'il y en a un autre en ville. Je vais chercher Aron.

Sur ce, elle sortit de la serre. Spader se tourna vers le groupe. Tous se regardèrent. Visiblement, ils pensaient la même chose.

– Boon ! s'exclama Spader.

– Oui, et Mark, reprit Bobby, avant de se mettre à courir.

– Reste à mes côtés, dit Gunny à Kasha en leur emboîtant le pas.

Une fois dans la rue, ils virent un groupe de gars qui se précipitaient, brandissant leurs arbalètes.

– Qu'est-ce qui se passe ? leur cria Bobby.

– Il y a un klee lâché dans la nature, répondit l'un d'entre eux.

Sans une hésitation, Bobby tourna les talons pour suivre les gars.

Mark et Boon s'enfuirent à travers la ville, tentant de semer leurs poursuivants. Comme tout le monde était allé assister à l'exode des gars, les rues étaient quasiment désertes. Mark tenta d'ouvrir la porte d'une hutte, mais elle était verrouillée. Boon essaya une autre, en vain. Il venait de s'en écarter lorsqu'un harpon se ficha dans le panneau avec un bruit sourd.

– Ne t'arrête pas ! cria Boon.

Tous deux zigzaguèrent entre les huttes afin de désorienter les deux gars.

– Prends le bidon, fit Mark hors d'haleine. Tu peux t'en sortir. Tu es plus rapide que moi.

– Mais c'est sur moi qu'ils tirent, rétorqua Boon. Il faut se débarrasser d'eux !

– Je n'en peux plus, hoqueta Mark. J'ai un point de côté.

– Par là ! s'écria Boon en virant abruptement vers la gauche.

Il s'empara de Mark et l'entraîna derrière un petit muret. Tous deux retinrent leur souffle en tentant de faire le moins de bruit possible. Quelques secondes plus tard, les gars passèrent de l'autre côté. Ils les avaient vu tourner, mais ne savaient pas qu'ils s'étaient cachés. Mark avait besoin d'air, mais fit de son mieux pour contrôler sa respiration jusqu'à ce qu'ils soient passés. Boon jeta un coup d'œil au-dessus du muret pour voir cavaler les deux gars.

– Incroyable, fit-il. Ça a marché.

Ils se redressèrent et sautèrent le muret pour revenir sur leurs pas.

– Il vaut mieux se séparer, dit Boon. Tant que tu restes avec moi, tu es en danger.

Ils revinrent au croisement où ils avaient pris sur la gauche. Boon reprit :

– Je vais continuer de chercher Gunny et… attention !

Trois autres lances fonçaient vers eux. Elles sifflèrent à leurs oreilles. Une seconde vague de gars étaient à leurs trousses. Sans se concerter, Mark et Boon se remirent à courir. Ils quittèrent la rue et longèrent au pas de course une série de huttes dans l'espoir que les arbres des jardins les protègeraient des projectiles. Mais ils étaient en mauvaise posture. Ce second groupe se composait de quatre gars. Tôt ou tard, l'un d'entre eux finirait par faire mouche.

– Là ! s'écria Mark.

Il vira abruptement sur la gauche pour plonger entre deux huttes. Au-delà d'étendait un petit bois.

– On pourra peut-être les semer entre les arbres !

La petite forêt était si dense qu'ils furent obligés de rester sur le sentier. À chaque pas, celui-ci se faisait de plus en plus étroit, les forçant bientôt à courir épaule contre épaule. Puis ils virent que la forêt se terminait cinquante mètres plus loin.

– Une fois sortis, on se sépare aussitôt, déclara Boon. Ils ne sauront pas lequel suivre.

– Si on a de la chance, ajouta Mark.

Tous deux coururent jusqu'à l'extrémité du sentier, débouchèrent en espace dégagé… et s'arrêtèrent net.

– On n'a pas de chance, marmonna Mark.

Ils se retrouvèrent au bord de la rivière qui traversait le centre de la Cité de l'Eau noire. Le chemin se terminait en cul-de-sac. Derrière eux, le groupe de gars se rapprochait. Le flot était rapide, trop pour qu'on puisse y nager.

– Je ne suis pas très bon nageur, déclara Mark.

– Vraiment ? répondit Boon. Et moi, je ne peux pas nager du tout. Je suis un klee, au cas où tu l'aurais oublié.

– De toute façon, dit nerveusement Mark, on n'a pas vraiment le choix.

Derrière eux, un gar s'arrêta et brandit son fusil à harpons.

– Que… Quel effet aura cette eau sur le contenu du bidon ? demanda Boon.

– J-j-je n'en sais rien. Boon, il faut y aller !

Le gar mit un genou en terre et leva son arme…

– Je ne peux pas, Mark. Je vais me noyer !

Le gar pointait son harpon directement sur Boon.

– Ils vont te tuer ! s'écria Mark.

– J'ai plus de chances de m'en sortir ici qu'en sautant dans la rivière. (Il posa ses mains sur les épaules de Mark, prêt à le pousser.) Vas-y !

Le félin était bâti en force. Mark savait qu'il ne pouvait faire face.

– Je ne te laisserai pas couler, promit Mark. On peut plonger ensemble et... (Mark vit alors le gar prêt à tirer sur Boon.) Attention !

Boon se retourna. Le doigt du gar se crispa sur la détente de son arme et...

Et Bobby Pendragon apparut derrière lui, courant sur le sentier. Il se jeta sur l'homme, les pieds en avant comme un catcheur, en poussant un grand « Yaaaah ! » avant de percuter son dos.

Le gar s'affala en avant et sa flèche ne frappa que le sol. Il se releva d'un bond et vit Bobby.

– Qu'est-ce qui te prend ? cria-t-il. Ce klee va s'échapper !

Il tira un autre trait de son carquois. Mais avant qu'il ne puisse recharger, les bras puissants de Spader se refermèrent sur lui.

– C'est assez pour aujourd'hui, matelot, dit-il.

Les autres gars accoururent en tirant leurs propres armes. Bobby s'interposa en agitant les bras.

– Arrêtez ! ordonna-t-il. Ce ne sont pas vos ennemis !

– Les klees *sont* nos ennemis ! cria un des gars.

Kasha alla poser une main recouverte de fourrure sur son épaule.

– Pas forcément tous, dit-elle calmement.

Le gar la regarda et se dégagea, terrifié.

Gunny arriva à son tour, à bout de souffle. Il leva une main rassurante :

– Tout va bien, dit-il calmement. C'est vrai. Ces deux klees sont nos amis.

Gunny était une présence imposante. Les gars ne savaient comment réagir, ni qui croire.

– Bobby ! s'écria Mark avec un grand sourire soulagé.

Bobby prit son ami par les épaules :

– Tu n'as rien ?

– Maintenant, tout va bien ! Oh, je n'arrive pas à croire que tu sois là ! Et Spader ! Où est Courtney ?

– Elle est restée au Centre. Elle va bien, elle aussi.

Boon s'avança à son tour :

– Je te dois une fière chandelle, Pendragon !

– Bobby, c'était incroyable, fit précipitamment Mark. J'ai voulu porter le bidon à Aron, mais il nous a mis sous clé, tous les deux ! On ne savait pas quoi faire, alors on…

– Un instant ! lança Kasha. Écoutez.

Elle dressa les oreilles. Tout le monde se tut.

– C'est juste le signal d'alarme, dit Bobby. Ils finiront bien par le couper.

– Il y a autre chose, ajouta Spader. Mais… c'est impossible ! On dirait… un moteur de hors-bord !

– Ce n'est pas un bateau, répondit Kasha en levant les yeux au ciel.

Tous les autres l'imitèrent. À travers les arbres, ils virent un ciel bleu. La tempête était dissipée depuis longtemps.

– Oui, je l'entends aussi, déclara Bobby.

Peu après, ils virent une formation en V parfaite, évoquant un vol d'oies sauvages. Les appareils volants survolèrent l'Eau noire dans le vrombissement familier des hélices… multiplié par neuf.

– Qu'est-ce que c'est ? demanda Mark.

– La mort venue du ciel, répondit Kasha.

EELONG

La patrouille de gigs volait très haut, en route vers la Cité de l'Eau noire.

– On est fichus, fit Bobby, vaincu.

– Pas encore ! rétorqua Kasha. Ils ne peuvent jeter le poison d'aussi haut. Le vent le disperserait.

– Ils doivent faire un passage de reconnaissance, suggéra Gunny.

– Ou attendre l'arrivée des premiers gars, renchérit Boon d'un ton lugubre.

– Quoi qu'il en soit, reprit Spader, ça veut dire qu'il nous reste du temps.

Bobby se tourna vers Mark :

– Tu peux nous suivre ?

– Tout à fait, répondit Mark en se redressant de toute sa taille.

Ils allaient repartir vers le Centre, mais les gars les arrêtèrent en les menaçant de leurs lance-harpons.

– Stop ! Tant qu'on n'a pas de nouvelles d'Aron, vous êtes consignés.

– Vous allez avoir de mes nouvelles sans plus tarder ! fit la voix d'Aron qui apparut sur le chemin, accompagné de quelques autres gars. Gunny ! Qu'est-ce qui se passe ?

– Aron, ces machines volantes vont asperger la ville de poison. On peut encore les arrêter, mais pour ça, il faut retourner au Centre.

– Je vous l'avais bien dit ! renchérit Mark en désignant le bidon qu'il portait.

Aron fronça les sourcils.

– Mais la Transhumance…

– C'est ce qu'ils attendaient pour passer à l'action, coupa Bobby. Ils veulent que les gars soient tous rassemblés au même endroit.

– Je t'en prie, Aron, insista Gunny. Tu dois nous laisser y retourner.

Les gars semblaient nerveux. Ils passaient d'un pied sur l'autre sans trop savoir que faire. Ils se tournèrent vers Aron, attendant son verdict. Il regardait les gigs qui s'éloignaient dans le ciel.

– Ils vont revenir, dit Gunny. Et ils lâcheront une pluie mortelle sur la Cité de l'Eau noire. La Transhumance sera belle et bien une date mémorable : celle du jour du génocide des gars.

Aron regarda le grand Noir :

– Gunny, j'ai décidé de te faire confiance dès le premier moment où je t'ai rencontré. J'espère ne pas avoir à le regretter.

– Ne t'en fais pas, répondit Gunny avec assurance.

– Alors vas-y. Escortez-les, ordonna-t-il aux gars. Et faites vite !

Les gars passèrent de poursuivants à protecteurs. Ils partirent en courant sur le chemin afin de préparer le passage pour la petite bande de Voyageurs et d'Acolytes qui représentaient leur dernière chance de sauver Eelong.

Tous traversèrent rapidement le village pour gagner le Centre. Tous ne cessaient de jeter des regards nerveux vers le ciel en s'attendant à voir les gigs faire leur dernier passage. Ils étaient presque arrivés lorsqu'ils entendirent des acclamations dans le lointain.

– C'est parti, fit fièrement Aron. Les premiers gars sont arrivés.

C'était un moment de triomphe. Les gars rentraient chez eux. Des générations de servitude et d'horreur touchaient à leur fin. Mais personne ne savait qu'en effet, tout serait bientôt terminé.

Devant le Centre, Courtney faisait les cent pas pendant que Fayne restait adossée au bâtiment.

– Tu me rends nerveuse, dit Fayne.

– C'est bien le dernier de nos soucis, répondit Courtney.

Avant que Fayne ait pu lui demander ce qu'elle voulait dire par là, les autres apparurent. Gunny s'empressa de prendre le bidon des mains de Mark pour le tendre à Fayne.

– Branche-le, et fissa !

Fayne, qui ne comprenait pas l'argot suranné de Gunny, se tourna vers Aron, qui acquiesça. Courtney la suivit pour s'assurer que tout se passait bien.

– Regardez ! dit Mark.

Il désignait l'entrée de la Cité de l'Eau noire. Là, un flot constant de gars émergeait du tunnel. Ils avaient leur premier aperçu de leur nouvelle résidence. Chez eux. Et les habitants les acclamaient comme des héros. C'était un véritable triomphe. Bobby jeta un coup d'œil à Aron pour voir ses yeux s'embuer de larmes.

– Hobie ! s'écria Spader en désignant le ciel. Les voilà !

Tous se tournèrent vers les montagnes au-dessus de l'entrée de la cité. C'est alors que l'escouade de gigs apparut tel un nuage de mauvais augure. Mais cette fois-ci, ils volaient beaucoup plus bas, frôlant les sommets déchiquetés.

– Il est trop tard ! s'écria Boon.

– Pas encore, déclara Kasha. Ils sont encore trop haut. Et ils suivent le vent. Ils vont faire encore un passage, puis reviendront en arrière. C'est là qu'ils vont tout lâcher.

– Et on les attendra de pied ferme, déclara Gunny avant de les mener à l'intérieur du Centre.

Dans la serre, Fayne branchait d'une main experte le troisième et dernier bidon d'antidote. Les autres la regardaient faire. Tous étaient tendus, mais ils ne disaient rien pour ne pas déconcentrer Fayne. Elle finit par lever les yeux et froncer les sourcils.

– Je n'ai pas l'habitude d'avoir un public.

– Tu t'en tires bien, répondit Gunny. Ce bidon est plein ?

Fayne abaissa une manette sur son tableau de contrôle. L'aiguille d'une des valves passa de gauche à droite.

– À ras bord, répondit Fayne. Je n'arrive pas à croire qu'il soit si léger, et pourtant il est rempli.

Tout le monde eut un soupir de soulagement.

Courtney passa son bras autour des épaules de Mark et le serra contre elle :

– Tu as réussi ! dit-elle.

Fayne tendit la main vers le levier qui diffuserait l'antidote dans le système.

– Je peux ?
– Non ! répondit tout le monde en même temps.
Elle eut un sursaut, surprise.
– Bon, d'accord !
– Il faut attendre le bon moment, précisa Gunny.
– Comment le saura-t-on ?
– Très facilement, répondit Kasha. Ils reviennent.
À travers le plafond transparent, ils pouvaient voir jusqu'à l'autre extrémité de la vallée. Les gigs étaient de retour, si loin qu'on aurait dit des fourmis ailées. Mais cette fois-ci, il n'y avait pas de doute possible : à peine avaient-ils survolé la crête que les porteurs de morts plongèrent droit vers la vallée.
– Ça y est, dit Kasha. Ils attaquent.
– Allez ! cria Courtney.
Fayne empoigna le levier et s'apprêtait à l'abaisser lorsque…
– Non ! s'écria Booby.
Tout le monde le regarda d'un air incrédule.
– C'est maintenant ou jamais, fiston, avertit Gunny.
Bobby alla se poster à côté du levier.
– Qu'est-ce que tu fais ? demanda nerveusement Courtney.
Celui-ci regarda le petit groupe et dit :
– Je ne crois pas que c'était écrit. Pourtant, ça doit arriver. Peut-être qu'on se trompe du tout au tout, mais si quelqu'un doit déclencher une catastrophe, ce sera moi.
Il tendit la main, empoigna le levier et se tourna à nouveau vers ses alliés :
– Je ne crois pas que les règles ont changé. Mais nous si.
Et il abaissa le levier.

EELONG

Les gigs menèrent leur assaut avec une grande précision. Au moment même où ils passaient la crête pour descendre vers la Cité de l'Eau noire, ils se déployèrent afin de couvrir un maximum de terrain. En même temps, avec un bel ensemble, ils firent pivoter leurs hélices latérales afin de réduire leur vitesse. Les pilotes connaissaient leur affaire. Ils avaient procédé de cette façon maintes et maintes fois afin de répandre de l'engrais sur les immenses fermes d'Eelong.

Sauf que cette fois-ci, leur chargement était différent.

À l'entrée du village, les nouveaux venus fous de joie s'écoulaient dans la vallée. De l'orée du tunnel, les gars formaient une ligne ininterrompue qui s'étendait de la fissure, au-delà de l'endroit où les tangs avaient déclenché une avalanche, et jusqu'au cratère. Des milliers d'autres pèlerins sillonnaient la vallée avant de joindre la queue qui les amènerait chez eux.

Dans le village proprement dit, l'atmosphère était à la fête. On jouait de la musique et il y avait de grandes tables chargées de pains et de fruits destinés aux nouveaux venus. Au fur et à mesure qu'ils entraient, guidés par leurs cubes luisants, ils étaient accueillis par des étreintes et des larmes de joie. On aurait dit les retrouvailles d'une immense famille. Après leur long voyage, tous étaient las, mais la perspective d'une vie meilleure semblait les galvaniser. Certains se montraient timides – après tout, ils avaient été traités comme des bêtes toute leur vie. Mais leurs craintes se dissipaient vite face à une telle réception et dès qu'ils constataient que leur mythique refuge était bien une réalité.

Les pilotes klees regardèrent à gauche et à droite pour vérifier qu'ils étaient correctement disposés. Le pilote de tête, à la pointe du V, était chargé de la coordination. Il leva une main au-dessus de sa tête. En le voyant, les autres firent de même, en commençant par ceux qui étaient le plus près de la tête pour s'étendre, l'un après l'autre, jusqu'aux derniers gigs. Ils étaient prêts.

Le pilote de tête abaissa sa main. C'était le signal. Ils partirent à l'attaque.

Chacun ouvrit la valve de son réservoir pour répandre le poison de Cloral. Le liquide jaillit sous la forme d'un lourd gaz verdâtre. Celui qui fut libéré par les gigs de tête se mêla à celui des autres pour finalement former un nuage dense qui ne cessa de croître au fur et à mesure de leur avance. Ce nuage resta là, suspendu entre ciel et terre, presque immobile, preuve qu'il n'était guère plus lourd que l'air. Mais il s'épaississait à vue d'œil. Lorsqu'il fut assez grand et dense pour cacher la lumière du soleil, il se mit à descendre lentement vers le sol.

Les gars de l'Eau noire entreprirent d'emmener les premiers arrivants dans le village. Il fallait faire de la place pour les innombrables autres qui continuaient de passer la caverne. En chemin, ils virent quelque chose d'inhabituel sur l'horizon, une forme évoquant un petit vol d'oiseaux. Mais le plus étrange, c'est qu'ils semblaient entraîner derrière eux un drôle de nuage vert. Les gars de l'Eau noire observèrent le phénomène en échangeant des coups d'œil étonnés pour voir si quelqu'un avait une explication.

Les nouveaux venus désignèrent le spectacle du doigt en riant. Comme pour eux, tout était une expérience nouvelle et passionnante, ils n'y virent qu'une autre des merveilles que recélait la Cité de l'Eau noire.

Le pilote de tête jeta un coup d'œil vers le bas pour voir le grand nuage vert que dégageait son équipe. Il n'aperçut pas le moindre trou dans la couche de gaz. Quelques estimations rapides lui dirent qu'ils avaient bel et bien couvert tout le territoire de la Cité de l'Eau noire. Il eut un sourire triomphant. Ils n'auraient pas pu mieux faire.

Les gars de la Cité de l'Eau noire étaient bons pour une autre surprise. Ils entendirent un drôle de sifflement semblant venir de partout et nulle part en même temps. C'était un bruit familier et inattendu en même temps. En général, il ne se manifestait que de nuit, et certainement jamais en pleine journée, surtout un jour comme celui-ci. Et pourtant, c'était le cas maintenant.

Le système central d'irrigation venait d'être activé.

Les arroseurs étaient partout : sur les réverbères, sur les fermes entourant le village, même sur les arbres. L'eau en sortait sous forme de brume si humide qu'elle trempa les gars jusqu'à l'os.

Pour les nouveaux venus, c'était une merveille de plus. Ils poussèrent des cris de joie alors que l'eau lavait tous leurs mauvais souvenirs. Ils se mirent à danser, à piétiner les flaques, certains tombèrent même à genoux et ramassèrent le liquide à pleines poignées afin d'étancher leur soif.

Au Centre, Bobby et les autres coururent au-dehors pour constater que les arroseurs fonctionnaient. Aussitôt, la brume les trempa jusqu'à l'os. On aurait dit un nuage de pluie, mais à quelques mètres au-dessus de leurs têtes.

– Si ça ne marche pas, ne vaut-il pas mieux rester à l'intérieur ? demanda Mark.

– Si ça ne marche pas, reprit Gunny, cela ne fera que retarder l'inévitable. S'il faut en finir, autant que ce soit le plus vite possible.

– Ça fait pas mal d'eau, remarqua Bobby à Spader. L'antidote risque d'être trop dilué.

– Ne t'en fais pas, Pendragon, répondit Spader, confiant. Manoo m'a dit qu'il n'en faudrait pas beaucoup pour contrecarrer le poison.

– Et tu as confiance en lui ?

– Eh bien, maintenant, ça ne change pas grand-chose, répondit Spader avec un sourire rusé.

– On ne va pas tarder à le savoir, reprit Boon. Regardez !

Il montra le ciel du doigt. Les neuf gigs passèrent directement au-dessus de leurs têtes, crachant leur poison, teintant l'azur de vert comme s'ils tiraient une bande de gazon artificiel au-dessus de leurs têtes. Tout le monde scruta ce tapis qui descendait lentement vers eux.

– Ça v-v-a faire mal ? chuchota Mark.

– Si le poison nous atteint, affirma Bobby, ce sera rapide.

– Gunny, reprit Aron, manifestement effrayé. Je ne comprends rien à ce qui se passe.

– Je t'expliquerai tout dans quelques minutes. Enfin, si on est toujours là pour ça.

Les gars acclamèrent la formation de gigs en agitant la main comme pour les remercier de leur incroyable spectacle aérien.

– Regardez ! annonça Kasha. Leurs réservoirs sont presque vides.

En effet, le jet de poison qu'ils émettaient commençait à s'appauvrir. Mais le nuage était déjà bien suffisant. Les gigs atteignirent l'autre bout de l'Eau noire. Dès qu'ils eurent fini de larguer leur cargaison mortelle, ils s'élevèrent tous ensemble pour survoler le col des montagnes, quittant pour de bon le lieu-dit. Leur mission était accomplie.

– C'est bien ! s'exclama Kasha. Ils ne pourront pas viser les gars de l'extérieur !

– Je préférerais être sûre que l'antidote va fonctionner ici, remarqua Courtney.

Tous se tournèrent à nouveau vers le nuage vert qui continuait de descendre. Boon se rapprocha de Kasha. Ils échangèrent un regard nerveux. Courtney alla prendre la main de Bobby, qui lui fit un petit sourire et serra ses doigts. Mark se tint de l'autre côté de Bobby.

– On a fait de notre mieux, dit-il.

– Je sais, répondit Bobby.

Tous continuèrent de fixer le ciel. C'était un drôle de sentiment, surtout avec pour fond sonore les manifestations de joie des gars. On n'aurait jamais cru que la Cité de l'Eau noire risquait d'être transformée en un immense cimetière.

Le nuage descendit doucement jusqu'au sol. Les Voyageurs comme les Acolytes attendirent. Encore et encore.

– Inspirez profondément, conseilla Gunny d'un ton sinistre. Autant en finir le plus vite possible.

Sa suggestion produisit un effet opposé. Tout le monde retint son souffle. L'eau des brumisateurs vint mouiller leurs yeux braqués vers le ciel, mais personne ne détourna son regard. Si ce devait être les derniers instants de leurs vies, autant les faire durer.

– Il… Il n'est pas plus clair ? fit doucement Mark.

Personne ne réagit. Pourtant, le nuage semblait un peu moins dense.

– C'est vrai ! s'écria Courtney.

– Il se dissipe ! renchérit Boon.

Quelques secondes plus tard, la lumière caractéristique de la bande solaire traversa le nuage. Ils purent sentir sa chaleur sur leurs visages.

– Hobie ! s'écria Spader. Quand il atteint la brume, le poison se dissout !

En l'espace de quelques instants, le ciel vert foncé devint de plus en plus clair, puis d'un blanc vaporeux, puis… bleu.

– Hourraaaaaaaaa ! hurla Gunny. On est en vie ! On a sauvé l'Eau noire !

Il effectua quelques pas de danse dignes d'une comédie musicale de son époque. C'était bien la première fois depuis leur départ des territoires terrestres que Bobby le voyait si joyeux.

Chacun réagit de façon différente. Gunny gigotait sous la pluie comme un épouvantail frappé de danse de Saint-Guy. Aron le regardait d'un air interdit. Fayne conclut qu'ils étaient tous devenus fous à lier et préféra regagner son poste.

Spader courut prendre Courtney dans ses bras et, d'enthousiasme, la souleva du sol.

– On a réussi ! brailla-t-il. On a battu Saint Dane !

Mark finit par se laisser aller. Maintenant que la pression était retombée, il se mit à pleurer toutes les larmes de son corps sans pouvoir s'en empêcher.

Boon et Kasha furent plus mesurés. L'Acolyte toucha l'épaule de la Voyageuse et dit :

– Seegen avait raison. Tu es bien digne de lui.

Kasha lui décocha un sourire triste.

Plutôt que les rejoindre, Bobby préféra s'éloigner du groupe et contempler la foule des gars qui continuait de se déverser dans la Cité de l'Eau noire. La fête battait toujours son plein, prenant de l'ampleur au fur et à mesure des arrivées.

Gunny s'approcha de Bobby et observa à son tour les festivités. Au bout d'un moment, il dit :

– Qu'est-ce qu'on doit ressentir lorsqu'on assiste à la naissance d'une nouvelle civilisation ?

– C'est extraordinaire, répondit Bobby. Je suis content pour eux. Et pour nous aussi. C'est bon d'être toujours en vie.

Ils eurent un petit rire.

– On a bien agi, Bobby. Surtout après ce qui s'est passé sur Veelox. Eelong ne risque plus rien. Saint Dane n'ajoutera pas un autre territoire à sa collection.

Bobby y réfléchit un instant, puis déclara :

– Tu as raison. On n'avait pas le choix. Mais la guerre est loin d'être terminée. Ce qui m'inquiète, c'est ce que nous allons décider pour la prochaine fois.

Gunny acquiesça d'un air pensif.

– Je ferais mieux de rentrer et trouver une façon de tout raconter à Aron.

Gunny laissa Bobby seul avec ses pensées. Ils avaient remporté la bataille. Une fois de plus. Eelong avait atteint son moment de vérité, et tout indiquait que son avenir serait radieux. Certes, il y avait encore beaucoup à faire... Il faudrait bien des efforts pour réconcilier les klees et les gars, mais sans Saint Dane pour envenimer leurs relations, Bobby pensait qu'ils y parviendraient, tôt ou tard. Et pourtant, il n'était pas tranquille. Saint Dane avait défié Bobby de l'arrêter. Il était allé jusqu'à expliquer en détail comment il entendait détruire Eelong. Il était sûr que son plan allait réussir, quoi qu'il fasse.

Mais il se trompait. Bobby l'avait vaincu. Il lui avait fallu l'aide de Courtney et Mark, les Acolytes d'une autre dimension, pour sauver Eelong, mais le résultat était le même. Bobby se demanda si tout était vraiment fini. Bon, les preuves étaient là, devant lui. Les gars opprimés étaient libres, et ceux de l'Eau noire avaient de quoi sauver Eelong de la famine. Tout allait bien.

Et pourtant, il restait troublé.

Il regarda les gars joyeux qui dansaient dans les rues comme lors du plus extraordinaire des carnavals en tentant de se convaincre que tout était terminé. Où qu'il se tourne, tout le monde arborait un grand sourire et une larme de joie à l'œil.

Tous, sauf une.

C'était une petite fille blonde qui ne devait pas avoir plus de cinq ans. Elle était perchée au sommet d'une hutte, toute seule. Elle ne participait pas aux démonstrations de joie des autres gars. Elle avait quelque chose de familier, bien que Bobby n'aurait su dire quoi. Il fit quelques pas dans sa direction pour mieux voir, mais elle se retourna et le dévisagea.

Bobby se figea sur place. Il se souvenait d'elle. C'était la fillette qui l'avait accueilli à son retour à la Cité de l'Eau noire. Elle était sortie de la foule et lui avait donné une fleur blanche. Bobby se souvenait de cette fleur et aussi des yeux de la fillette. Ils étaient d'un bleu perçant. Et maintenant qu'il la regardait, ils semblaient plus intenses que jamais. On aurait dit qu'elle voyait à travers lui.

Un frisson descendit le long de son échine. Son esprit l'amena là où il n'avait aucune envie d'aller. Mais il n'avait pas le choix, car la fillette se mit à rire. Or c'était un rire sans joie, avec même une pointe de démence qui frappa Bobby.

La fillette lui cria quatre mots, rien de plus. Quatre mots qui ne disaient rien aux gars qui dansaient en contrebas. Quatre mots que la plupart des habitants d'Eelong n'auraient pas su interpréter. Mais cela n'avait aucune importance. Ils visaient Bobby, et lui seul. Et lorsqu'il les entendit, son cœur s'emballa.

– Au tour de Zadaa ! cria la fillette.

– Saint Dane !

Bobby courut vers la petite fille. Mais lorsqu'il eut escaladé la hutte, elle avait disparu.

EELONG

Gunny avait raison. Ils avaient assisté à la naissance d'une nouvelle civilisation.

Lorsque la multitude des gars vint au bout de sa transhumance vers l'Eau noire, leurs hôtes entreprirent de les aider à s'installer, leur fournir un repas et un lit. C'était une tâche complexe, herculéenne, mais les habitants de la cité s'y préparaient depuis des années. Ils étaient prêts. C'est ensuite que viendrait le plus grand défi de tous : éduquer leurs cousins primitifs et les mener sur la voie d'une existence civilisée.

Mais cela ne suffirait pas pour guérir Eelong. Les gars devaient encore se confronter à leurs ennemis, les klees. Si certains voulaient se venger de toutes ces années d'asservissement, ceux qui avaient une vision plus large comprenaient que les deux races devaient coexister pacifiquement pour qu'Eelong puisse prospérer.

Dans ce but, Gunny et Bobby firent de leur mieux pour convaincre Aron qu'un seul klee était responsable du bombardement de la Cité de l'Eau noire. Timber. Ils le persuadèrent qu'une fois qu'ils l'auraient chassé, lorsqu'ils montreraient aux klees que les gars pouvaient résoudre les problèmes d'alimentation, les klees ne se sentiraient plus menacés et commenceraient à considérer les gars en égaux. C'était une théorie valable, et Aron espérait pouvoir la mettre en pratique.

Aron ne dit jamais aux autres gars qu'ils étaient passés à deux doigts de la destruction. Lui-même n'était pas vraiment sûr d'y croire. Mais il préférait se tourner vers l'avenir plutôt que le passé. Aron ferait certainement un bon chef. Cependant il lui restait encore à affronter l'autre bord – les klees.

Kasha et Boon s'en chargaient. Les Voyageurs et les Acolytes, accompagnés d'Aron et quelques leaders de l'Eau noire, entreprirent le long voyage qui les ramènerait à Lyandra. Kasha et Bobby restaient des fugitifs, et Boon devait aussi être recherché pour le vol des zenzens. Comme ils ne voulaient pas être arrêtés dès leur arrivée, ils se dotèrent donc d'une escorte si imposante que les klees ne pourraient l'ignorer. Pas moins de cinquante gars marchèrent sur Lyandra. Tous (même Mark) chevauchaient des zenzens et portaient une cape noire et un gilet protecteur. Ils étaient aussi armés de fusils à harpons. Ils n'avaient pas l'intention de s'en servir ; ils voulaient juste faire une démonstration de force.

Kasha et Boon, les deux klees, ouvraient la marche. Avec audace, ils menèrent les autres au milieu du stade de wippen pour demander une audience avec le Conseil des klees. Mais personne n'avait prédit le spectacle qui les attendait.

Lyandra tombait en pièces.

Après la fuite des gars, les klees avaient découvert à quel point ils étaient essentiels pour assurer le bon fonctionnement de la ville. Les gars se chargeaient de tous les petits travaux dont les klees ne voulaient pas. Sans eux, les ascenseurs et les trams étaient tombés en panne ; l'eau ne circulait plus, puisqu'il n'y avait personne pour nettoyer le réseau complexe de tuyaux assurant l'irrigation ; et, pire encore, maintenant que les incursionneurs ne voulaient plus s'aventurer au-delà des murs d'enceinte sans gars pour les couvrir, la nourriture venait à manquer. Lyandra tout entière était paralysée.

Ce qui était pain béni pour Kasha et Boon. Accompagnés d'Aron, ils se rendirent aussitôt au Conseil des klees pour aller trouver Ranjin, l'ancien vice-roi. Celui-ci ne fit pas de problèmes pour leur accorder une audience. Il leur apprit qu'après l'échec du bombardement de la Cité de l'Eau noire, Timber avait disparu (ce qui ne surprit personne).

Kasha dit à Rajin la vérité à propos des gars. Il l'écouta attentivement pendant qu'elle lui expliquait qu'ils étaient doués d'intelligence et avaient développé des techniques de cultures novatrices qui mettraient fin à la disette. Aron lui fit bien comprendre que les gars étaient tout disposés à aider les klees du moment que ceux-ci les traitaient sur un pied d'égalité. Les klees devraient abandonner leurs vieux préjugés et admettre que les gars n'étaient pas des animaux.

Ranjin écouta tout ce qu'Aron et Kasha avaient à lui dire avec un vif intérêt. Kasha précisa que, pour que les gars se mettent à aider les klees, ceux-ci devaient prouver leur bonne foi. Un geste symbolique. Sans cela, ils les laisseraient mourir de faim.

– Que puis-je faire ? demanda Ranjin.

– Vous devez redevenir le vice-roi de Lyandra, répondit Kasha. Vous avez prouvé que vous étiez la voix même de la raison. Une voix qui doit se faire entendre à nouveau.

Ranjin accepta de reprendre le bâton de vice-roi et de faire tout son possible pour former une alliance avec les gars.

Ensuite, les événements se précipitèrent. Aron et Ranjin discutèrent pendant des jours de l'avenir de leurs deux races et de celui d'Eelong. Ils tombèrent d'accord pour partager les technologies que chacun avait développé. Leur lien radio serait précieux pour les klees partis en incursion, qui pourraient coordonner leurs actions et suivre les déplacements des tangs afin de réduire les risques d'attaque-surprise. Il pouvait aussi être emportés à bord des gigs pour que les hélicoptères puissent échanger des informations sur la météo et le mouvement des nuages, leur permettant de couvrir des distances plus importantes sans craindre de tomber en panne. Bien sûr, le virloam inventé par les gars fut au centre de leurs discussions. Cette remarquable substance éliminerait tout risque de famine dans ce territoire en pleine croissance. Aron et Ranjin ne se faisaient pas d'illusion : le chemin qui s'étendait devant eux serait semé d'embûches. Mais c'était dans l'intérêt de tous.

Un mois après l'échec du bombardement, Eelong s'annonçait comme un territoire paisible et sans danger, à l'avenir radieux.

Bobby et les Voyageurs restèrent sur Eelong, le temps de s'assurer que le processus de pacification était bien engagé. Tout d'abord, Bobby voulut que Mark et Courtney rentrent chez eux, mais ils demandèrent à rester. Ils avaient risqué leur vie pour sauver Eelong et voulaient voir le résultat. Bobby accepta sans discuter : ils l'avaient bien mérité. Après la Transhumance, ils passèrent quinze jours à la Cité de l'Eau noire, où ils s'émerveillèrent de constater à quel point les gars s'adaptaient vite à leur nouvelle existence. Leurs avancées technologiques fascinaient Mark. Il passa des jours entiers au Centre pour emmagasiner le plus d'informations possibles sur le virloam et les liens radio. Courtney se fit un plaisir d'apprendre aux gars à jouer au foot. Spader finit par s'y mettre, et ils formèrent une petite amicale où Spader et Courtney étaient chacun capitaines de leur propre équipe.

Quinze jours plus tard, ils retournaient à Lyandra pour une rencontre historique avec Ranjin. Ils s'installèrent chez Seegen pendant tout le temps des négociations. Ils firent le tour de la ville, émerveillés par toutes ses richesses – et non sans une certaine fierté. Depuis le départ de Bobby, ils regrettaient de ne pas pouvoir jouer un rôle plus important. Sur Eelong, leur rêve était devenu réalité. Courtney avait retrouvé sa confiance en elle, et Mark avait enfin droit à sa part d'aventure.

Une aventure qui devait toucher à sa fin.

Un soir où les trois visiteurs de Seconde Terre dînaient chez Seegen, Mark manifesta des signes de nervosité. Plus tard, il finit par leur dire ce qui le tracassait :

– Les enfants, je crois qu'il est temps de rentrer chez nous.

Courtney ne s'attendait pas à ça.

– Pourquoi ? C'est formidable ici ! Qu'est-ce qui nous attend chez nous ? L'école ? Les devoirs ? Les parents qui nous harcèlent ?

– Ben... oui, répondit Mark. Ça me manque.

– Et qu'est-ce qu'on va dire à nos parents ? « Désolé d'avoir disparu pendant un mois, mais on a dû suivre Bobby Pendragon sur un autre territoire pour empêcher une race d'homme-chats de détruire un village caché dans les montagnes. Passe-moi le sel. » J'y crois pas trop.

– On le savait en partant, contra Mark.

– Oui, mais c'était avant qu'on envoie Saint Dane se faire voir chez les Grecs ! rétorqua Courtney. Sans nous, Eelong ne serait plus qu'une immense litière. Le combat ne fait que commencer. Bobby a besoin de nous. Pas vrai, Bobby ?

Il ne répondit pas, ce qui déplut à Courtney.

– Tu veux qu'on t'aide, non ?

– Vous le faites depuis le premier jour, répondit calmement Bobby.

– Comme bibliothécaires ! s'exclama-t-elle en sautant sur ses pieds. Maintenant qu'on y a pris goût, on ne peut plus revenir en arrière !

– Il le faut, répondit Bobby sans la moindre émotion.

Courtney en resta sans voix.

– Comment ? Pourquoi ?

– Parce que j'ai besoin de vous. Tu as raison : vous avez sauvé Eelong. Sans votre aide, je ne sais pas ce qui serait arrivé. Vous avez été formidables. Mais j'ignore ce qui m'attend et...

– Et quoi ? Tu crois qu'on ne peut pas tenir le choc ? rétorqua Courtney, vexée.

– Même moi, je ne suis pas sûr d'être assez fort ! aboya Bobby de façon si brutale que Mark et Courtney en sursautèrent.

– Quelque chose te tracasse, Bobby, dit Mark. Qu'est-ce qu'il y a ?

Bobby tenta de mettre de l'ordre dans ses idées avant de répondre :

– Quelque chose ne colle pas, finit-il par déclarer. Eelong est sauvée. J'en suis sûr et certain. Et pourtant, j'ai l'horrible impression d'avoir raté quelque chose. Je sais que vous avez tout fait pour nous aider, et je ne pourrai jamais assez vous en remercier. Mais j'essaie toujours de comprendre quelles sont les règles, si elles ont vraiment changé, et ce que je viens faire là-dedans !

Il avait haussé le ton jusqu'à crier cette dernière phrase. Courtney se rassit, étonnée par cet éclat. Ils n'avaient pas réalisé qu'il était sur les nerfs. Depuis le sauvetage de l'Eau noire, il n'avait fait part de ses doutes à personne. Il avait caché le fait qu'il avait vu Saint Dane sous les traits d'une petite fille. Mais maintenant, il était prêt à vider son sac.

– Je vous en prie, ne le prenez pas mal, reprit Bobby. Mais tout est si confus... Je ne peux pas rester vigilant et veiller sur vous en même temps. Alors, s'il vous plaît, rentrez chez vous. Demain, je vous ramènerai au flume.

Et Bobby quitta la hutte à grandes enjambées furieuses, laissant Courtney et Mark stupéfaits. Tout d'abord, ils restèrent muets, le temps de digérer la tirade de Bobby.

– Eh bien, finit par dire Courtney, quelle ingratitude ! On a failli se faire tuer au moins vingt fois, et tout ce qu'il fait, c'est dire « merci ! » et nous renvoyer à la niche ? C'est de la...

– Non, coupa Mark. Il a raison. Courtney, on n'est pas des Voyageurs. On n'a rien à faire ici.

– Qui l'a décidé ?

– Ben... Press, l'oncle de Bobby.

– Press est mort ! rétorqua Courtney.

– Oui, mais je crois que Bobby se réfère toujours à lui. Il lui faisait une confiance absolue. C'est Press qui lui a appris à être un Voyageur, et c'était sans doute le seul à savoir vraiment ce que ça signifiait.

– Oui, ce doit être ça, fit Courtney à contrecœur.

– Pense à tout ce que Bobby a dû supporter. Je n'aurais jamais tenu. Et sans vouloir te vexer, je ne crois pas que tu aurais fait mieux. Bobby est à part, mais ce n'est qu'un être humain. D'après moi, quand il ne sait plus quoi faire, il repense à ce que Press lui a appris. Et notre voyage sur Eelong n'en fait pas partie.

– Mais si on n'était pas venus, rétorqua Courtney, Saint Dane aurait remporté la victoire.

– On dirait, mais on ne peut pas en être sûr, non ?

– Moi, j'en suis certaine. Il n'y avait pas d'autre option. Et tu sais quoi ? Spader veut qu'on reste.

– Ah oui ? Peut-être qu'il veut juste que *tu* restes.

Courtney lui jeta un regard surpris.

– Je ne suis pas complètement idiot, ajouta Mark. Il t'aime bien.

Courtney préféra ne pas répondre. Mark se leva :

– Mais ça n'a pas d'importance. Ce n'est pas Spader qui commande. Ni Gunny, ni Kasha, ni toi ou moi. C'est Bobby. Et tu sais quoi ? C'est vrai que j'ai envie de rentrer chez moi, mais si Bobby me demande de rester, je resterai. Par contre, s'il veut qu'on parte, je m'en irai. Et tu devras en faire autant.

Bobby était allé sur le balcon de la demeure de Seegen afin de respirer un peu et de reprendre son calme. Il sursauta en voyant une ombre grimper sur la plate-forme, mais se détendit en reconnaissant Kasha.

– Heureusement, tu es là, dit-elle. Viens avec moi.

Kasha le mena à l'autre bout du balcon, où une échelle conduisait à l'étage supérieur. Bobby la suivit, toujours plus haut, jusqu'à atteindre une petite plate-forme si élevée qu'elle ondulait au gré du vent. Même si elle semblait précaire, elle offrait une vue impressionnante sur Lyandra.

– C'est beau, dit Bobby en contemplant les lumières de la ville.

– C'était l'endroit préféré de mon père, répondit Kasha. Souvent, il venait dormir ici. Il me disait qu'une fois là-haut, il avait l'impression de pouvoir tenir Lyandra dans sa main.

Tous deux contemplèrent le spectacle en silence.

– Je n'apprécie pas le changement, reprit Kasha. J'aime que tout soit logique et ordonné. Je croyais que mon père était comme ça, lui aussi. C'était un visionnaire. Mais surtout, il faisait évoluer les choses. Tout ce que je voulais, c'est être comme lui. Alors, quand il a commencé à parler de Voyageurs et de Saint Dane, je n'ai pas pu l'accepter. Ce qu'il racontait ne collait pas avec ma vision d'Eelong ou de lui-même. Je croyais qu'il était devenu fou. Mais maintenant, je sais qu'il n'avait pas changé. Il était toujours le même klee dévoué et soucieux du bien d'autrui. Il s'était juste adapté à ce que la vie lui réservait, alors que j'en étais incapable.

– Mais tu l'as fait, répondit Bobby. Cela t'a pris un peu plus longtemps, c'est tout.

– Trop tard, tu veux dire, reprit-elle amèrement. Je lui ai tourné le dos. Il est mort en pensant que je n'avais plus aucun respect pour lui, ce qui était bien loin de la vérité.

Tous deux restèrent un moment silencieux, puis Bobby finit par dire :

– Quand mon oncle Press est mort, il m'a promis qu'on se reverrait. Je ne saurais pas dire ce qu'il entendait par là, ou comment c'est possible, mais s'il y a bien quelque chose que j'ai retenu de cette histoire de Voyageurs, c'est qu'à chaque fois que tu penses y avoir compris quelque chose… tu te prends une claque. Dans les moments pénibles, je repense à ses derniers mots. S'il a dit vrai, et je le crois, ça signifie que tu reverras ton père.

– J'aimerais le croire aussi.

– Alors laisse-toi convaincre. Ça facilite les choses.

– J'ignore tout des autres territoires, reprit Kasha, ou ce qu'un Voyageur klee peut faire, mais tu peux compter sur moi, Pendragon. Et pas uniquement pour mon père. Pour toi, pour nous.

Bobby hocha la tête. Il remarqua alors que Kasha tenait une petite boîte en bois.

– Qu'est-ce que c'est ?

– J'attendais le bon moment pour ça. Pour mon père, Lyandra était toute sa vie. Il serait fier de tous ces changements. Je veux qu'il devienne une partie de sa ville, à tout jamais.

Elle ouvrit la boîte et jeta son contenu dans les airs. La brise emporta les cendres de Seegen. Elles se répandirent vite pour retomber lentement sur le village endormi.

– Tu lui aurais bien plu, Pendragon, dit Kasha. Je suis heureuse que tu aies été là pour partager ce moment.

Tôt le lendemain matin, l'équipe des Voyageurs et des Acolytes partit pour un dernier voyage. Ils parcoururent les ponts aériens d'Eelong afin de retourner à l'immense arbre abritant le flume. Tout cela ressemblait fort à un adieu. Ils avaient vaincu Saint Dane et sauvé Eelong. Et maintenant, ils se séparaient à nouveau.

Finalement, ils s'arrêtèrent dans la caverne souterraine, face au flume.

– C'est dur, je sais, dit Bobby au petit groupe. On a vaincu Saint Dane. Chacun d'entre nous a joué un rôle crucial. J'aimerais que ce soit la fin de l'histoire, mais ce n'est pas vrai. Je sais que je l'ai déjà dit, mais pas un seul d'entre nous ne peut l'affronter seul. Il n'aurait pas l'ombre d'une chance. Notre seul espoir est de joindre nos forces, comme nous l'avons fait ici, sur Eelong. Nous en avons désormais la preuve.

– Ça veut dire qu'on reste ensemble ? demanda Spader.

– Oui, répondit Bobby.
– Hobie ! Ça, ça me plaît !
– Mais pas toi, Kasha, ajouta Bobby. Je suis sincèrement désolé, mais sur d'autres territoires, tu aurais du mal à passer inaperçue.
– Je comprends, répondit la Voyageuse klee. On a bien assez à faire ici, sur Eelong. Mais tu sais que si vous avez besoin de moi…
Elle n'eut pas à terminer sa phrase.
– Quel est le prochain arrêt, fiston ? demanda Gunny.
– Je pense qu'il est temps d'aller rendre visite à Loor.
– Zadaa ! s'exclama joyeusement Spader. Cette Loor est une sacrée bonne femme.
Bobby se tourna vers Mark et Courtney. Ils faisaient grise mine, surtout Courtney. Bobby les entraîna à l'écart afin d'avoir un peu d'intimité.
– Désolé pour hier soir, dit-il. J'ai pété un plomb.
– Ce n'est pas grave, Bobby, répondit Mark. On comprend.
– Mais ? renchérit Courtney.
– Mais je préfère quand même que vous rentriez chez vous.
Mark acquiesça. Courtney détourna les yeux, déçue.
– Je peux toujours compter sur vous pour protéger mes journaux ? demanda Bobby.
– Tu veux rire ? répondit Mark. Vas-y, envoie !
– Ce n'est pas tout, reprit Bobby. Tout ça est loin d'être terminé. Si je finis par me faire une idée de ce qui se passe exactement, est-ce que vous reviendrez m'aider ?
Le visage de Courtney s'illumina.
– Alors la porte n'est pas entièrement fermée ?
– Tu crois vraiment que je peux me le permettre ? Hé, je navigue à vue. Je dois rester ouvert à toutes les possibilités !
Courtney passa ses bras autour de Bobby et le serra contre elle.
– Nous t'attendrons, lui murmura-t-elle à l'oreille.
Par-dessus son épaule, Bobby regarda Mark.
– Tu n'as qu'à demander, dit-il.
Courtney se sépara de Bobby. Celui-ci étreignit Mark.
– Merci, les amis. Je ne sais que dire de plus.

– Il n'y a rien à ajouter, déclara Mark, lui-même au bord des larmes.

Mark et Courtney firent leurs adieux aux autres. Tout en étreignant Spader, elle lui lança :

– Alors tu trouves que Loor est une sacrée bonne femme, hein ? C'est ce que tu dis aussi de moi ?

Spader tenta de se rattraper :

– Euh, eh bien... ce n'est pas pareil. Enfin, c'est une guerrière, entraînée au combat et tout ça, et toi, hem, tu es intelligente et...

Bobby éclata de rire.

– C'est bien la première fois que je te vois nerveux !

– C'est la première fois que je *suis* nerveux ! répondit-il avec un petit rire gêné.

– On se reverra, dit-elle. Et on verra qui est une sacrée bonne femme !

Gunny les serra dans ses bras l'un après l'autre, puis ils allèrent saluer les klees.

– Merci pour tout, dit Kasha.

– Merci encore, renchérit Boon.

– Bof, ça fait partie du boulot, c'est tout ! fit Mark, crâneur.

Courtney lui donna une bourrade amicale :

– C'est ça, oui. Allez, viens.

Bobby les accompagna derrière le rideau de lianes jusqu'à l'embouchure du flume.

– Qu'allez-vous dire à vos parents ? demanda-t-il.

– Bonne question, répondit Mark.

– Qu'est-ce que tu nous conseilles ? demanda Courtney.

– De mentir comme des arracheurs de dents.

Tous trois s'étreignirent une dernière fois, puis Mark et Courtney entrèrent dans le flume.

– N'oublie pas d'envoyer de tes nouvelles, dit Mark.

– Ne t'inquiète pas.

– À bientôt, Bobby, dit Courtney.

Tous deux se tournèrent vers le tunnel donnant sur l'infini.

– Prêt ? demanda Mark.

– Rien ne vaut son chez soi, répondit Courtney.

– Seconde Terre ! cria Mark.

Alors il se passa quelque chose qui fit que plus rien ne serait jamais comme avant.

Le flume s'effondra.

Au loin apparurent les notes de musique et la lumière familière. Mais le tunnel de pierre lui-même s'écroulait sous leurs yeux.

– Qu'est-ce qui se p-p-passe ? demanda Mark.

Dans un grincement assourdissant, le flume tressauta et se tordit. D'énormes fragments de roche se mirent à tomber. Le tunnel se retourna. Mark se vit projeté au sol. Les lumières se firent plus brillantes. Bobby courut aider Mark à se relever. Tout autour d'eux, la caverne entière s'éboulait.

– Dans le flume, vite ! cria Bobby. La lumière !

Il les poussa tous les deux, afin qu'ils se précipitent dans le tunnel. Une fissure apparut entre les pieds de Bobby, s'ouvrant sur le vide. Le flume se désagrégeait. Bobby plongea sur la droite, heurtant le sol de son épaule. Au-dessus de lui, un autre bloc de roche se détacha. Il roula sur le côté pour l'éviter, s'éloignant de la fissure qui ne cessait de s'élargir. Il se retourna vers le flume. Mark et Courtney n'étaient plus que des silhouettes indistinctes courant vers la lumière. Des morceaux de pierre continuaient de pleuvoir tout autour de lui. Il rampa loin de la crevasse, tentant désespérément d'échapper à l'éboulement, lorsque le sol s'effondra sous lui.

Puis Mark et Courtney disparurent, en chemin vers la Seconde Terre.

SECONDE TERRE

La vieille cave de la maison Sherwood s'illumina, et les notes de musique familières retentirent. Puis Mark et Courtney, indemnes, sortirent en courant du tunnel. Ils se retournèrent aussitôt pour inspecter le flume.

– Il est intact ! annonça Mark.

La lumière et les notes refluèrent, et le tunnel redevint sombre et silencieux. Courtney toucha la pierre composant l'entrée du tunnel.

– Elle est tout à fait normale, dit-elle. Que s'est-il passé ?

– Je ne sais p-p-pas ! On aurait dit un t-t-tremblement de terre.

– Qu'est-ce qu'on doit faire ? fit Courtney, au bord de l'hystérie. Retourner là-bas ?

– Non ! cria Mark. On s'en est d-d-déjà sortis de justesse. Pourquoi y retourner ?

– Mais, et Bobby et les autres ?

Mark ne sut que lui dire.

– Un... instant. Pas de panique. Réfléchissons un p-p-peu. On ne peut repartir là-bas. Tout ce qu'on peut faire, c'est attendre. C'est ce qu'a dit Bobby, non ?

– Mais il ne pouvait pas savoir que le flume allait s'ébouler !

– Je sais, je sais ! Mais que veux-tu qu'on fasse ?

Courtney en resta bouche bée.

– Rien. Attendre... Ce sera une vraie torture.

Tous deux retirèrent les combinaisons de plongée de Cloral qu'ils portaient toujours et passèrent les vêtements de Seconde

Terre qu'ils avaient laissés dans le cellier, il y avait une éternité. Courtney n'eut même pas le cœur de se moquer du sweat-shirt jaune vif portant l'inscription « trop cool » de Mark. Ils quittèrent le sous-sol sans même s'inquiéter de savoir s'ils allaient tomber sur un quig. Une fois sortis du manoir abandonné, ils découvrirent que la nuit était tombée sur Stony Brook. Ils purent gravir le mur entourant la propriété pour regagner les rues paisibles sans se faire repérer. À peine avaient-ils touché le sol qu'aussitôt ils repensèrent à ce qui s'était passé sur Eelong, Ils estimèrent qu'un mois avait dû s'écouler depuis leur départ de Cloral. Ils ne pouvaient imaginer ce que devaient penser leurs familles.

– Et maintenant ? demanda Courtney en cours de route. On va se faire massacrer.

– Je sais, mais j'y ai pensé. Il faut qu'on accorde nos violons, sinon, ça ne passera jamais.

– Je t'écoute.

– On va dire qu'on s'est sauvés ensemble. Mettons, qu'on est partis à l'aventure.

– C'est le cas !

– Je n'ai pas dit qu'il faut leur raconter toute la vérité ! Non, mettons qu'on en a eu marre d'être de bons petits lycéens, qu'on n'a pas supporté la pression du changement d'école, que nos camarades voulaient nous forcer à faire des trucs pas nets et... je sais pas, moi, tout ce dont on parle dans ces talk-shows où on cherche à comprendre pourquoi des gamins font n'importe quoi. Du coup, on a voulu prendre un peu de recul avant de faire une grosse bêtise. Alors on a fugué pour aller... Je sais pas, moi, faire du surf en Californie !

– C'est ridicule, ton histoire.

– Pourquoi ? Chaque année, des milliers de gosses disparaissent.

– Je sais, mais personne ne voudra jamais croire qu'on est partis ensemble.

Mark s'arrêta et lui jeta un regard noir.

– Allez, je te charrie ! reprit-elle. C'est une bonne idée. Mais on risque d'en baver.

– Peut-être. Ou alors nos parents nous pardonneront parce qu'on est des ados à problèmes.

– Ben voyons.

– De toute façon, quoi qu'on fasse et quoi qu'on dise, on est mal barrés. Au moins, ça nous donne une chance de nous en sortir sans devoir parler de flumes, de Voyageurs et de territoires...

– Et de finir à l'asile, conclut Courtney.

– Exactement.

– Évidemment, vu sous cet angle...

Ils décidèrent de passer d'abord chez Courtney, car c'était plus près. En outre, comme ses rapports avec ses parents étaient déjà orageux, ils étaient plus susceptibles d'avaler leur histoire que ceux de Mark, qui, de sa vie, n'avait jamais rien fait de spontané. Du moins pour autant qu'ils le sachent. En cours de route, ils concoctèrent une histoire abracadabrante : ils avaient économisé de quoi partir en Californie en bus, avaient passé un mois sur une plage au nord du Mexique à tenter d'apprendre à faire du surf sous des identités d'emprunt. Ils fignolèrent leur récit jusqu'au moindre détail – les villes qu'ils avaient traversé, ce qu'ils avaient mangé, les gens qu'ils avaient croisés. Tout. Bien vite, ils eurent assez d'assurance pour tester leur petit feuilleton sur les parents de Courtney. Finalement, ils atteignirent sa maison.

– Sonnons à la porte, dit Courtney. Je n'ai pas envie d'entrer comme une fleur. Ils en feraient une attaque.

– Bonne chance, chuchota Mark.

Elle appuya sur la sonnette. Quelques secondes plus tard, la porte s'ouvrit. C'était M. Chetwynde, et il les dévisagea comme s'il n'arrivait pas à en croire ses yeux. Mark et Courtney restèrent là sans rien dire. Ils avaient décidé qu'il valait mieux répondre aux questions que de prendre l'initiative. Ils se regardèrent en chiens de faïence pendant trente bonnes secondes avant que le père de Courtney ne prenne la parole :

– Que s'est-il passé ? demanda-t-il simplement.

– C'est une longue histoire, papa, fit Courtney d'un ton qu'elle voulut las et repentant.

– Très longue, ajouta Mark.

– La bibliothèque était fermée ? demanda M. Chetwynde.

Mark et Courtney ne surent que répondre. Ils s'étaient préparés à toutes les questions qui pouvaient se présenter, mais pas à celle-là.

– Vous alliez bien à la bibliothèque, non ? insista M. Chetwynde.

– Il y a un mois, vous voulez dire ? demanda Courtney.

– Non, quand vous êtes partis il y a... oh, une demi-heure, tout au plus, reprit M. Chetwynde, intrigué.

– Courtney est partie il y a une demi-heure ? J'étais avec elle ?

M. Chetwynde le regarda en fronçant les sourcils.

– Oui, à moins que tu aies un frère jumeau. Est-ce que j'ai raté un épisode ?

– Ben, oui ! reprit Courtney. On est...

– Non, intervint Mark. En fait, la bibliothèque était bien ouverte, mais on était affamés tous les deux, alors on est allés au McDo et on a fini nos devoirs là-bas. Ça nous a pris moins longtemps que prévu.

– Oh, fit M. Chetwynde, rassuré. Et vous appelez ça une longue histoire ? Mais c'est quand même dommage.

– Pourquoi ? fit Courtney, cherchant à comprendre ce qui se passait.

– Ce n'est pas bon de manger dans les fast-foods. C'est trop gras.

Mark et Courtney échangèrent un regard complice.

– Je connais bien des choses qui sont mauvaises pour la santé, dit-elle, et un hamburger n'a jamais tué personne.

– Ne fais pas ta crâneuse, dit M. Chetwynde avec un petit sourire. Tu m'as très bien compris.

Mark tira sur le pan de chemise de Courtney.

– Heu, j'avais quelque chose pour toi, mais je l'ai laissé à l'arrière de mon vélo.

Il voulut l'emmener, mais Courtney ne le laissa pas faire.

– Ton vélo ? Tu n'as pas...

– Oui ! coupa Mark. Le vélo que j'ai laissé dans la rue pour t'accompagner à la porte.

Courtney semblait perdue. Elle ne comprenait plus rien à rien.

– Viens, Courtney, fit-il avec véhémence entre ses dents serrées.

Il se retourna et partit vers la rue.

– J'arrive tout de suite, p'pa, fit-elle en le suivant.

Lorsqu'elle le rattrapa, Mark continua son chemin.

– Qu'est-ce qui se passe ? lui fit-elle en un souffle.

En guise de réponse, Mark lui montra sa main. La pierre sur son anneau s'était mise à luire.

– Oh, bon sang ! hoqueta Courtney.

Mark posa sa main sur l'anneau pour cacher les effets de lumière. Une fois dans la rue et hors de vue de M. Chetwynde, il courut se cacher derrière un buisson devant le jardin de son voisin. Lorsqu'il retira l'anneau, il grandissait déjà. Mark le posa au sol et alla se poster aux côtés de Courtney. Tous deux regardèrent s'ouvrir le conduit entre les dimensions.

– C'en est trop, fit Courtney. Je crois que je deviens cinglée.

Les lumières jaillirent, suivies des notes musicales. Puis, dans un ultime éclair, tout fut terminé. L'anneau redevint normal et, à côté de lui, gisait une liasse de parchemins roulés. Mark s'apprêtait à le ramasser, mais Courtney l'arrêta :

– Attends. Chaque chose en son temps. Mon père est devenu gâteux ou quoi ? Il ne se comporte pas comme quelqu'un dont la fille a disparu pendant un mois.

– Sans doute parce qu'on n'est *pas* partis pendant un mois.

Courtney lui jeta un regard vide d'expression.

– Alors là, non. On n'a pas fait un rêve bizarre, à la *Magicien d'Oz*. J'ai encore assez de bleus pour le prouver.

Mark éclata de rire.

– Non, on a bien passé un mois sur Eelong, mais je pense qu'on en est revenus quelques minutes après notre départ.

Courtney secoua la tête.

– Tu veux dire que le temps s'est arrêté durant un mois ?

– Non. Pour moi, on est allés sur un territoire qui existe sur une autre ligne temporelle. Et quand le flume nous a ramenés ici, c'est à l'instant même de notre départ.

– Alors... tout va bien ?

– Vis-à-vis de nos parents, oui.

Mais la réaction de leurs parents était en fin de compte le cadet de leurs soucis. Ils regardèrent le rouleau de parchemin.

– C'est du service rapide, remarqua Courtney.

– Pour nous, du moins. On ne sait pas si Bobby l'a écrit dans le passé ou dans l'avenir.

– Ne commence pas, dit Courtney. Mon cerveau va fondre.

Mark ramassa le parchemin roulé et scellé par une lanière de cuir. Il défit le nœud de ses doigts tremblants.

– Qu'est-il arrivé au flume, Mark ?

– La réponse est peut-être là-dedans, dit Mark en déroulant les pages.

Il inspira profondément et regarda la première feuille.

– C'est de Bobby ? demanda Courtney.

– Ouais.

– Où est-il ?

Journal n° 19

ZADAA

C'était un piège.

Tout ce qui s'est passé depuis le premier moment où j'ai posé le pied sur Eelong visait à m'y faire tomber... et j'ai mordu à l'hameçon. Le poison de Cloral, la mort de Seegen en Seconde Terre, Saint Dane se vantant de pouvoir exterminer les gars, l'attaque sur la Cité de l'Eau noire... tout ! Tout ça dans le seul but de préparer ce piège. Le pire, c'est que je me doutais que Saint Dane ne montrait pas toutes ses cartes, mais je n'ai pas été assez malin pour deviner ce qu'il manigançait.

Et maintenant, il est trop tard.

Si je regarde en arrière, là, oui, je peux reconstituer le puzzle. Par contre, je ne suis pas doué pour prévoir ce qui va se passer, et on en a payé le prix. Mark, Courtney, je vais revenir en arrière pour vous raconter ce qui s'est passé depuis le moment où vous avez quitté Eelong pour retourner en Seconde Terre. Je dois tout vous dire. Je vous préviens, ce sera dur. Je m'en passerais volontiers. Mais plus que jamais, vous êtes impliqués. On a remporté plus d'une victoire sur Saint Dane, et on a le droit d'en être fiers. Mais on a aussi commis des erreurs, et on doit les reconnaître aussi.

Voilà ce qui s'est passé exactement.

– Dans le flume, vite ! vous ai-je crié alors que le tunnel s'écroulait. La lumière !

Je vous ai poussés pour être sûr que vous n'alliez pas rater le coche. C'est alors qu'une crevasse est apparue à mes pieds. Si je n'avais pas roulé sur le côté, je serais tombé dedans. Je me suis cogné violemment l'épaule, et la douleur fulgurante est descendue jusqu'à ma jambe, mais je n'avais pas le loisir de m'en soucier, car des morceaux du plafond pleuvaient tout autour de moi. Un rocher a raté ma tête de peu. Mais pour l'éviter, j'ai bien failli retomber dans la crevasse, maintenant large de plus d'un mètre et qui n'arrêtait pas de s'étendre. Je me suis agrippé à son rebord et j'ai scruté le vide. Là en dessous, il n'y avait rien, rien du tout. Pour autant que je sache, ce gouffre pouvait s'ouvrir sur le cœur même d'Eelong. J'ai cherché à reculer, mais le sol a cédé sous moi. Il s'est désagrégé d'un coup, m'entraînant avec lui.

– Je te tiens ! a crié Kasha.

Elle avait réussi à franchir le rideau de lianes pour entrer dans ce qui restait de la caverne. Heureusement, parce qu'à la dernière seconde elle a agrippé le bas de ma tunique. Elle m'a sauvé la vie. Une fois de plus. J'ai pu me retourner pour agripper le rebord. Puis celui-ci s'est éboulé pour plonger dans le néant.

– C'est bon, a-t-elle dit en me redressant.

Le terrible grincement s'est encore accentué. C'était comme se tenir au centre d'une tempête. Cette espèce de tremblement de terre déchirait la caverne comme du papier de soie.

– Sors de là, Pendragon ! a crié Spader.

J'ai levé les yeux pour le voir à l'embouchure de la caverne, Gunny à ses côtés.

– N'avancez pas ! leur ai-je crié.

Mais c'était inutile, car une fissure a écartelé la terre juste devant eux, les coupant de la grotte. Mais elle nous empêchait aussi de sortir, Kasha et moi ! On avait le choix entre finir écrasés sous un rocher ou plonger dans ce puits sans fond. Il ne nous restait plus qu'une solution.

– Zadaa ! ai-je crié dans le flume.

Une lumière a jailli des profondeurs. Viendrait-elle nous sauver avant que la caverne ne s'écroule sur nos têtes ?

– Vite ! ai-je crié à Kasha.

Elle a cherché à m'aider à me relever, mais autant vouloir se tenir droit dans une machine à laver. On est retombés tous les deux. Les notes de musique se sont rapprochées.

– Vite, Bobby ! a crié Gunny de l'autre côté. Cours vers la lumière !

Et en une fraction de seconde, tout a changé. Mettons une seconde tout au plus. Ce n'est rien, non ? Un cran de plus sur l'horloge. Les secondes s'écoulent sans cesse, soixante par minute, et personne ne s'en soucie. Mais cet infime laps de temps peut devenir une éternité. Je me suis relevé et ai aidé Kasha à faire de même. Je lui tenais la main. Une seconde : c'est tout ce qu'il m'aurait fallu pour la remettre sur ses pieds. Et alors, elle s'en serait sortie.

Mais non. À une seconde près.

Avant que j'aie pu la relever, un bout de roche est tombé du plafond et a frappé sa tempe. Le flume était si bruyant que je n'ai pas entendu le bruit de l'impact – heureusement. Mais je n'oublierai jamais ce que j'ai vu. Kasha a secoué la tête et s'est affaissée comme si quelqu'un l'avait débranchée.

Je n'ai pas cherché à assimiler ce qui se passait. J'ai tiré sur la main de Kasha, suis tombé sur un genou et ai pris la grande klee sur mes épaules. Là, je ne réfléchissais même plus ; j'étais complètement dopé à l'adrénaline.

– Allez, fiston, vas-y ! m'a crié Gunny.

J'ai jeté un bref coup d'œil en arrière pour voir qu'il entraînait Spader hors de l'embouchure du flume. Puis ils ont disparu derrière le rideau de lianes. Sauvés.

Le sol tremblait si violemment que j'ai bien failli perdre l'équilibre une fois de plus. Mais, dans un grand effort de volonté, j'ai pu me redresser et mettre un pied devant l'autre. Il fallait absolument qu'on entre dans le flume. Soudain, les lumières m'ont aveuglé…

– Hobie-ho, Pendragon ! ai-je entendu crier Spader.

Et nous voilà partis. Mon dernier souvenir d'Eelong a été le fracas du flume s'écroulant derrière nous. Je me suis crispé en m'attendant à ce que toute la structure s'effondre, mais non. L'embouchure du flume avait le plus souffert. Le reste était intact.

Je n'ai pas grand souvenir de notre voyage jusqu'à Zadaa. Kasha et moi avons voyagé ensemble. Tout au long, je l'ai tenue dans mes bras. Du sang commençait à poisser sa fourrure juste au-dessus de son œil gauche. J'ai posé la main sur la plaie afin d'arrêter l'hémorragie, mais en même temps, j'avais peur d'exercer une trop forte pression sur son crâne. Elle souffrait peut-être déjà d'un traumatisme ou de quelque chose comme ça.

– Kasha ?

Elle a ouvert des yeux vagues.

– On y est presque, lui dis-je. Loor nous aidera.

Sauf que j'étais mort de frousse. Je savais que Loor ferait tout son possible, mais j'ignorais si Zadaa disposait d'un système médical avancé. Ni s'ils accepteraient de soigner un grand félin. Avaient-ils des vétérinaires ? Tout ce que je pouvais faire, c'était me cramponner à Kasha et attendre la fin du voyage.

Je sais que le trajet n'a pas duré plus de quelques minutes, mais elles m'ont semblé des heures. Enfin, la musique a pris de l'ampleur et j'ai ressenti l'effet de la gravité. J'ai serré Kasha contre moi pour mieux amortir sa chute. Puis on a débouché dans la grande caverne souterraine aux parois de pierre rousse typique de Zadaa. J'ai allongé Kasha sur le sol le plus délicatement possible. Que pouvais-je faire pour lui venir en aide ? Ça ne serait pas facile. Pour sortir de cette caverne, il fallait escalader un escalier aux marches creusées directement dans la pierre. Je ne pourrais jamais m'en sortir avec un félin de cent kilos sur le dos. Il fallait la laisser là pour aller chercher de l'aide.

– Pendragon ? a-t-elle dit d'une voix faible.

Ses yeux étaient ouverts et troubles.

– Ne parle pas, ai-je répondu. Je vais chercher de l'aide.

– Non. Je ne veux pas me retrouver seule.

– Mais si on ne cherche pas...

Kasha m'a coupé en serrant mon bras. Je l'ai regardée, et j'ai eu un coup au cœur. Ses yeux jadis brillants étaient de plus en plus vitreux. Sa plaie a saigné de plus belle. J'ai compris qu'elle n'avait plus besoin d'un docteur, mais d'une présence à ses côtés. Je me suis assis près d'elle et j'ai glissé ma main sous sa tête pour la protéger du sol rugueux.

– Redis-moi ce qu'a déclaré ton oncle Press, dit-elle dans un souffle. J'en ai besoin.

Il m'a fallu épuiser toutes mes réserves de courage pour répondre :

– L'oncle Press ressemblait beaucoup à ton père, ai-je dit d'une voix qui se brisait. Tout le monde appréciait sa compagnie parce qu'il ne voyait jamais rien comme un problème, mais comme un défi. Il n'avait pas besoin de raisons ou d'excuses. Il faisait ce qu'il avait à faire.

– Comme Seegen, murmura Kasha.

– Et l'oncle Press était un Voyageur. Il m'a beaucoup appris là-dessus, mais il n'a fait qu'effleurer le sujet. Il en savait bien plus encore, mais il n'a pas pu m'en apprendre davantage. Avant de mourir, ses derniers mots ont été pour me dire de ne pas être triste et qu'un jour, on se retrouverait. Il me l'a juré. Jusque-là, il a toujours tenu parole, et je ne vois pas pourquoi il en serait autrement cette fois-ci.

– J'aurais aimé le connaître.

– Je me serais fait une joie de te le présenter.

Kasha a avalé sa salive et repris :

– Est-ce que je vais retrouver mon père ?

Là, j'ai été à deux doigts de craquer.

– Oui. Je te le promets.

– Je suis fière de t'avoir connu, Pendragon. Et d'avoir été une Voyageuse.

– Tu seras toujours l'une des nôtres.

Kasha a souri, puis a fermé les yeux. J'ai senti la vie la quitter alors que sa tête ballottait sur le côté. Je suis resté là, à fixer ce corps inerte, refusant l'inévitable, attendant qu'elle rouvre les yeux. En vain. C'est alors que le poids écrasant de la réalité m'est tombé sur les épaules. Un autre Voyageur était mort. Oh, ce n'était pas la première fois : Osa, Seegen, le père de Spader et, bien sûr, l'oncle Press étaient tous décédés. Mais il y avait une différence : Kasha était la première victime qui soit de ma génération. La dernière.

Soudain, j'ai commencé à comprendre le vrai but du passage de Saint Dane sur Eelong.

– Salut, Pendragon, a fait une voix venant des profondeurs de la caverne.

Je n'ai pas eu à lever les yeux. Je savais de qui il s'agissait.

– Salut, Loor.

La guerrière à la peau noire est sortie de l'ombre et s'est dressée devant Kasha et moi, nous dominant de toute sa taille.

– Je savais que tu viendrais, a-t-elle dit doucement, mais je ne m'attendais pas à ça.

– Tout a changé, Loor, ai-je déclaré en luttant pour garder le contrôle de mes émotions. On a sauvé Eelong. Le territoire ne risque plus rien. Mais je crois que, pour Saint Dane, ça n'a pas vraiment d'importance.

– Alors que veut-il ?

– Changer ce qui est écrit. Il fait tout son possible pour que Halla s'écroule. Et sur Eelong, on l'y a aidé.

– Explique-toi, a demandé Loor.

J'ai reposé délicatement la tête de Kasha et me suis dirigé vers l'embouchure du flume.

– Eelong ! ai-je crié.

Rien.

Loor s'est avancé et a essayé à son tour :

– Eelong !

Le flume est resté inerte.

– La porte qui donnait sur Eelong est détruite, ai-je conclu.

– Comment Saint Dane a-t-il fait ?

– Ce n'est pas lui, mais *nous*. L'oncle Press m'a dit et répété qu'il ne fallait pas mélanger les territoires. Ce qui est arrivé sur Eelong en est la preuve. Saint Dane n'a peut-être pas conquis ce territoire, mais nous avons perdu trois Voyageurs.

Loor était trop stupéfaite pour demander ce que j'entendais par là. Je suis retourné m'agenouiller près du cadavre de Kasha. J'ai doucement retiré l'anneau de Voyageur passé autour de son cou.

– Kasha était la Voyageuse d'Eelong. Comme on est la dernière génération, il n'y a personne pour la remplacer.

J'ai passé la cordelette autour de mon propre cou et me suis retourné vers Loor :

– Et comme la porte d'Eelong est détruite, Spader et Gunny sont pris au piège.

Pour la première fois depuis que je la connaissais, Loor a eu l'air surpris.

– Mais ils ne risquent rien ? a-t-elle demandé.

– Je ne pense pas, non. Mais ils ne peuvent pas quitter Eelong. Saint Dane dit que les règles ont changé, or ce n'est pas vrai. Il a juste décidé de ne pas les respecter.

Loor et moi avons emporté le cadavre de Kasha pour l'emmener discrètement à travers le réseau de cavernes et de couloirs serpentant sous la ville de Xhaxhu. C'était la seconde fois que je passais par là, je connaissais le chemin. Sauf qu'aujourd'hui, il y avait quelque chose de différent. Xhaxhu était bâtie sur une oasis entourée d'un immense désert. Un réseau complexe de rivières souterraines l'approvisionnait en eau. Ces rivières étaient essentielles à sa survie : sans elles, la cité serait asséchée et finirait par s'effondrer. On devait passer au-dessus de l'une d'entre elles en cours de route, mais lorsqu'on y est arrivé, j'ai eu la surprise de constater que la rivière était asséchée. Il n'en restait plus qu'un fossé profond avec sur son lit quelques centimètres de poussière aride. J'ai reposé le cadavre et me suis penché pour observer ce qui était jadis un cours d'eau rapide. J'étais trop stupéfait pour parler.

– Voilà pourquoi je savais que tu viendrais, a dit Loor. Mais ce n'est pas le moment d'en parler. Il faut d'abord finir ce qu'on a commencé.

Je me suis secoué et ai repris Kasha pour continuer notre périple. Quand on est arrivé à la montagne dominant la ville, j'ai vu qu'il faisait nuit noire. Les rues étaient désertes, ce qui jouait en notre faveur. Je ne vois pas comment on aurait pu expliquer ce qu'on était en train de faire. On a emmené Kasha au centre de cérémonies où les guerriers défunts de Zadaa étaient rassemblés pour leur crémation. Comme les klees brûlaient aussi leurs morts, j'imagine que c'était approprié. On a enveloppé le corps de Kasha dans un drap blanc et on l'a délicatement déposée dans le four. Loor a pris sur elle d'allumer les feux cérémoniaux. J'ai dû sortir du bâtiment en attendant qu'elle ait terminé. Je n'avais pas le courage d'assister à la crémation. Ça n'a pas traîné. Peu après, Loor est ressortie du crématorium avec une petite urne contenant les cendres de Kasha. Je l'ai prise, soupesée et ai promis silencieusement à Kasha qu'un jour j'éparpillerais ses cendres du haut du promontoire dominant Lyandra, comme elle l'avait fait pour Seegen.

– Tu dois porter le deuil de ton amie, a déclaré Loor. Et moi aussi, car on a perdu un Voyageur. Mais il faut qu'on se reprenne très vite, parce qu'il y a encore beaucoup à faire.

– Saint Dane arrive, ai-je dit.

– Comme si je ne le savais pas déjà. La guerre que je redoutais depuis longtemps a fini par éclater. Les tribus des Rokadors et des Batus ont déjà versé du sang dans leur lutte pour contrôler les rivières de Zadaa.

Pas le temps de se reposer. Pas le temps de pleurer Kasha. Pas le temps de réfléchir à tout ce qui s'était déjà passé et de recharger nos batteries en attendant notre prochain face-à-face avec Saint Dane. Ce qui ne m'étonnait pas vraiment.

– Alors nous voilà partis, ai-je dit doucement.

– Oui. Nous voilà partis.

C'est là que se termine mon journal, les amis. J'écris ces derniers mots dans le petit appartement de Loor situé dans ce bâtiment où sont logés les guerriers de Xhaxhu. Mark, Courtney, je voudrais que vous reteniez trois choses de ce journal et de ce qui s'est passé sur Eelong.

La première – et c'est peut-être la plus importante –, c'est que vous n'êtes pas responsables de ce qui est arrivé. Saint Dane ne nous a pas laissé d'autre choix que d'agir comme on l'a fait. Je crois qu'il a empoisonné Seegen au moment où il allait partir pour la Seconde Terre afin que vous découvriez le poison de Cloral. Et vous avait fait exactement ce qu'il fallait faire. Si vous n'étiez pas allés chercher l'antidote sur Cloral, Eelong aurait été condamné. De plus, Gunny, Kasha et moi y serions probablement restés. Quoi qu'il en soit, il y aurait eu trois Voyageurs de moins.

Saint Dane nous a manipulés, tous autant que nous sommes. Il m'a confié son dessein d'exterminer les gars afin que, le moment venu, on fasse tout pour arrêter la diffusion du poison. Il savait que je ne laisserais jamais exterminer une race entière. Ce qui nous amène au second point.

Je crois que Halla et les territoires ont un certain équilibre. C'est pour ça que je suis convaincu que l'oncle Press m'a dit la vérité. Il ne faut pas mélanger les territoires. Saint Dane l'a fait pour engendrer le chaos. Il vous a poussés à employer les flumes, ce qui était une erreur. À chaque fois que vous en utilisez un, il s'affaiblit. Votre départ d'Eelong a été la goutte d'eau qui a fait déborder le vase. C'est pour ça que la porte s'est effondrée. L'équilibre de Halla a été perturbé. Et je crois que c'était ce que voulait Saint Dane depuis le début. C'est pour ça qu'il est allé vous trouver en Seconde Terre pour vous donner la main de Gunny. Il vous a incités à utiliser les flumes en vous donnant une bonne raison de le faire.

Le véritable but de Saint Dane n'était pas de détruire Eelong, mais de nous pousser à transgresser ce qui était écrit. Il veut chambouler Halla de fond en comble. Donc, je sais que je me répète, mais ne prenez pas les flumes. J'en suis désormais sûr. Sinon, ceux de Seconde Terre pourraient s'effondrer, comme celui d'Eelong.

La dernière chose que j'ai à vous dire, c'est que je suis extrêmement fier de vous deux. Comme je l'ai dit, rien de tout ça n'est votre faute. Vous avez fait preuve de courage et d'astuce. Vous m'avez vraiment impressionné. Je sais que vous avez fait tout ça pour m'aider, et je ne l'oublierai jamais. Mais je sais aussi que vous comprenez à quel point il est important d'arrêter Saint Dane, sinon, vous n'auriez pas risqué vos vies comme vous l'avez fait. Comme j'aimerais que vous soyez aussi des Voyageurs ! Je donnerais n'importe quoi pour vous avoir à mes côtés. Mais c'est impossible. J'espère juste que vous continuerez d'être mes Acolytes et de sauvegarder mes journaux.

Pendant que j'écris ces mots, j'avoue que je m'inquiète pour l'avenir. Nos aventures sur Eelong nous ont fait passer à la vitesse supérieure. Il n'est plus si facile de différencier ce qui est bien de ce qui est mal. On a violé les règles, mais on croyait le faire pour la bonne cause. Et c'était le cas. On doit pourtant en payer le prix. L'ennui, c'est que je me retrouve dans une situation similaire : si j'ai besoin de prendre une décision aussi grave, je ne sais pas ce que je ferai. Dois-je laisser exterminer une race entière plutôt que de violer les règles ? Pire, doit-on permettre à Saint Dane de détruire un autre territoire pour sauver Halla ? Je vois encore le *Hindenburg* dans mes cauchemars. Certes, on est les gentils, mais peut-on laisser mourir des gens, même si c'est pour la bonne cause ? Et lorsque je me pose ces questions, je me demande si je suis vraiment taillé pour être le chef des Voyageurs. C'est sûr, j'ai fait de mon mieux. Mais la prochaine fois que j'aurai à prendre une décision pénible, « faire de mon mieux » sera-t-il suffisant ? J'imagine qu'on ne tardera pas à le savoir.

Bonne chance, mes amis. Tentez de reprendre une vie normale, bien que je ne sache plus distinguer ce qui est normal de ce qui ne l'est pas. Après ce que vous avez enduré sur Eelong, je suis sûr que vous aurez le même problème. Croyez-moi, je le regrette. Dans mon prochain journal, je vous raconterai le cauchemar que j'ai vécu ici, sur Zadaa.

Parce que c'est un vrai cauchemar.

Et nous voilà partis. Une fois de plus.

Fin du journal n° 19

À PARAÎTRE EN 2006

Bobby Pendragon n° 6
Les Rivières de Zadaa

Impression réalisée sur CAMERON
par BRODARD ET TAUPIN
La Flèche

pour le compte des Éditions du Rocher
en octobre 2005

Imprimé en France
Dépôt légal : octobre 2005
N° d'impression : 31945